D0380782

ullstein

Das Buch

Berlin 1932: Sala und Otto sind dreizehn und siebzehn Jahre alt, als sie sich ineinander verlieben. Er stammt aus der Arbeiterklasse, sie aus einer intellektuellen jüdischen Familie. 1938 muss Sala ihre deutsche Heimat verlassen, kommt bei ihrer jüdischen Tante in Paris unter, bis die Deutschen in Frankreich einmarschieren. Während Otto als Sanitätsarzt mit der Wehrmacht in den Krieg zieht, wird Sala bei einem Fluchtversuch verraten und in einem Lager in den Pyrenäen interniert. Dort stirbt man schnell an Hunger oder Seuchen, wer bis 1943 überlebt, wird nach Auschwitz deportiert. Sala hat Glück, sie wird in einen Zug nach Leipzig gesetzt und taucht unter.

Kurz vor Kriegsende gerät Otto in russische Gefangenschaft, aus der er 1950 in das zerstörte Berlin zurückkehrt. Auch für Sala beginnt mit dem Frieden eine Odyssee, die sie bis nach Buenos Aires führt. Dort versucht sie, sich ein neues Leben aufzubauen, scheitert und kehrt zurück. Zehn Jahre lang haben sie einander nicht gesehen. Aber als Sala Ottos Namen im Telefonbuch sieht, weiß sie, dass sie ihn nie vergessen hat.

Mit großer Eleganz erzählt Christian Berkel den spannungsreichen Roman seiner Familie. Er führt über drei Generationen von Ascona, Berlin, Paris, Gurs und Moskau bis nach Buenos Aires. Am Ende steht die Geschichte zweier Liebender, die unterschiedlicher nicht sein könnten und doch ihr Leben lang nicht voneinander lassen.

Der Autor

Christian Berkel, 1957 in West-Berlin geboren, ist einer der bekanntesten deutschen Schauspieler. Er war an zahlreichen europäischen Filmproduktionen sowie an Hollywood-Blockbustern beteiligt und wurde u.a. mit dem Bambi, der Goldenen Kamera und dem Deutschen Fernsehpreis ausgezeichnet. Viele Jahre stand er in der ZDF-Serie *Der Kriminalist* vor der Kamera. Er lebt mit seiner Frau Andrea Sawatzki und den beiden Söhnen in Berlin.

Christian Berkel

Der Apfelbaum

Roman

Ullstein

Besuchen Sie uns im Internet:
www.ullstein-buchverlage.de

Dieses Buch ist ein Roman, wenn auch einige seiner Charaktere erkennbare Vor- und Urbilder in der Realität haben, von denen das eine oder andere biografische Detail übernommen wurde. Dennoch sind es Kunstfiguren. Ihre Beschreibungen sind ebenso wie das Handlungsgeflecht, das sie bilden, und die Ereignisse und Situationen, die sich dabei ergeben, fiktiv.

MIX
Papier
FSC FSC® C083411

Ungekürzte Ausgabe im Ullstein Taschenbuch
1. Auflage Oktober 2019
4. Auflage 2019
© Ullstein Buchverlage GmbH, Berlin 2018 / Ullstein Verlag
Umschlaggestaltung: zero-media.net, München nach einer
Vorlage von Büro Jorge Schmidt, München
Autorenfoto: © Gerald von Foris
Titelabbildung: Trotz aller Bemühungen des Verlags konnte
der Rechteinhaber nicht ausfindig gemacht werden
Satz: L42 AG, Berlin
Gesetzt aus der Dante MT Pro
Druck und Bindearbeiten: CPI books GmbH, Leck
ISBN 978-3-548-06086-6

Für Andrea, Moritz und Bruno

Jedes Schicksal, wie weitläufig und verschlungen es auch sein mag, besteht in Wirklichkeit *aus einem einzigen Augenblick*; dem Augenblick, in dem der Mensch für immer weiß, wer er ist.

Jorge Luis Borges

Stille.

Ein Baum fiel krachend zu Boden. Erneut warfen die Männer ihre Motorsäge an. Ein Schrei. Das Kreischen dehnte und blähte sich, die Säge grub ihre Zähne in die nächste Kiefer. Ich wagte nicht, mich umzudrehen. Mein Herz zog sich zusammen. Ich hörte, wie die Wurzeln des hundertjährigen Riesen langsam aus dem Boden gerissen wurden, wie im Fallen sein Widerstand brach.

Ich saß auf einem Pfeiler aus rotem Klinkerstein am Eingang unseres neuen Hauses. Auf der gegenüberliegenden Straßenseite reihten sich die frisch lackierten Holzzäune in der Morgensonne aneinander, dahinter kläfften Hunde in die Vorstadtidylle. In meinem Rücken, im kniehohen Gras eines verwunschenen Gartens, wie ihn sich jedes Kind erträumt, acht tote Kiefern. Acht. Ich hatte mitgezählt. Nun stand nur noch der kleine, verwachsene Baum. Den durften sie nicht fällen. Mein Vater hatte es mir versprochen. Vorsichtig drehte ich mich in der Grabesstille um.

Ich verlor das Gleichgewicht. Ein Sturz wie ein Schreck. Ich stemmte mich mit aller Kraft gegen den Uhrzeigersinn. Noch während ich fiel, oder schwebte, noch bevor mein sechsjähriger Kopf auf die Steinplatten schlug, sah ich ihn in seiner schlichten Schönheit. Die Sonne schoss durch seine Blätter, seine Früchte blitzten auf. Er stand noch. Allein. Gar nicht verloren. Trotzig. Mein Apfelbaum.

I

»Na, mal wieder die Mutter besuchen?«

Was ging das die Blumenverkäuferin an? Und dazu noch dieser unverhohlene Vorwurf in der Stimme. Was wusste sie schon? Hier in Spandau kannte jeder jeden. Unerträglich. Ich bezahlte eilig und verließ den Laden.

Mit den Blumen in der Hand bog ich in den schmalen Weg zwischen den Wohnblöcken. Immerhin hatte man damals daran gedacht, diese Schuhschachteln um eine Rasenfläche zu gruppieren. Meine Eltern hatten sich dort eingemietet, nachdem sie ihr Haus in Frohnau verkauft hatten, um den Großteil des Jahres in Spanien zu leben. Damit löste mein Vater das Versprechen ein, das er meiner Mutter Jahrzehnte zuvor, in den Fünfzigerjahren, gegeben hatte, als sie aus Argentinien zurückgekehrt war und sich in Deutschland nicht mehr zurechtfand. Dieses Land war nicht mehr ihre Heimat, konnte es nie mehr werden.

»Komm schnell rein.«

Meine Mutter stand in der Tür, nur mit einem Morgenmantel bekleidet. Bevor ich ihr die Blumen in die Hand drücken konnte, zog sie mich in den Flur. Ein paar Wochen waren seit meinem letzten Besuch vergangen. Der Herbst ging in Regen und Schnee über. Es war kalt geworden.

»Ich muss dir etwas erzählen.«

In ihrem kleinen Wohnzimmer drehte sie sich um und warf den Kopf in den Nacken.

»Ich habe geheiratet.«

Ein Flugzeug donnerte über die Siedlung hinweg. Mein Vater war vor neun Jahren, am 24. Dezember 2001, gestorben.

»Warum hast du mir nichts davon erzählt?«, fragte ich.

Sie sah mich prüfend an, wartete einen Moment.

»Keine Sorge, er ist schon wieder tot.«

»Wie … aber …«

»Leberschaden.«

»Ach.«

»Ja, wie dein Vater, da war's auch die Leber, aber schon damals im Krieg. Ganz plötzlich ist er umgefallen. Tot. Bei Carl war es ähnlich. Er hat deinen Vater im Krieg kennengelernt. Sie sind zusammen in Russland im Lager gewesen.«

»Wie … wer ist in Russland gestorben?«

»Na, dein Vater.«

»Nein.«

»Nein?« Sie lachte ungläubig. »Ich muss es ja wohl wissen, er war ja schließlich mein Mann, auch wenn wir unter Adolf nicht heiraten durften.«

»Nein, er kann nicht während des Krieges gestorben sein, sonst wäre ich ja nicht geboren … oder er wäre nicht mein Vater.«

»Natürlich war er dein Vater. Das wär ja noch schöner! Was soll denn das? Ideen wie ein altes Haus, das dem Einsturz nahe ist.«

»Na, ich bin 1957 geboren, er kann ja nicht im Krieg gefallen, also gestorben sein, meine ich, und mich dann zwölf Jahre nach Kriegsende gezeugt haben …«

Sie starrte mich wütend an.

«Bei dir haben sie wohl eingebrochen und vergessen zu klauen.« Ihre trüben Augen fixierten mich. »Das ist ja zum Piepen, ist das! Also jetzt pass mal auf, der Carl, der hat mir sehr viel Geld hinterlassen, weil, na ja, er wollte, dass ich abgesichert bin, weißt du, und da er mit seiner Sippe wegen mir immer Ärger hatte ...«

»Warum denn?«

»Na, er kam aus der Familie Benz.« Sie machte eine Pause und sah mich vielsagend an.

»Benz?«

»Ja. Daimler Benz.«

Der Name war wie ein Achtzylinder über ihre Zunge gerollt.

»Und warum hatte er deinetwegen Ärger mit seiner Familie?«

»Manchmal bist du aber wirklich schwer von Kapee. Warum wohl? Die haben natürlich Angst vor Erbschleichern. Außerdem war Carl sehr viel jünger als ich. Das hat denen natürlich auch nicht gepasst.«

»Wie alt war er denn?«

»So genau weiß ich das jetzt nicht mehr. Siebenundvierzig? Manches vergesse ich inzwischen, weißt du? Vielleicht auch sechsundvierzig, also Ende vierzig oder Anfang ... na ja.«

»Aber ich dachte, er sei mit Papa in russischer Gefangenschaft gewesen?«

»Das habe ich doch gesagt. Hast du wieder nicht zugehört?«

»Nein, ich meine nur, dass er dann nicht Ende vierzig gewesen sein kann ... also, wenn er zusammen mit Papa in dem russischen Lager war.«

Ich hoffte, sie würde einlenken, obwohl mir klar war, dass sie es nicht tun konnte. Widersprüche hatten sie auch früher nicht gestört. Ich versuchte es trotzdem.

»Eigentlich müsste er dann so etwa in deinem Alter gewesen sein.«

»War er aber nicht. Er war dreißig Jahre jünger. Punktum. Also, jetzt pass mal auf, er hat mir zwei Millionen Euro auf mein Konto überwiesen. Und da ich das Geld nicht brauche, wollte ich es deiner Schwester und dir schenken.« Sie strahlte mich zufrieden an.

»Oh, das ist lieb von dir, aber willst du es nicht doch behalten?«

»Wozu? Ich habe genug, und allzu lange will ich auch gar nicht mehr leben. Ich kenne das alles schon zur Genüge und will mich ja schließlich nicht langweilen. – Ach, bevor wir zur Bank gehen, um das Geld abzuheben, möchte ich noch ins Interconti fahren.« Ich sah sie fragend an.

»Na, da haben Carl und ich unsere Hochzeitsnacht verbracht, und am nächsten Morgen habe ich doch diiiirekt mein Hochzeitskleid dort vergessen. Wahrscheinlich hängt es da noch im Schrank. Das möchte ich schon haben.«

Ich war mit einem Block voller Notizen gekommen, saß vor meiner Mutter, wollte sie über meinen Vater befragen – und sie erzählte von ihrer Hochzeit mit Carl Benz.

Ich begriff, dass die Zeit, nach der ich suchte, nicht in Vergessenheit geraten war. Sie begann sich vor meinen Augen aufzulösen. Was blieb, waren Bruchstücke aus ihrem Leben. Einzelne Motive tauchten in Variationen auf, wurden neu verknüpft, als hätte man ein Bild in einzelne Teile zerschnitten, einige dabei verloren, andere zu einem neuen Ganzen zusammengesetzt. Als würde die Seele im Vergessen neu kartografiert.

Und mein Vater, mit dem sie durchs Leben gegangen war – seit ihrem dreizehnten Jahr –, mein Vater war verschwunden, vor langer Zeit im Krieg gestorben, ersetzt durch Carl Benz.

Mein Vater war von März 1945 bis Ende 1950 in russischer

Kriegsgefangenschaft gewesen. Verwandelte sie die Tatsache, dass sie in dieser Zeit von ihm getrennt gewesen war, jetzt in seinen Tod? Wenn sie ihn damals verloren geglaubt hatte, wenn sie begonnen hatte, seinen Tod zu akzeptieren, wie es viele Frauen damals taten, dann war dieser Tod eine Zeit lang Teil ihrer Wirklichkeit geworden. Griff ihr schwindendes Gedächtnis jetzt erneut darauf zurück?

Die Filiale der Sparkasse war nur wenige Minuten entfernt. Zielstrebig ging meine Mutter auf einen Berater zu. Sie legte eine große, leere Tasche auf den Tresen.

»Guten Tag, würden Sie bitte meinen Kontostand aufrufen? Sala Nohl«, sagte sie in gesetztem, beinahe feierlichem Ton. Nach dem Tod meines Vaters hatte sie wieder ihren Mädchennamen angenommen.

»Sehr gerne, gnädige Frau.«

Der Bankangestellte nickte höflich. Sie lächelte mich verschwörerisch an. Für einen kurzen Moment wurde ich unsicher. Es konnte eigentlich nicht sein. Oder doch?

«3.766 Euro und 88 Cent, gnädige Frau.«

Sie sah kurz auf.

»Nein, das andere Konto.«

Der Berater schien nicht zu verstehen. Sie wandte sich zu mir und schüttelte seufzend den Kopf, als würde sie sich für die Unfähigkeit eines Mitarbeiters entschuldigen, der noch einiges lernen musste, worüber sie jetzt mal großzügig hinwegsehen würde.

»Gnädige Frau, es tut mir leid, aber Sie haben bei uns nur dieses Konto.«

»So so, habe ich das, ja?«

Sie nickte unsicher, während aus ihrem Gesicht die Farbe wich. »Gut, dann komme ich morgen noch mal, wenn Ihr Chef da ist.«

Der arme Mann blickte mich fragend an.

»Sehr gerne, gnädige Frau.«

Ich führte sie vorsichtig hinaus.

Auf der Straße blieb sie nach wenigen Schritten stehen. Sie sah mich erschrocken an.

»Ich kann das doch nicht alles geträumt haben.«

Ich sprach mit Ärzten, schilderte so gewissenhaft ich konnte meine Beobachtungen, auch die frühesten Zeichen der beginnenden Auflösung, und erfuhr, was ich von Anbeginn wusste. Mir blieb nichts, als sie auf dem unabwendbaren Weg bis zum Eingang des Tunnels zu begleiten, um sie, Schritt für Schritt, in die erinnerungslose Dunkelheit zu entlassen. Ein Psychiater riet mir, meine Mutter so oft wie möglich zu besuchen. Regelmäßige Gespräche, soziale Kontakte könnten den Verlauf mildern. Die Besuche fielen mir schwer. Es dauerte, bis ich mich hier und da in ihre Welt hineindenken konnte. Meistens gelang es mir erst im Nachgang, die Bilder in meinem Innern zu ordnen, wenn ich wieder mit mir und dem Klang ihrer Stimme allein war.

Manche Menschen schmecken noch den Kuchen, den ihre Mutter sonntags auf den Tisch stellte, die besondere Mahlzeit, ihr Leibgericht, dessen Duft ihnen verlässlich die verschlossenen Räume ihrer Kindheit öffnet. Andere erinnern sich an ihr Parfum, ihre Umarmungen, ihr Wachen am Krankenbett, an ihren Gang, ihre Bewegungen, die Silhouette ihres Rückens, wenn sie das Licht löschte und das Zimmer verließ, an den Kuss, der ihnen die Angst vor dem Einschlafen nahm, an ihr Lachen und ihre mitfühlenden Tränen, oder an ihre stille, Halt gebende Anwesenheit. Für mich waren es ihre Worte. Worte, die sich in Bilder verwandelten, die zu meinen eigenen wurden. Zum Boden, zu den Wänden, den Fenstern und Türen meiner Welt. Nichts in meiner Kindheit war verstörender als ihr Schweigen. Und jetzt? Würde sie langsam in eine Welt hinübergleiten, in der es keine gemeinsame Sprache mehr gab?

Der Psychiater erklärte mir, dass es selbst im Wahn eine Verbindung zur Wirklichkeit gebe, nur sei sie nicht leicht zu erkennen. »Wenn ein Paranoiker bei der Morgenvisite erzählt, dass er die ganze Nacht von einem Pfleger mit elektromagnetischen Strahlen misshandelt worden ist, dann kann man davon ausgehen, dass der Pfleger am Vorabend wohl nicht sehr freundlich zu dem Patienten war.« Meinen Beschreibungen nach stehe es aber noch nicht so schlimm um meine Mutter. Ich fragte nach seiner Diagnose. Er lächelte achselzuckend. »Was hilft Ihnen ein Etikett?« Ich insistierte nicht. Was sollte ich mit einem Wort, dessen Tragweite ich nicht ermessen konnte? Beim Abschied legte er mir seine Hand auf die Schulter. Für einen Moment war mir, als würde ich ihn schon ewig kennen. »Verlieren Sie nicht den Mut.«

Zu Hause suchte ich in alten Fotoalben nach Spuren aus ihrem früheren Leben. Ich hatte begonnen, meine Gespräche mit ihr aufzuzeichnen. Jetzt hörte ich mir die Aufnahmen wieder und wieder an, und mein anfängliches Erschrecken wich unruhiger Neugier. Gleichzeitig fühlte ich mich wie ein heimlicher Beobachter, ein Eindringling. Diese Aufnahmen, die mir so teuer wurden, enthielten die Essenz ihres Lebens, eine Münze, die in einem dunklen Brunnen ins Bodenlose zu fallen schien. Konnte ich in ihrem Vergessen wahrhaftig eine Form der Erinnerung finden? In welches vage Kellergelass würde sie mich führen? Und was verbarg sich auf der Kehrseite dieser Medaille? Konnte es sein, dass prägende Erlebnisse aus ihrer Vergangenheit auf noch tiefer liegende Schichten prallten, um sich zu einer neuen

Wirklichkeit zu verdichten? Wurden die Lücken unserer Familiengeschichte im Vergessen freigelegt? War die offizielle Version unserer Geschichte nur eine domestizierte Erinnerung, eine Deutung mit Streichungen und Ergänzungen, wie wir sie alle bei dem Versuch vornehmen, aus den disparaten Teilen unserer Existenz, der Fülle an Unverdautem, ein verständliches Ganzes zu formen, eine Identität? Bei jedem Besuch fragte ich behutsam nach, grub tiefer. Je weiter die Ereignisse zurücklagen, desto besser schien meine Mutter sich zu erinnern. Die Geschichte meiner Eltern tauchte schemenhaft vor mir auf, magische Momentaufnahmen im Entwicklungsbad einer verlorenen Zeit.

Ich stand vor ihrer Tür in Spandau. Nach dem Klingeln wartete ich unruhig. Eine beklemmende Stille. Grau und schmutzig wirkte alles hier, obwohl die Wege penibel gepflegt wurden. Die Luft war feucht, am Horizont sammelten sich ein paar Gewitterwolken. Und wenn niemand öffnete? Vielleicht war sie gestorben? Vielleicht lag sie tot im Flur oder hingestreckt auf dem Wohnzimmerlaminat. Ich klingelte noch einmal. Manchmal hörte sie nur laut Musik, oder die Klingel war abgeschaltet, weil sie ihre Ruhe haben wollte. Ich war gerade dabei, zu meinem Mobiltelefon zu greifen, da hörte ich ihre Schritte. Sie war nie sportlich gewesen. In den Sommerferien meiner Kindheit saß sie den ganzen Tag am Strand unter dem Sonnenschirm und schaute auf das Meer. Damals war ihr Körper schwer und aufgeschwemmt. Ich wusste nicht, warum. Ich schämte mich, wenn ich sie ansah, ich wünschte mir eine schöne, begehrenswerte Mutter, um die mich alle beneideten, eine, die sich elegant kleidete, mit langen, dunklen Haaren, wie auf ihren Jugendfotos. Aber sie aß seit Jahren Unmengen von Süßigkeiten, starb für buttrige Soßen und bezahlte ihre

Hemmungslosigkeit, wie ich später dachte, mit steigenden Blutzuckerwerten. Altersdiabetes lautete die Diagnose, seit einigen Jahren musste sie dreimal täglich Insulin spritzen. Eine ihrer schlimmsten Angewohnheiten, eine Marotte, die mich immer aufs Neue verstörte und meine ganze Kindheit hindurch verfolgte, waren ihre wechselnden Perücken gewesen, ein Attribut für die selbstbewusste Frau der Sechzigerjahre, wie die Werbung damals suggerierte. Einmal kam ich vorzeitig aus dem Kindergarten, sie öffnete die Tür, eine fremde Frau mit Haaren so ochsenblutrot wie die Haustür. Erschrocken starrte ich sie an. Wer war das? Wo war meine Mutter? Hatte ich mich in der Hausnummer geirrt, oder wohnten meine Eltern nicht mehr hier? Und wenn ja, was sollte ich jetzt tun? Erst der Klang ihrer Stimme konnte mich in die Wirklichkeit zurückholen.

Hinter der Tür hörte ich meinen Namen. Ihr Organ war immer noch so durchdringend wie früher. Ängstlich, schrill, wenn sie nicht wusste, wer vor der Tür stand, oder wenn sie in Eile war, dunkel und leise, wenn sie sich ärgerte, glockenhell und melodisch, wenn sie eine ihrer vielen Geschichten erzählte. Die Tür sprang auf. Im Alter hatte meine Mutter ihre Schönheit zurückgewonnen. Sie stand in dunklen Hosen und einem mauvefarbenen Twinset fragil und verletzlich vor mir. Im Gegensatz zu früher achtete sie wieder auf ihre Kleidung. Ich küsste sie zur Begrüßung links und rechts. Plötzlich fühlte ich das Bedürfnis, sie schützend in die Arme zu nehmen. Unsicher legte ich meine Hand auf ihre Schulter. Zuckte sie bei meiner Berührung, oder war es ein Erstarren? Wich sie zurück? War ihr meine Berührung unangenehm?

Im Wohnzimmer beugte sie sich über den Couchtisch. Sie zupfte die kleine, rechteckige Brokatdecke zurecht. Hinter dem Tisch an der Wand stand ein breites, mit goldenem Samt bezogenes Schlafsofa. Seine nach außen geschwungenen Mahagonibeine verjüngten sich zu etwas zu klein geratenen goldenen Tatzen. »Empire, aus Schlossbesitz«, erklärte sie jedem Besucher in vertraulichem Ton. Mehr pflegte sie nicht zu sagen. Gefundenes und Erfundenes vermischte sie mit Erlebtem und Erdachtem. Mal begnügte sie sich mit einer Andeutung, mal genoss sie es, weit ausschweifend ihren Bogen zu spannen. Dass der dunkle Tisch eine Nachbildung war, erwähnte sie nur, um ihre Urteilsfähigkeit in diesen Dingen zu unterstreichen. »Aber er passt«, fügte sie entschieden hinzu. Nur ein Narr hätte ihr widersprochen. Alles passte in der vollgestellten Enge ihrer Zweizimmerwohnung. Hier war ihr *pied-à-terre*, seit sie mit meinem Vater die Zelte in Berlin abgebrochen hatte, um seine letzten zwanzig Lebensjahre mit ihm in einem weißen Haus, in einer verlassenen andalusischen Mondlandschaft zu verbringen. Mitten im Naturpark Cabo de Gata, dem Kap der Katze, versuchte sie, ihren Erinnerungen zu entfliehen. Rechts von der Terrasse verlor sich der Blick in einer weiten, leer gefegten Landschaft, unten flimmerte oder tobte die See. Eine Wüste am Meer.

Sie setzte sich jetzt auf ihren Sessel neben dem Sofa. Ich hatte wieder das Aufnahmegerät mitgebracht. Der Plan, ein Buch über sie zu schreiben, über unsere Familie, über ihre Beziehung zu meinem Vater, war in den letzten Jahren langsam gereift. Zunächst arbeitete er sich wie ein streunender Köter an mich heran, der wieder und wieder an mir herumschnüffelte, um kurz vor dem Abdrehen seine Duftmarke zu setzen. Ja, anfangs fühlte es sich so an, als würde mir jemand ans Bein pinkeln. Freunde und Weggefährten ermunterten mich, diese Geschichte aufzuschreiben. Jeder begründete es auf seine Weise. Ich merkte, wie sie sich die

Versatzstücke, die Episoden, die ich je nach Zuhörer variierend erzählte, aneigneten.

Für mich blieben diese Geschichten fremd und zugleich nicht fremd genug. Viele Lücken warfen Fragen auf, die ich mich nicht zu stellen getraute. Jeder Familienroman arbeitet mit seiner eigenen Grammatik, entwickelt seine eigenen Zeichen, seine Syntax, die ihn für die beteiligten Personen oft unlesbarer werden lassen als für den außenstehenden Betrachter. Das Fremde wächst in der Nähe. Wie bei einem Baum das Wurzelwerk in Größe und Umfang dem Wipfel entspricht, so ist es auch hier. Fremd wurzeln wir im Verborgenen, greifen unter der Erde um uns und dehnen uns aus. Die Früchte, das, was wir sehen, heranreifend oder verfault, lebendig oder tot, korrespondieren mit dem, was wir in der Natur nicht sehen können und in der Familie nicht sehen dürfen. Dem Tabu. Jedes Kind erkennt es mit schlafwandlerischer Sicherheit.

Ich sah in ihr Gesicht. Sie trug ihr dünnes weißes Haar streng nach hinten zu einem kleinen Dutt gebunden. Die letzten zwanzig Jahre in Spanien hatten ihr gutgetan. Ihre Depression war in der Sonne ausgeblichen, sie hatte abgenommen und ihre Perücken ins Meer geworfen. Ein Akt der Befreiung, der mir eine Mutter zurückgab, die ich so fast nie gesehen hatte. Sie erinnerte von ferne an das zarte junge Mädchen auf einem Bild von 1932. Mit dreizehn Jahren waren ihre Haare dunkelbraun, der Blick traurig und ernst. Jetzt saß sie vor mir, einundneunzigjährig, das geschrumpfte Gesicht beherrscht von ihrer geschwungenen Nase, die großen Hände, die immer noch neugierig nach allem griffen. Der im Alter wieder erschlankte Oberkörper hatte seine Spannung bewahrt.

Der süßliche Duft alten Lebens kroch mir in die Nase.

Im Eingang hing die gelbe Baskenmütze meines Vaters an einem Haken. Er hatte sie auf seinem Sterbebett getragen. Vier Jahre waren seitdem vergangen. Wenn ich die Mütze sah, war sein Geruch noch immer in der Luft, als hätte er den Raum nicht endgültig verlassen, als könnte er sie jederzeit vom Haken nehmen und sich schweigend auf einen seiner langen Spaziergänge machen. Meine Mutter folgte meinem Blick.

»Dein Vater passte ja gar nicht zu mir.«

Es verschlug mir kurz die Sprache. Ein erstaunlicher Satz über zwei Menschen, die, mit einigen Unterbrechungen, ein Leben lang nicht voneinander hatten lassen können.

»Gab es denn jemand anders?«

»Eigentlich nicht.«

»Nie?«

»Ich würde sagen, eigentlich nicht.«

Ich kannte andere Geschichten, aus anderen Zeiten, aber auch jetzt war eine andere Zeit angebrochen. Immer noch schaute sie auf seine gelbe Baskenmütze.

»Mein Vater hatte ihn im Tiergarten aufgegabelt. Und dann stand er an einem schönen blauen Sonntag vor unserer Tür. Gestiefelt und gespornt. Ich sah gleich, dass er sich nicht wohlfühlte. Dieser Anzug. Nein. Also wirklich, zum Piiiepen.« Sie machte eine Pause.

»Warst du gleich in ihn verliebt?«

»Ich?«

»Ja.«

Sie wiegte vorsichtig den Kopf.

»An manches kann ich mich dann doch nicht mehr so genau erinnern, weißt du – aber wahrscheinlich schon.«

»Und du warst damals …«

»Dreizehn.«

»Und er?«

»Siebzehn.«

Ihr Kopf kippte leicht vor, als würde sie einnicken. Kurz darauf sprach sie weiter, die Augen halb geschlossen.

»Mal sehen, wie lange er heute wieder braucht. Eigentlich eine Frechheit, er verschwindet, und es kommt ihm nicht in den Sinn zu sagen, wohin er geht oder wann er zurückzukommen gedenkt. Das geht nun schon ein ganzes Leben so. Uuuunglaublich.«

2

Im Mai 1915, bei der Schlacht von Gorlice-Tarnów, fiel der Barbier Otto Joos durch einen Schuss in die Brust, als er mit dem Bajonett die feindliche Linie stürmen wollte.

In der Parterrewohnung eines dritten Kreuzberger Hinterhofs entband seine Frau Anna mithilfe der herbeigeeilten Nachbarin unter den Augen ihrer kleinen Tochter Erna einen Jungen. Das Baby war klein und wog gerade drei Kilo, trotzdem machte es einen erstaunlich kräftigen Eindruck. Die Geburt hatte zwanzig Minuten gedauert.

»Armer Steppke, keen Vata nich!« Die Nachbarin schüttelte den Kopf.

»Hör uff so zu berlinern. Das Kind soll was Besseres hören.«

Anna gab dem Kleinen die Brust. Sie war bemüht, so klar und vornehm wie möglich zu sprechen, verzog dann aber erschrocken das Gesicht.

»Autsch. Der hatn juten Zug.«

»Mensch, Anna, wat machste nu? Jetz haste nochn Maul su stopfen.«

Anna hörte nicht zu. Sie schaute ihren neugeborenen Sohn an.

»So 'n Pech mit den Otto. Det dir aber ooch alle wegsterben. So 'n Pech auch. Nee.«

»Kannst gehen, Frau Kazuppke, die Erna hilft mir.«

Die Tür fiel ins Schloss. Frau Kazuppke schüttelte noch ein paarmal den runden Kopf und wischte die blutigen Hände

24

an ihrer fleckigen Schürze ab. Sie hatte schon einige Nachbarskinder zur Welt gebracht und andere zu den Engeln geschickt. Sie kannte das Leben, und sie wusste, dass mit diesem Jungen ein Problem mehr auf die Welt gekommen war.

Erna schlich auf ihren spindeldürren Beinen heran. Vorsichtig schob sie ihr scharfgeschnittenes Gesichtchen über die Schulter der Mutter.

»Süß«, sagte sie trocken, »wie solla 'n heeßen?«

»Otto. Wie sein Vata.«

Erna nickte.

Ein paar Wochen später, beim Kirchgang, lernte Anna den arbeitslosen Maurer Karl kennen. Auf der Kirchenbank hatte sie auch ihre anderen Männer kennengelernt. Nicht der schlechteste Ort dafür. Jeder, der hierherkam, suchte Besinnung, innere Einkehr oder Trost für seine geschundene Seele. Nach der Messe ließ sich leicht ein Gespräch anfangen. Ein Pläuschchen. Oder auch mehr. Wer in die Kirche ging, um die Worte des Herrn zu hören, war bereit, sich zu öffnen. So viel stand fest. Und er war wohl auch kein ganz schlechter Mensch, denn er glaubte an etwas Höheres, und das Höhere bedeutete Anna viel.

Karl war ein stattlicher Mann. Das Leben hatte ihm übel mitgespielt, das erkannte Anna sofort. Breite Schultern und in der stolzen Brust ein gekränktes Herz, solche Gegensätze zogen sie an. Sie sah in ihm eine Wohnung, die zwar stark renovierungsbedürftig, aber auch vielversprechend war. Das Gute an solchen Männern: Die Konkurrenz erkannte selten ihr Potenzial, jedenfalls nicht so schnell wie Anna. Aus ihrem ersten Mann Wilhelm, dem Willi, wäre sicher etwas geworden. Er arbeitete nicht gerne, aber so etwas ließ Anna nicht gelten. »Keine Feigheit vor dem Feind«, sagte sie immer in ihrem besten Hochdeutsch, und sie wusste, wovon sie sprach. Sie selbst scheute keine Mühen, war sich für nichts zu schade, wenn es darum ging, ihre Familie zu schützen, den Kindern und dem Mann ein gemütliches zu Hause zu bieten. Eine warme Mahlzeit am Tag, auch wenn in der Erbsensuppe nur selten genügend Fett, geschweige denn ein bisschen Wurst schwamm, es gab immer ein paar Stullen für die Arbeit oder für den Schulhof. Anna war arm und erfinderisch. Sie fürchtete sich vor nichts und niemand, auch nicht vor Autoritäten. Mit ihrem Mutterwitz wickelte sie ebenso raffiniert wie charmant gerade wohlhabende Leute mühelos um den Finger. Als Putzfrau war sie begehrt, schnell, akkurat, vertrauenswürdig. Oft gab man ihr mehr als das vereinbarte Geld: ein Schmuckstück, ein abgetragenes Kleid, Besteck, das man nicht mehr wollte oder ein altes Möbelstück, das einem neuen weichen musste. Die Herrschaften freuten sich über diese junge Frau, die so wissbegierig war, die Freude an der schönen Einrichtung fand, ohne zu fragen, warum sie nicht auch so leben durfte. Selten behielt Anna diese Geschenke. Meist fand sie schnell einen Käufer, um mit dem Erlös ihre Ersparnisse für schlechte Zeiten aufzupolstern. Sie war eine Frau mit Weitblick.

Willi war überfordert. Er begann sich immer mehr zurückzuziehen, fing das Trinken an, kam nächtelang nicht nach Hause und erhängte sich schließlich in einer sternklaren Nacht am Ast eines morschen Baums im Tegeler Forst. Durch seinen schweren Körper brach der Ast, aber auch sein Genick. Von ihm stammte Annas älteste Tochter, die siebenjährige Erna. Anna liebte Erna, doch sie war klug genug, um zu erkennen, dass da ein kleines Luder heranwuchs, vor dem man sich beizeiten in Acht nehmen sollte oder das man vor sich selbst schützen musste. Leider gingen in demselben Hinterhof, in dem sie Parterre wohnte, in den oberen Stockwerken junge Dinger dem horizontalen

Gewerbe nach. Wenn Anna müde von der Arbeit nach Hause kam, drückten sich die Abendbesuche in verklemmter, aufgestauter Lust an ihrem Fenster vorbei. Dicke, dünne, alte, junge, hübsche, hässliche – aus guten, aus besseren, aus schlechten Kreisen. Einige klopften auch an ihr Fenster, klingelten an ihrer Tür, denn Anna war nicht nur jung und hübsch, sie war auch das, was viele Männer »anziehend« fanden. Aber Anna war nicht käuflich. Sie verachtete die jungen Frauen nicht, aber sie war stolz, sie wäre lieber verhungert, als sich einem dieser Kerle für ein paar Mark hinzugeben. »Stolz ist det Einzje, wat 'ne arme Frau hat, den darfste dir nich' abkoofen lassen, sons biste Neese.« Aber Ernas Vater, der Willi, war schwach. Da konnte auch der liebe Gott nicht helfen.

Kurz nachdem sie ihn begraben hatte, lernte sie in der Kirche Otto kennen. Von außen betrachtet war er das Gegenteil von Willi. Klein, eher zart, die Schultern schmal, volle Lippen, darüber ein kecker Schnurrbart, den er sorgsam pflegte. Otto war Friseur. Er trank nicht, hurte nicht herum, verfügte über gute Ersparnisse, einen wendigen Geist, war fleißig, wenn auch nicht besonders ehrgeizig. Darauf konnte man bauen. In kurzer Zeit setzte ihm Anna den Floh ins Ohr, er könnte doch Barbier werden. Als Barbier würde er seine Familie besser versorgen, er wäre dann wer, könnte auch Operationen machen, wie ein echter Arzt, einen kaputten Zahn ziehen, Abszesse aufschneiden. Mit vereinten Kräften kämen sie dann sicher bald aus der Parterrewohnung heraus, vielleicht in den zweiten Hinterhof, vor allem aber weg vom schlechten Einfluss und noch schlechterer Gesellschaft, womit eher die Freier als die Huren gemeint waren. Vor ihnen fürchtete sich Anna. Nicht um ihretwillen, sie wusste sich Respekt zu verschaffen, nein, es ging ihr um die kleine Erna. Sie wusste, dass unter diesen Männern, die täglich kurz nach Einbruch der Dunkelheit im Hof herumlungerten, auch Perverse waren, die spätestens in zwei, drei Jahren ihre widerlichen Finger nur allzu gern nach ihrer kleinen Erna ausstrecken würden.

Otto schaffte den Aufstieg schnell. Er war geschickt und wäre unter besseren Voraussetzungen wohl Chirurg geworden. Vielleicht hätte er es mit Annas Hilfe sogar so weit gebracht, aber dann kam der Krieg, vier Jahre Grausamkeit, und Otto fiel, wie viele andere seines Alters, für sein Vaterland, drei Monate bevor er selber Vater wurde. Er war Annas große Liebe, und so gab sie dem gemeinsamen Sohn seinen Namen.

Ottos Stiefvater Karl fand wenig Gefallen an dem Jungen. Eifersüchtig registrierte er jede Geste, jede kleinste Aufmerksamkeit, die Anna ihrem Sohn angedeihen ließ. Nach der Geburt der gemeinsamen Tochter Ingeborg wurde es noch schlimmer. Nun hatte Karl endlich sein eigenes Kind. Die Blagen, wie er Erna und Otto nannte, waren ihm lästig. Er sah nicht ein, warum er für fremde Brut den Rücken krumm machen sollte. Den Krieg hatte er undekoriert überlebt, und alles, was ihm aus dieser Zeit blieb, war ein schweres Trauma: plötzliche Angstschübe, die er immer regelmäßiger mit Alkohol bekämpfte. Schritt für Schritt verlagerte er den Krieg von außen nach innen. Was er nicht vertrank, verspielte er, in der Hoffnung, das verlorene Geld zurückzugewinnen. Beim Bau war er rausgeflogen, ausgeträumt der Traum vom Polier. Er nahm, was kam, verdingte sich als Gelegenheitsarbeiter, meist in der Fabrik. Ein Ungelernter war er nun, ein Hilfsarbeiter, ein Niemand. Bis auf den Boden der Schnapsflasche suchte er vergeblich nach seinem verlorenen Stolz. Samstags bekam er seine Lohntüte, die er meist noch in derselben Nacht vertrank. Dann taumelte er nach Hause und prügelte alle windelweich. Nur nicht seine kleine Inge.

Anna konnte ihn nicht aufhalten. Sie wusste, dass sie Otto und Erna in Sicherheit bringen musste. Durch ihre Arbeitgeberin erfuhr sie von der Kinderlandverschickung. Da Otto und Erna einen verstörten, ausgemergelten Eindruck erweckten, gelang es ihr recht schnell, für beide einen Platz zu finden. Otto kam zu einer Familie in Oberschlesien, Erna verschlug es ins Ruhrgebiet.

Anna trennte sich schwer, aber sie wusste sich nicht anders zu helfen. Erna war in letzter Zeit oft davongelaufen, und der kleine Otto stotterte vor Angst, wenn er seinen Stiefvater Karl auch nur von Weitem sah. Dem Anschein nach war es ein gutes Geschäft für beide Seiten. Die Kinder waren in Sicherheit, und die Gasteltern bekamen vom Staat ein ordentliches Zubrot für die Haushaltskasse. Ein knappes Jahr dauerte die Trennung. Eine Erholung für Erna, die Hölle für Otto, der vom Regen in die Traufe kam.

Morgens um fünf riss ihn die noch halb trunkene Irmgard mit ihren dicken Armen aus dem Schlaf, stopfte ihn draußen vor der Tür bei klirrender Kälte in einen Bottich mit Eiswasser und tauchte ihn mit dem Deckel unter, bis er zu ertrinken drohte. Jedes Mal amüsierte sie sich königlich über sein Gezappel. Otto lernte schnell, dass sie den Deckel erst wieder hochnahm, wenn er sich darunter nicht mehr rührte. Außerdem hatte er entdeckt, dass es zwischen dem Deckel und dem Wasserspiegel einen kleinen Spalt gab. Vorsichtig hielt er den Mund knapp über der Wasseroberfläche und schnappte nach Luft, bis Irmgard den Deckel wieder hob, um ihn in letzter Sekunde, wie sie meinte, aus dem Wasser zu ziehen.

Otto wurde zum Bettnässer und kotete sich ein. Der

Gastvater packte ihn dann am Schlafittchen und zwang ihn fluchend, »den Dreck« aufzufressen. Weigerte er sich, schlug ihm der Gastvater mit der eingekoteten Hose ins Gesicht. Im Weggehen murmelte er drohend, er werde ihm schon noch diese Fisimatenten abgewöhnen. Otto stotterte nicht mehr, er hörte ganz auf zu sprechen. Dann verweigerte er das Essen. »Wer nich' will, der hat schon«, kommentierte Irmgard sein Verhalten ungerührt.

Nach elf Monaten rettete Anna ihren Sohn knapp vor dem Hungertod. Sie holte beide Kinder zurück nach Berlin. Dort führte sie von nun an ein eisernes Regiment. Erhob Karl die Hand gegen eines der Kinder, schlug sie ihm mit dem Besen auf die Finger oder entzog sich ihm nächtelang.

In der Schule war Otto der Kleinste und Schwächste. Seine Klassenkameraden traten an die Stelle des Vaters und verprügelten ihn tagein, tagaus. Als er sich wieder einmal das blut- und tränenverschmierte Gesicht über dem verdreckten Waschbecken der nach altem Urin stinkenden Schultoilette abwusch, betrachtete er sich im Spiegel und sah, dass sich etwas ändern musste. Von einer Baustelle klaute er nachts ein paar schwere Ziegelsteine und eine herumliegende Eisenstange. Er feilte die Löcher der Ziegel aus, sägte die Eisenstange zurecht und bastelte sich eine Hantel zusammen. Im Hof stand ein kleines Eisengerüst. Über die Stange warfen die Frauen ihre billigen Teppiche, um sie mit einem aus Rohr geflochtenen Klopfer zu bearbeiten. Anna hatte diese Arbeit ihrem Karl überlassen. »Tust ja sonst nischt.« Von Liebe war keine Rede mehr. Wenn er sich auf sie legte, spreizte sie die Beine und stöhnte schnell und laut, damit's ihm kam. Bald besann sich Karl darauf, dass man mit dem Teppichklopfer auch die Hintern seiner missratenen Familie bearbeiten konnte.

Jeden Morgen stand Otto nun zwei Stunden früher auf, schlich an seinem schnarchenden Stiefvater vorbei, der meistens auf der Couch im Wohnzimmer übernachten musste, goss sich in zorniger Erinnerung an seine Peinigerin Irmgard einen Kübel eiskalten Wassers über den nackten Körper, holte, in Unterhose und Feinripp, seine Hantelstange aus dem Kellerversteck und ging auf den Hof, um zu trainieren. Anfangs gelang es ihm kaum, das Gewicht in die Höhe zu stemmen, sich an der Teppichstange hochzuziehen oder sich mehr als dreimal vom Boden in den Liegestütz zu drücken. Aber er wusste, wenn er jetzt aufgeben würde, wäre er für immer verloren. Die Lektion war klar und einfach: Prügel kriegen oder austeilen. Er war sich nicht einmal sicher, ob er austeilen wollte, aber er wusste, dass er nicht mehr einstecken durfte. Nach ein paar Wochen wurden die Ziegel zu leicht. Er befestigte zwei volle Bierkästen, die er seinem lallenden Stiefvater im Halbschlaf unter dem Bett weggezogen hatte, mit einem Seil an der Eisenstange und steigerte sich zügig von drei Fünfersätzen zu vier Sätzen à dreißig. Anna sah ihrem Sohn vom Fenster aus zu und schwieg. Sie hatte verstanden. Wann immer es Kartoffeln gab oder gar Butter und Brot, legte sie es für Otto beiseite. Ein halbes Jahr später war Otto immer noch unverändert klein, aber aus all seinen Sachen herausgewachsen. Muskelbepackt trat er still den Schulweg an, der so lange sein Kreuzweg gewesen war.

Paul Meister, Ottos Erzfeind, den alle ehrfürchtig Paule nannten, war nicht der Hellste in der Klasse, aber mit seinen Fäusten war er schneller als jeder Streber beim Einmaleins. Wer sich seinem Willen widersetzte, den trommelte er zu Boden. Und da er auch im Sprechen nicht der Wendigste war, befehligte er seine Truppen mit Blicken.

Es war ein Montagmorgen im Dezember. Auf dem Schotter des Schulhofs lag kalt der Raureif. In der ersten großen Pause teilte Paule mit ein paar herrischen Gesten zwei Mannschaften zum Fußballspiel ein. Otto stand absichtslos in einer Ecke. Sorgfältig packte er das Butterbrot aus, das seine Mutter ihm mitgegeben hatte. Das dreckverschmierte Leder traf ihn mit voller Kraft ins Gesicht. Schießen konnte Paule. Seine Claqueure grölten vor Freude.

»Otto der Doofe kackt sich inne Hose«, schrie ein dünner, pickeliger Knabe. »Otto der Schlappschwanz schiebt sich Butterbrote in den Wanst«, setzte ein rotgesichtiger Junge nach, der sich hinter Paule versteckt hielt. Seine Arme standen weit vom dicken Körper ab, als hätte ihm jemand die Krücken weggerissen.

Siegesgewiss stolzierte Paule auf Otto zu. Er blieb vor ihm stehen. Mit einem kurzen Blick aus den Augenwinkeln bedeutete er Otto, seinen Platz in der Mannschaft einzunehmen. Dann geschah alles sehr schnell. Otto verpasste ihm mit seiner Rechten einen Leberhaken. Während Paule fast erstickte, krachte Ottos Linke zuerst mit der Faust und dann mit dem Ellenbogen in sein Gesicht und zertrümmerte ihm Nase und Jochbein. Als Otto auf ihm lag und sein Gesicht wie einen alten Lappen über den Schotter riss, konnte Paule sich nicht mehr genau daran erinnern, ob er erst etwas gesagt hatte, um dann Otto das Butterbrot aus der Hand zu hauen, oder ob es umgekehrt gekommen war.

Die Claqueure wichen stumm zurück. Hilfe suchend streckte Paule ihnen sein blutendes Gesicht entgegen. Keiner rührte sich. Alle starrten ehrfürchtig zu Otto. Er war der neue König. Gleichgültig schlenderte er vom Platz.

Ein älterer Junge kam ihm von der anderen Seite des Schulhofs entgegen, als sich alle verkrümelten. Er streckte Otto die Hand entgegen.

»Roland.«

Otto sah ihn schweigend an. Er kannte den Unterprimaner vom Hörensagen. Um solche Leute hatte er immer einen Bogen gemacht. Sie würden ihn sowieso nie beachten. Jetzt sah er ihm zum ersten Mal in die Augen. Blau-weiße Milch, dachte er. Roland war wenig größer als er. Seine knotigen Hände hingen locker, aber in leichter Spannung vom Körper, eigenartig abgewinkelt, die Beine in entspannter Bereitschaftsstellung. Ein Kämpfer. Otto erkannte es sofort. Er schlug ein.

3

»Det is der Otto.«

Sie standen in einer alten Turnhalle. Es roch nach Schweiß. Auf den Matten trainierten Jugendliche, die meisten älter und kräftiger als Otto. Sie trugen schwarze, eng anliegende einteilige Anzüge mit kurzen Hosen. Lautlos verkeilten sie ihre Körper ineinander. Ab und zu pressten sie die Luft stoßartig aus den Lungen, um sich keuchend aus einem Hebelgriff zu befreien, oder den Gegner mit Armen und Beinen zu umschlingen.

Der Mann, den alle Chef nannten, war vielleicht Anfang zwanzig. Die Augen unter seiner niedrigen Stirn ruhten starr und kalt auf Otto, als gälte es ihm ein Geständnis zu entlocken. Unbeirrt sah Otto zurück.

»Anfänger?«

Otto nickte. Der Chef deutete auf eine Tür auf der gegenüberliegenden Seite.

»Jeh ma su Atze und hol dir 'n Trikot.« Damit wandte er sich wieder seinen Ringern zu, ohne ihn eines weiteren Blickes zu würdigen. Im Hinübergehen beobachtete Otto, wie er sanft, aber bestimmt an die Jungs herantrat, hier und da einen Griff korrigierte oder eine andere Haltung demonstrierte.

In den nächsten Wochen trainierte Otto regelmäßig mit Roland im Ringverein Sport-Club Lurich 02. Den Chef sah er nur aus der Ferne, er kümmerte sich nicht um Anfänger. Ab und zu hörte er seine leise, raue Stimme, die eher an einen Mann um die fünfzig denken ließ. Für die Jugend war Atze zuständig, ein alter Haudegen, der, wie viele seiner Generation, dem Alkohol verfallen war. Die zusammengekniffenen Augen in seinem zerfurchten Gesicht sahen wie umgekippte Schießscharten aus, die ganze Erscheinung eine verlassene Festung in Geisterhand. Sein eigentlicher Lehrer war Roland. Er brachte ihm alle Tricks und Kniffe bei. Otto wurde immer stärker. Nach dem Training fiel er zu Hause vor Erschöpfung in tiefen, glücklichen Schlaf. Jedes Mal lernte er einen neuen Bereich seines Körpers kennen. Seine Kraft wuchs von Tag zu Tag, und er wusste sie mit Feingefühl einzusetzen. Er lernte siegen, schnell den Gegner zu pinnen, ihn mit beiden Schultern für drei Sekunden auf die Matte zu drücken. Die Regeln waren einfach, es wurde geworfen, geschleudert und gehebelt. Der Gegner wurde zu Fall gebracht, um ihn möglichst schnell passgenau zu drehen. Otto war für seinen Spaltgriff gefürchtet. Dabei fasste er dem Gegner unter die Beine, um ihn anschließend blitzartig hochzureißen. Er verstand sich bald gut aufs Tricksen, entwickelte eine überraschende Kreativität, wenn es darum ging, die Stärken und Schwächen des Gegners zu erkennen und zu nutzen, dessen Kraft ins Leere laufen zu lassen. Er berauschte sich zunehmend an dem neuen Körpergefühl.

Zu Hause beobachtete sein Stiefvater wie ein angeschlagenes Leittier die Veränderung des Jungen. Einmal erhob er die Hand gegen Otto. Er verharrte wie von einem unerwarteten Schmerz durchzuckt in dieser Pose. Sein Atem ging schwer, dann drehte er sich weg. Es war kurz nach dem Abendessen gewesen. Alle hatten den gespenstischen Auftritt miterlebt. Karl verschwand, oder war es nur noch sein Schatten, der sich davonschlich? Nur Otto hatte das leise Zittern seiner Augenlider gesehen.

Der Frieden, wohl eher nur ein Waffenstillstand, hielt nicht lange an. Als Otto eines Abends erschöpft, aber glücklich vom Training die Wohnungstür hinter sich schloss, traf ihn ein harter Schlag, der in der Dunkelheit nur knapp sein Genick verfehlte. Sein Kopf fiel nach vorne, und er sackte geräuschlos zu Boden. Karl riss den Küchenstuhl in die Höhe, um sein Werk zu vollenden, als ein brennender Schmerz seinen Körper durchzuckte. Wie ein angeschlagenes Tier kroch er in Todesangst winselnd aus dem Flur. Anna legte den glühenden Schürhaken überraschend ruhig auf den Ofen und sah nach ihrem Sohn. Sie versorgte seine Platzwunde und brachte ihn zu Bett. Mit Eiswasser kühlte sie seine heiße Stirn. Als sie ihm schluckweise warme Honigmilch gab, sah er sie lange an. Er fasste ihre Hand.

»Du musst keene Angst nich um mich haben, Mutta. Ick kann malochen bis sum umfallen. Ick werde imma wat su ackern finden. Ick bring uns alle durch. Morjens um viere will ick jetz Briketts austragn, ick hab ooch noch janz andere Ideen. Und dann kannste dir ausruhen. Du sollst nicht imma für alle schuften.«

Anna blickte voller Stolz auf ihren einzigen Sohn. Er war jetzt dreizehn Jahre alt und rasierte sich jeden Morgen. Sie sah die Augen und das Kinn seines Vaters, sie sah ihren gefallenen Mann.

Komische Zeiten. Im Krieg hatten sie gehungert. Manche Söhne waren vor ihren Vätern gestorben, andere wurden geboren, nachdem die Väter gefallen waren.

»Otto«, sie nahm seine Hände, »hör auf zu berlinern. Dein Vater hat es auch nicht getan. Er war ein guter Mann. Er war Barbier, rasierte und operierte vornehme Kundschaft. Wenn die Nacht schwarz ist, gehört 'n Junge ins Bett. Wenn du hier rauswillst, musste dich auf deinen Hosenboden setzen, nicht Briketts schleppen.«

Er liebte die Hände seiner Mutter. Hätte sie bloß nicht diesen Kerl geheiratet. Sein Stiefvater war zu nichts gut.

»Det schaff' ick.«

»Ich.« Sie lächelte.

»Ich«, sagte er.

»Und wasch deine Haare, sonst bekommste 'ne Glatze wie dein Vater.«

»Nee, Mutta, bei mir brechen de Kämme durch, so dick sin meene Haare.«

»Meine«, sagte sie.

»Meine.«

4

»Wat willst'n du hier?«

Ein grober Kerl blickte Otto von oben herab an.

»Kohle«, sagte Otto. Er hielt dem prüfenden Blick stand.

»Austragen oder einsacken?« Der Mann war höchstens Mitte zwanzig, sah aber aus wie fünfzig. Gesicht und Hände schwarz, breite Schultern, kräftige Arme. Seine Haut war rau und fleckig wie eine alte Lederschürze. Otto starrte ihn an. Irgendwoher kannte er diesen Mann.

»Beides«, sagte Otto und stellte sich breitbeinig hin.

Der Mann sah ihn aus dunklen Schlitzen an. Dann pfiff er kurz.

»Komm ma mit runta, du Piepel, ick will ma sehen, ob de bein Handwerk jenauso jut bist, wie mit'n Mundwerk. Die meisten, die herkommen, feifen La Paloma, aber ham keenen Arsch inne Hose.«

»Ick feife nicht bei de Arbeet.«

Woher kannte er diese Stimme? Otto war zu aufgeregt, um der Frage nachzuspüren.

Schweigend gingen sie die Treppe hinunter in den pechschwarzen Keller. Der Mann hustete sich durch die rußige Luft. Otto riss die Augen auf, so etwas hatte er noch nicht gesehen. Die Briketts füllten tonnenweise geschichtet den Raum. Der Chef musste unermesslich reich sein.

»Wann ham Se'n anjefangen mit de Kohlen?«

»Vor hundert Jahre, sagen meene Knochen.«

»Und seit wann jehört Ihnen det hier?«

Der Mann gab ihm einen Katzenkopf.

»Stell ick hier die Fragen, oder wer?« Otto schwieg.

»Räum ma de linke Tonne von hinten, an de rechte Wand hier vorne.«

»Wieso?«

»Willste studieren oder arbeeten?«

Beim Anblick der riesigen schwarzen Wand vor seinen Augen erschien Otto ein Studium zum ersten Mal verlockend, und er sehnte sich nach der gemütlichen Schulbank, auf der er in ein paar Stunden vor Erschöpfung einschlafen würde.

»Ick jeb dir 'ne halbe Stunde. Wenn de det schaffst, jib's dreißig Pfennje, wenn nich, haste Lehrjeld jezahlt und kannst dir von' Acker machen. Mund zu, sonst kommen de Fliegen rin.«

Ohne ihn eines weiteren Blickes zu würdigen, schob er seinen schweren Körper ebenso schweigend die Treppen hoch, wie sie heruntergekommen waren. Krachend fiel die Tür ins Schloss. Otto suchte nach dem Lichtschalter. Er hörte ein Rascheln. Angespannt lauschte er in die Dunkelheit. Am liebsten hätte er laut mit sich selbst gesprochen, aber vielleicht stand der Kerl noch oben hinter der Tür. Wieder raschelte es. Etwas bewegte sich. Wahrscheinlich Ratten. Bei ihnen in der Hermannstraße hatte der Stiefvater mal eine im Keller erschlagen. Das Biest war dreißig Zentimeter lang, mit riesigen, scharfen Zähnen. Langsam gewöhnten sich seine Augen an die Finsternis. Er suchte vergeblich nach dem Lichtschalter, da tönte von oben die bekannte, staubtrockene Stimme:

»Zerbrochene Briketts werden vom Lohn abjezogen.«

Wer war das? Verdammt, er kannte den Mann doch …? Egal, er hatte jetzt keine Zeit. Es musste doch hier unten irgendetwas geben, was einem die Arbeit erleichtern würde.

Womit wurden denn diese riesigen Paletten bewegt? Und was meinte der Chef mit der linken Tonne von hinten? Irgendeine Tonne von links hinten, oder die hinterste Tonne auf der linken Seite? In dem Fall müsste er die zwei Reihen davor zuerst wegräumen. Unmöglich. In einer halben Stunde konnte er nicht jedes Brikett einzeln umschichten. Unschlüssig sah er sich um. Nichts. Sollte er sich lieber aus dem Staub machen? Seine Mutter hatte wohl recht, er war zu jung für diese Arbeit, und den rüden Ton kannte er auch schon von seinem Stiefvater, dafür musste er sich nicht in einem Keller einsperren lassen. Wieder hörte er das Rascheln. Die Briketts waren reihenweise dicht an den Wänden aufgeschichtet. Wenn da aber Ratten oder andere Tiere herumkrochen, musste es irgendwo einen Hohlraum geben, und wenn es einen Hohlraum gab, dann würde man dort vielleicht etwas lagern, etwas, das man hier unten brauchte. Wie kamen die Kohlen verdammt noch mal nach draußen? Die Treppe war viel zu schmal. Außerdem war es oben nicht besonders dreckig, keine Spuren von Ruß. Otto bewegte sich tastend vor.

»Ah.« Er war gegen einen Eisenträger gestoßen. Vorsichtig ging er auf die Knie und rutschte weiter in die Richtung, aus der das Rascheln kam. Es könnte dort einen Schacht geben, durch den die Kohlen nach oben transportiert wurden. Von dort müsste auch Licht in den Raum fallen. Vielleicht lag da Werkzeug rum. Langsam gefiel ihm seine Aufgabe. Er dachte an die dreißig Pfennig, wie viel das in der Woche, wie viel es im Monat machen würde, wie oft er dreißig Pfennig verdienen müsste, um seiner Mutter etwas Besonderes davon zu kaufen. Ein neues Radio. Das wäre eine feine Sache. Das Hochzeitsgeschenk seines Stiefvaters schepperte blechern vor sich hin, und der Empfang war saumäßig. Beim Elektrohändler stand eins im Schau-

fenster. Er hatte sich schon oft die Nase an der Scheibe platt
gedrückt, so schön und einmalig stand es da, er sah es vor
sich, während er sich weiter nach vorne arbeitete. Die eleganten runden Drehknöpfe an der Vorderseite, die beigefarbene Bespannung aus feinstem Stoff. Der Klang musste
göttlich sein. Genau das Richtige für eine Konzertüber-
tragung, die seine Mutter so gerne hörte. Der Kasten war
gewiss aus Mahagoni. Das kostet ein Vermögen, dachte er.
So etwas würde sich der Stiefvater nie leisten können. Aber
seine Mutter träumte davon, das wusste Otto. Er kniete vor
einer großen schwarzen Wand. Ein winziger Lichtstrahl
zwängte sich durch die Ritzen der Briketts. Da musste es
sein. Auf Zehenspitzen, die Arme ausgestreckt, trug er die
oberste Reihe ab. Es wurde heller. Lautes Rascheln. Ein
Fallrohr lenkte seinen Blick nach oben. Er hörte, wie eine
Ratte hinaufkletterte. Vier Meter über ihm befand sich ein
großes Gitter. Das war der Schacht, durch den die Kohle
rein- und rausging. Er kletterte über die halb abgetragene
Brikettmauer. Welcher Idiot hatte diesen Zugang verstellt?
Und warum? Da standen zwei Sackkarren und eine fahr-
bare Hebebühne. Geschafft. Der Rest war Kinderspiel. Bevor seine Zeit abgelaufen war, stand er oben vor dem Chef.
Der blickte von seiner Taschenuhr auf.

»Dreiundzwanzig Minuten und zwölf Sekunden.«

»Den Rest könnse behalten.«

»Morgen früh um fünwe. Jehste noch sur Schule?« Otto
nickte. »Wat macht dein Vata?«

»Der is' in Krieg jefallen.«

»Wo?«

»Gorlice-Tarnów.«

»Wo issn det?«

»Galizien.«

»Scheißkrieg. Hab beede Brüder dort valorn.«

41

»Wo?«

»Bein Jasangriff in Ypern. Det is in Belgien. Janz stolz warn se. Jetz is allet bald vorbei, hamse jeschrieben, mit det deutsche Jas drehen wa denen de Lichta aus. Is dann anders jekommen. Sin beede janz jämmerlich erstickt. Scheißvaterland. Beschissn hamse uns, von oben die Jauche über uns ausjekippt. Und wer löffelt die Brühe aus? Sicher nich' die, die se uns einjebrockt ham. Kieck da de Verträge an, die se uns in Versailles uffjetischt ham, da wern wa uns noch lange dran vaschlucken.«

Er steckte ihm ein Geldstück in die Hand. Otto starrte ungläubig darauf. Es waren nicht dreißig Pfennig, es war eine ganze Mark. Er war ein gemachter Mann.

»Hau nich' allet uffn Kopp. Wer weeß, wie lange wa noch wat ham. Und vajess de Schule nich. Du hast wat inne Birne. Wirf det nich' weg.« Er streckte ihm die schwielige Hand entgegen. »Morgen um fünwe. Ick bin Egon.«

Otto stand aufrecht da, als wäre er soeben zum Ritter geschlagen worden. Er griff nach der schweren Hand und hörte überrascht seine eigene feste Stimme.

»Otto.«

»Weeß ick.«

Ick ooch, dachte Otto jetzt. Egon hielt seine Hand fest. Otto war, als wärmten diese kleinen, kalten Augen in dem schwarzen Gesicht plötzlich den ganzen Raum.

»Schmal biste, aber hast jut trainiert. Kannst ooch als Ringer wat werden. Viele glooben sum Ringen braucht man Kraft, aber siegen tun nur die, die mitn Kopp kämpfen. Darfst dich nur nich mit die Falschen einlassen. Is ooch viel Jesochse bei uns in'n Vaein. Die verspeisen Jungs wie dich sum Frühstück. Und setz det Ringen richtig ein. Die Kunst des Ringens wurde erlernt, um die Schwachen und Unterdrückten su schützen, nicht andersrum.«

Die letzten Worte hatte er in ein etwas ungelenkes Hochdeutsch verpackt.

»Vajess det nich'«, schob er in seinem gewohnt schnoddrigen Ton schnell hinterher.

Zum ersten Mal lächelte er. Ein Grinsen zog sich breit über die rußgegerbte Lederhaut. Otto erwiderte den Händedruck. Er hatte es geahnt. Egon war der Chef vom Ringverein Sport-Club Lurich 02.

Auf der Straße traf ihn die Sonne wie ein Blitz. Er sprang in die Luft.

5

Sein Stiefvater wischte sich mit der Hand über den Mund und seufzte rülpsend. Der Eintopf war aufgegessen.

»Wie anner Front, nur besser.«

Karl hatte es nicht lange an der Front ausgehalten. Eines Morgens hatte er sich mit dem Gewehr in den linken Fuß geschossen und wurde wegen Untauglichkeit zurück in die Heimat geschickt. Seine Kameraden hielten zu ihm, sie wussten, dass Karl zu schwach für diesen Krieg war, zu schwach für dieses Leben. Keiner verlor ein Wort über die Selbstverstümmelung, um ihm das Kriegsgericht zu ersparen. Und nun war er Hilfsarbeiter, ein gebrochener, stattlicher Mann.

»Dafür ham die uns in Versailles teuer zahlen lassen«, sagte Otto trocken.

»Wat für'n Ding? Hör uff mit die Fisimatenten, bild dir ja nüscht ein, du Rotzlöffel. Kieck'n dir an, Mutta, mit seine Eselsohren will der jetzt eenen uff Schlaumeier machen.«

Warum hatte seine Mutter diesen Idioten heiraten müssen? Otto spürte, wie kalte Wut langsam in ihm hochstieg.

»Esel mit kleenere Ohren als ick ham schon größere Disteln jefressen wie dir.«

Er sah zu seiner Mutter. Wie dich, hätte es geheißen. Er biss sich auf die Zunge und duckte sich blitzschnell unter dem Teller weg, der auf ihn zuflog.

»Wir hams ja«, murmelte Anna, als sie die Scherben aufsammelte.

Karl starrte sie aus wässrigen Augen drohend an, dann riss er das Tischtuch mit allem, was darauf stand, herunter. Keuchend deutete er auf den Boden.

»Abjeräumt.«

Als seine Mutter ihn zur Nacht küsste, sah Otto sie ernst an. Er sprach langsam und bedacht.

»Mutter, ich will auf die Höhere Schule.«

Anna legte ihm die Hand auf die Stirn. Sie nickte und löschte das Licht. Er blieb wach. Er hatte nicht berlinert. Der Mond erleuchtete das Zimmer. Auf der Wand lag der Schatten des Fensterkreuzes. Seine Schwester Erna schlüpfte zu ihm unter die Bettdecke.

»Haste schon ma jefickt?« Sie war drei Jahre älter als er. Otto schüttelte den Kopf.

»Willste ma probieren?« Sie nahm seine Hand und führte sie über ihre dürren Schenkel.

»Hör uff, sonst kleb ick dir eene.«

»Mach ick's ma ebn selba.« Kichernd drehte sie sich zur Wand und presste ihren kleinen Hintern fest an ihn.

»Ick wette, du fickst besser als die Alten.«

Otto kämpfte gegen den aufsteigenden Ekel an. Er wusste, wie Erna ihr Taschengeld aufbesserte. Sie ging im Puff über ihnen nicht nur putzen. Er rechnete, wie viel er in den nächsten Wochen verdienen könnte. Er musste hier raus. Die leuchtenden Zahlen im Kopf, fiel er unter dem rhythmischen Gestöhne seiner Schwester in einen unruhigen Schlaf.

In den nächsten Monaten versorgte er jeden Morgen die Nachbarschaft mit Briketts. Abends half er in einem Feinkostgeschäft aus, schleppte Kisten, sortierte Ware aus. So kam er an altes Brot, Gemüse, Salat, alles, was der vornehmen Kundschaft nicht mehr frisch genug war. Er brachte es nach Hause. Die Familie musste nicht mehr hungern.

Als Ringer schaffte er es bis in die Bezirksmeisterschaften. Der Verein nahm neben der körperlichen Ertüchtigung die Entwicklung der geistigen Fähigkeiten seiner Mitglieder in seine Satzung auf. Die Arbeiter sollten sich von der schweren, eintönigen Maloche an den Maschinen erholen, kommunistische Ideale und Klassenbewusstsein wurden vermittelt. Zum ersten Mal hörte Otto das Wort Bildung.

Zum zweiten Mal hörte er von der Höheren Schule.

»Wat willste denn da?«, fragte sein Stiefvater Karl.

»Das verstehst du nicht.«

Karl sah ihn unschlüssig an. Er versuchte, Ehrfurcht gebietende Entschlossenheit in seinen Blick zu legen. Die Pause geriet ihm zu lang, zum Aufplustern war es zu spät. Er zitterte. Ihm wurde heiß und kalt. Ameisen krabbelten durch seinen linken Arm. Er öffnete ein paarmal hintereinander stumm den Mund, schnappte wie ein halb toter Fisch nach Luft, dann kippte er ohnmächtig auf die Tischplatte. Otto sprang auf, holte ihn zu Boden, legte ihn schnell und behutsam auf den Rücken, drückte mit beiden Händen rhythmisch auf seinen Brustkorb und beatmete ihn. Karl kam wieder zu sich. Gemeinsam mit seiner Mutter trug Otto ihn zu Bett. Er hatte keine Sekunde nachgedacht, er hatte keine Wut, keinen Widerwillen empfunden, auch keine Nähe. Die Augen seiner Mutter ruhten jetzt auf ihm. Besser als jeder Arzt, dachte sie und schwieg. Otto fühlte den Puls seines Stiefvaters.

»Ich ruf 'n Krankenwagen.«

6

Der Chef hatte die Mitglieder im Vereinsraum zusammen-
getrommelt. Sie lungerten im Kreis auf dem gewachsten
Boden, als Egon in ihre Mitte trat und sich setzte. Diese
Treffen fanden seit einigen Wochen regelmäßig statt, ein
Pflichttermin, den Otto nie verpasste. Im Gegensatz zu
den meisten saß er kerzengerade da und sog die Worte des
Chefs wissbegierig in sich auf. Egons Blick machte die Run-
de, das gelangweilte Gemurmel verstummte.

»Ick will euch heute wat von Karl Marx erzählen. Kennt
den wer?«

Die Arbeiter sahen ihn aus leeren Augen an.

»Jut, wat nich is', kann ja noch werden. Rom is ooch nich
an eenen Tach erbaut worn. Paulchen, kieck nich wie 'ne
Kaulquappe, det jeht hier um deene Sukunft.« Er machte
eine gewichtige Pause. »Und um die von deene Leute, also
sperr de Lauscher uff. Wenn ooch nur een Halbsatz bei
euch Pachholken hängen bleebt, hat sich die Nummer je-
lohnt. – Also, der Karl Marx, der hat sich det mal so jedacht
und dabei hata 'ne janze Menge Hirnschmalz vabraten und
allet wat die so vor ihn jedacht und jesacht ham, hata von'
Kopp uff de Füße jestellt. Desdawegen is det jerade für euch
so brauchbar, kapee?«

Alle nickten stumm.

»Wat denn nu?«, quakte ein schwitzender Struwwelpeter
dazwischen.

»Janz ruhig, Brauner.«

Hinter Egon juchzte ein eselartiges Wiehern auf.

»Ick sehe, wir sind von Jeistesjrößen umzingelt.«

Das Lachen verstummte.

»Also …«

Otto fühlte, er atmete mit Egon. Er sah, wie dieser blitzschnelle, kraftvolle Ringer, der jeden zu Boden zwang, nach Worten rang. Wie er sich bemühte, alles, was er in der marxistischen Arbeiterschulung gelernt hatte, in eigenen Formulierungen verständlich weiterzugeben – und wie sehr es ihm misslang.

Wieder machte Egon eine Pause. Er sah in die Runde.

»Un' wenn de Betriebe nich investiern können, weil ihnen de Banken keen Jeld mehr leihen, ham ooch die, also de Banken, irgendwann keen Zasta mehr, weil de Betriebe un' überhaupt alle nüscht mehr uff de Bank tragen und dann … dann is allet wech und dann is sappenduster. Ente.«

Die Ringer klatschten. Außer Otto hatte keiner ein Wort verstanden.

Auf dem Heimweg blieb Otto vor dem Elektrofachgeschäft stehen. In der Auslage stand noch immer das Radio. Seine Augen streiften sanft das Mahagonigehäuse. In der unteren linken Ecke prangte stolz ein Schriftzug, der sich dunkel von dem hellen, vornehmen Stoff abhob. Enigma. Er malte sich aus, wie seine Mutter in der Küche sitzend den Konzertübertragungen lauschte. Der Klang würde sich wie ein Adler durch den Raum schwingen. Nie wäre sie auf den Gedanken gekommen, sich so etwas Außergewöhnliches zu wünschen. Jeder Groschen wurde für die Familie gespart. Und für schlechte Zeiten. Aber die schlechten Zeiten waren immer da, dachte Otto. Er kannte keine anderen. Worauf sollte man denn warten? Auf noch schlechtere? Wofür arbeiten, wenn sich das Leben nicht verbessern ließ? Was war wichtiger, ein besseres Leben oder ein höheres? Worin bestand der Unterschied? Konnte man durch das Höhere auch das Bessere erreichen? Egons Ausführungen schwirrten ihm durch den Kopf. Es hatte alles ganz überzeugend geklungen. Dann sah er die tumben Gesichter seiner Vereinskameraden vor sich. Egon war es nicht gelungen, sie zu erreichen. Solange sie nicht genügend zu beißen hatten, würde alles Reden sinnlos sein. Also erst das Bessere, dachte Otto, dann vielleicht das Höhere.

Die Türglocke schrillte hell, als er das Geschäft betrat. Ein muffiger Geruch wehte ihm entgegen. Ein alter Mann blickte mürrisch hinter der Kasse auf. Otto wandte sich, ohne ihn zu beachten, der Rückseite des Radios zu. Was verbarg sich dahinter? Wie wurden die fernen Klänge empfangen? Irgendwo saßen Orchestermusiker in einem Konzertsaal, und während sie musizierten, konnte man ebendiese Musik zeitgleich an einem anderen Ort hören. Menschen, deren Geld nicht reichte, um die Konzerte zu besuchen, sich fein zu machen oder nach dem Konzert noch in einem Lokal zu speisen, konnten mit dem Radioempfänger zur gleichen Zeit am gleichen Ort sein. Der Verkäufer drehte unbemerkt das Radio an. Otto wippte im Rhythmus der schwingenden Tanzmusik. Der Gestank von Mottenpulver kroch ihm in die Nase. Fragend sah er den Verkäufer an.

»Ein Radiogerät für drahtlose Belehrung und Unterhaltung. Enigma. Das Beste auf dem Markt.«

Der Alte drehte weiter an den Knöpfen. Verzerrtes Stimmengewirr und Musikfetzen. Eine sonore Stimme schälte sich aus dem dumpfen Wellenrauschen. »... Amelia Earharts Pionierleistung, dem ersten Transatlantikflug durch eine Frau, ein Jahr nach der legendären Nonstop-Alleinüberquerung durch Charles Lindbergh mit seinem einmotorigen Eindecker Spirit of Saint Louis ...«

»33 Stunden und 32 Minuten von New York nach Paris«, wiederholte Otto flüsternd. »... Millionen Menschen haben letztes Jahr weltweit die Berichte darüber in den Zeitungen oder am Radioempfänger verfolgt. Lindbergh konnte die ganze Zeit nicht schlafen«, betonte die Stimme eindringlich, »er ist ohne jede Begleitung geflogen und hat die ganze Strecke ohne Navigationsgerät bewältigt, was über dem Meer bis dahin unmöglich schien. Und jetzt beweist Amelia Earhart, dass Frauen den Männern an fliegerischem Talent in nichts nachstehen. In nur 20 Stunden und 40 Minuten ist es ihr gelungen, mit einer dreimotorigen Fokker Friendship den Atlantik zwischen Neufundland und Wales zu überqueren.«

Neufundland. Das Wort hallte in Ottos Kopf nach.

»Was kostet dieses Gerät?«, fragte er, ohne die geringste Berliner Klangfärbung.

Der Verkäufer nannte eine Zahl, bei der Otto schwindelig wurde. All sein Erspartes würde er dafür hergeben müssen. Sei's drum. Das war es wert. Seine Mutter würde ihre Konzerte hören können, und er würde mehr von der Welt erfahren. Er konnte ihr Gesicht sehen, wusste, dass sie ihm Verschwendung vorwerfen und trotzdem lachen würde, wie ein Mädchen, das freudestrahlend den Kopf schüttelt, wenn es zum Tanz aufgefordert wird, um kurz darauf über das Parkett zu fliegen.

»Können Sie es für mich reservieren? Ich komme noch heute Abend und werde bezahlen.«

Der Verkäufer blickte misstrauisch.

»Drei Stunden. Mehr nicht.«

»Abgemacht.«

Otto streckte dem alten Mann die Hand entgegen.

Die Familie war um den Küchentisch versammelt. Karl schraubte ungeschickt an den Knöpfen des neuen Radioempfängers herum.

»Nimm deine Finger weg, du machst det Ding hin, hat ma ne Stange jekostet.«

Ein Zittern huschte über Karls Gesicht. Tränen sprangen aus seinen erschöpften Augen. Otto stand betroffen da. Höher, det heißt: raus hier, dachte er, während der Kloß in seinem Hals ihm die Kehle zuschnürte.

Der Schuldirektor musterte das ungleiche Paar, das vor seinem Schreibtisch Platz nahm. Mutter und Sohn, gewiss, aber dieser Junge war das, was die Berliner »'ne Marke« nannten. Sein Alter war schwer zu schätzen. Und wer hier wen hereingeführt hatte, war auch nicht klar. Amüsiert lehnte er sich zurück. Wie aus einer Zillezeichnung mitten ins Büro gesprungen, dachte er. Er nahm seine runde Brille ab, putzte abwartend die verschmutzten Gläser und entschied sich dann, zunächst dem Jungen aufmunternd zuzunicken. »Warum willst du zu uns kommen?«

»Ick will wat lernen.«

»Was denn?«

»Wenn ich das wüsste, wär ich nich hier.«

Otto spürte den Blick seiner Mutter und bemühte sich, Hochdeutsch zu sprechen.

»Was macht dein Vater? Willst du nicht in seine Fußstapfen treten und ein Handwerk erlernen?«

»Der arbeitet inne Fabrik.«

»Ah ja.«

»Sein Vater ist kurz vor Ottos Geburt gefallen. Er war Barbier«, sprang Anna ihrem Sohn bei.

»Der Krieg. Ja. Der Krieg. – Das tut mir leid. Und in welcher Fabrik arbeitet dein Stiefvater?«

»Mal hier, mal da – immer, wo se ihn brauchen. Und sie brauchen ihn immer.«

Otto war selber überrascht, dass er Karl in so gutem Licht erscheinen ließ.

»Lass mal deine Zeugnisse sehen.«

Otto händigte ihm eine Mappe aus. Der Direktor blätterte sich nachdenklich durch Ottos erste Schuljahre.

»Des soll jetzt alles anders werden, am Anfang hab ich nich gewusst, was das alles soll, aber jetzt weiß ich's.«

»Und?«

»Det is wie Muskeltraining, egal wie weh es tut, man muss einfach weitermachen.«

»Bist du im Sportverein?«

»Sport-Club Lurich 02. Ich bin Ringer, hab schon bei de Bezirksmeisterschaften mitgemacht. Und im Verein ham wir auch Karl Marx gelesen.«

Der Direktor sah überrascht auf.

Der Wechsel war schwieriger als erwartet. Den neuen Unterrichtsstoff bewältigte Otto ohne große Mühen, aber er fühlte sich fremd unter den Mitschülern, die aus bürgerlichen Häusern kamen. Ihre Bewegungen, ihre Sprache, der Umgang miteinander, alles war anders. Bald kamen die ersten Magenkrämpfe. Er stürzte auf die Toilette. Manchmal übergab er sich, an anderen Tagen quälte ihn ein lang anhaltender Durchfall, der ihm alle Kraft entzog. Müde schleppte er sich zur Schule und schlief während des Unterrichts ein. Da seine kräftige Statur seinen Klassenkameraden Respekt einflößte, zogen sie nicht offen über ihn her. Otto lernte den stillen Widerstand des Spießers kennen, die Macht der schleichenden Ausgrenzung. Keiner griff ihn offen an, wie sollte er sich da verteidigen? Bald war er nur noch geduldet. Eine lästige Randfigur, die sich irgendwann in Luft auflösen würde. Immer öfter blieb er dem Unterricht fern, streunte durch die Straßen, durch den Tiergarten, rastlos, auf der Suche.

Im Sport-Club Lurich 02 ging es nicht viel besser. Auch hier fühlte er sich plötzlich fremd. Die Schlichtheit seiner ehemaligen Freunde begann ihn zu stören. Egons Unterricht erschien ihm einfältig. Zu Hause machte er sich über die einfache Ausdrucksweise seiner Familie lustig. Anna beobachtete seine Veränderung mit Sorge, während die anderen ihm aus dem Weg gingen.

Nur mit Roland verstand er sich noch. Seit ein paar Wochen gingen sie regelmäßig nach dem Training ein Bier trinken, dazu mal einen Korn, ein Gläschen Eierlikör, oder der Wirt schob ihnen billigen Selbstgebrannten über den Tresen.

»Otto?« Roland sah ihn schief grinsend von der Seite an. Ihre Gesichter waren vom Alkohol gerötet, die Haut schimmerte feucht, »Lurich 02, Egon, Karl Marx, det is doch allet pillepalle. Profis im Ring wern wa nich. Also …«

Das letzte Wort hatte er bedächtig in der Luft hängen lassen. Sein Nachklang füllte den Raum zwischen ihnen. Otto zündete sich eine Selbstgedrehte an.

»Spuck's aus!«

»Immertreu. Schon ma von jehört?«

»Nee.«

»Ooch son Vaein.«

»Ringer?«

Roland nickte.

»Und?«

»Na ja … die sind 'n bisken andas druff.«

»Krumme Dinga?«

»Wusst ick doch, det dir det jefällt!«

»Ha'ick det jesacht?«

»Nee, aba so jekiekt.«

7

Der Ringverein Immertreu war eine große Vereinigung der organisierten Kriminalität. Sie kontrollierten das Nachtleben, verteidigten brutal ihr Revier gegen rivalisierende Banden, hatten Mädchen am Laufen, zogen ihre Kokslinien durch die Hinterzimmer zwielichtiger Spelunken, in denen sie ahnungslosen Nachteulen, die das schnelle Abenteuer suchten, mit gezinkten Karten die dicken Scheine aus den Taschen holten. Wer den Braten roch oder aufmuckte, wurde verdroschen und auf dem Hinterhof kopfüber in die Mülltonne gesteckt. Wer diese Sprache nicht verstand, wurde bewusstlos geschlagen und auf einer Halde verschrottet oder in einem Zementwerk verbaut.

»Det is der Otto, von den ick dir ersählt habe.«

Sie standen vor einem bulligen Zwerg, der sie aus stecknadelgroßen Augen taxierte. Nach einer endlosen Pause streckte er Otto die Hand hin. Seine Finger legten sich um Ottos Hand, dann drückte er mit aller Kraft zu. Es war ihm eine Freude, Neulingen bei der ersten Begrüßung die Finger zu zerquetschen. »Nach 'n jeflegten Händedruck weeßte, wen de vor dir hast«, pflegte er dann zu sagen. »Da trennste janz schnell die Spreu von 'n Weizen.«

Otto hielt dem Druck stand, ohne mit der Wimper zu zucken. Roland hatte ihn gewarnt, und er hatte sofort seine Hand tief in die seines Gegenübers hineingeschoben, um seine Finger zu schützen. Für einen Moment schien es, als sei der kleine Bulle irritiert. Sein Kopf zuckte zurück. Dann gab er Otto einen Katzenkopf und fasste ihn hart an der Schulter.

»Bist 'n flinker Junge. Hast 'n juten Blick. Kannst bei Mario anne Tür anfangen.«

»Und wie heißt du?« Otto wollte nicht gehen, ohne etwas gesagt zu haben. Die kleine Bulldogge grinste ihn feindselig an.

»Uschi.«

Uschi hatte den richtigen Riecher gehabt. Otto machte sich gut an der Tür. Sein Instinkt war ebenso unbestechlich wie seine Augen. Er wusste, wen er reinlassen durfte und wen nicht, wann es sich bei angebotenem Geld um einen Bestechungsversuch oder um eine großzügige Geste handelte, die man emotionslos entgegennehmen konnte, so wie man die albernen Wichtigtuer höflich, aber bestimmt vertröstete. Er erkannte die Schwächen, die die Menschen nachts auf die Straße trieben, lernte schnell, gutes Koks von gestrecktem zu unterscheiden, und wusste, wem er was anbieten konnte und wem besser nicht. Er selbst ließ die Finger davon. Seine Einnahmen vervielfachten sich.

Dennoch zog etwas an ihm. Beim Kartenspiel forderte er sein Glück heraus, bis der letzte Groschen verloren war. Egal. Hauptsache, er spürte etwas. Die Freude darüber, dass ihm das Schicksal hold war, befeuerte ihn ebenso, wie der kurz darauf folgende Absturz ihn in Rage versetzte. Nach solchen Niederlagen musste er seine Lebenskräfte mobilisieren, um sich aufzurappeln. Oben und unten rauschte das Leben, dazwischen gähnte der Abgrund.

Bald brauchte Otto mehr Geld, um seine Spielleidenschaft zu finanzieren. Der Kick des Gewinnens verflog immer schneller. Hatte es ihn anfangs nur an den Wochenenden an den Spieltisch getrieben, verbrachte er nun eine

Nacht nach der anderen dort. Er entfremdete sich von seiner Familie, meldete sich nach der neunten Klasse von der Schule ab und begleitete Roland auf seinen Einbruchstouren. Die Beute lieferten sie bei »Uschi« ab, der die Kontakte zu Hehlern hatte. Seinen Anteil verspielte Otto noch vor Sonnenaufgang.

Dann geschah etwas Merkwürdiges. Otto beobachtete, wie die Menschen um ihn herum in Panik verfielen. In dunklen Ecken schossen sich Männer eine Kugel in den Kopf, andere sprangen am hellen Morgen aus den Fenstern ihrer Hinterhofswohnungen. Aber auch die Wohlhabenden stürzten. Einmal sah er einen vornehm gekleideten Mann auf dem Bürgersteig neben seinem großen Auto stehen: »Hundert Mark. Brauche Bargeld. Habe alles an der Börse verloren.« Andere, bereits vom Hunger gezeichnet, trugen ein Schild um den Hals: »Habe Hunger. Suche Arbeit. Mache alles.« Erstaunt stellte Otto fest, dass nun immer mehr Menschen um ihr Überleben kämpften, wie er es von seiner frühesten Kindheit an gewohnt war. Er wusste zwar nicht, was diese Veränderung herbeigeführt hatte, aber die Angst, die Verzweiflung und die Würdelosigkeit, die sich um ihn herum ausbreiteten, überraschten ihn. Bis auf seinen Stiefvater verhielt sich niemand in seiner Familie so. Lag das daran, dass es ihnen nie anders ergangen war? Konnte er etwas, was diese Menschen erst lernen mussten? Er betrachtete sie mit der Neugierde eines Insektenforschers. Offenbar dauerte es länger aufzusteigen als herunterzufallen. Etwas in ihm geriet ins Wanken. Bei jeder Diebestour spürte er, dass der Wohlstand nur noch Makulatur war, ein schäbiger Lack, der vom darunter wachsenden Rost bereits abgestoßen wurde.

Rolands Truppe machte sich das steigende Chaos zunutze: Auf ihren Touren wurden sie immer dreister. Meistens drangen sie nun tagsüber in die kaum mehr ausgespähten Wohnungen und Häuser ein. Nachts blieben die Menschen zu Hause. Die Lust, auf dem Vulkan zu tanzen, war den meisten vergangen.

8

Er stand Schmiere, als seine Kumpanen die schwere Holz-
tür einer Beletage in Friedenau knackten. Von der Ecke
aus hatte Otto beide Straßen im Blick. Sekundenschnell
waren sie drin. Wie unbeteiligt hüpfte er hinterher und
blieb erschrocken stehen. Diesmal versprach es ein großer
Fischzug zu werden. Teppiche an Wand und Boden, alte
Gemälde, silberne Leuchter, weite Räume dehnten sich
vor ihnen aus. Der morbide Duft eines versunkenen Reichs
wehte sie an. Keiner rührte sich. Roland fing sich als Erster.
Er winkte seine Truppe zusammen und bedeutete ihnen,
auszuschwärmen. Mit knappen Gesten teilte er jedem
seinen Raum zu. Otto blieb allein zurück. Zögernd ging
er durch die weiten Zimmer. Eine majestätische Flügeltür
aus heller Eiche öffnete den Blick auf einen Raum voller
Bücher. Meterhohe Wände mit golden funkelnden Buchstaben, eintätowiert auf den leuchtenden Buchrücken.
Vorsichtig tastete er die Hügel in den Regalen ab, stieg auf
eine der fahrbaren Leitern, stieß sich vom Fenstersims ab,
um schwerelos an diesen fremden Landschaften vorbei-
zufliegen. Geräuschlos kam er zum Stehen. Seine Augen
hefteten sich auf einen Titel. Das Buch ragte hervor, als
hätte es jemand unachtsam zurückgestellt. Er nahm es
in beide Hände und klappte es behutsam auf. Theodor
Mommsen, las er, darunter *Römische Geschichte*. Er wollte
gerade weiterblättern, als ihn ein Geräusch herumfahren
ließ. In der Tür stand ein junges Mädchen. Es trug ein knie-

langes schwarzes Kleid, ein weißer Kragen leuchtete um den Hals. Schweigend sahen sie einander an.

Aus der Ferne heulte ein Martinshorn heran. Füße flogen durch die Räume. Fenster zerbrachen klirrend. Lautes Schreien. »Polizei, stehen bleiben!« Ein Schuss fiel. Gebrüll. Ottos Augen ruhten ungerührt auf dem schmalen Antlitz des jungen Mädchens. Aus ihren dunklen Augen flog ihm ein schmales Lächeln zu. Er erwachte wie durch einen Schauer an einem schwülen Sommertag. Erfrischt stieg er von der Leiter, folgte ihrem ausgestreckten Arm, der auf eine niedrige, halb offene Klappe unter der linken Bücherwand deutete. Ruhig zwängte er sich in den dahinterliegenden Hohlraum, der gerade genug Platz für seinen zusammengerollten Körper bot, als das schillernde Wesen die Klappe zuschlug. Schwere Schritte betraten den Raum. Er hörte atemloses Keuchen.

»Allet in Ordnung, Mädchen?«

»Ja.«

Der dunkle Klang ihrer Stimme ließ ihn überrascht den Kopf heben. Er stieß an die Holzdecke seiner engen Behausung. »Wat war'n det?«, fragte die kratzige Männerstimme in die Stille hinein.

»Was?«, kam es klar und unbeirrt zurück.

»Haste eenen von den Ganoven jesehen?«

»Nein.«

Otto spürte, wie ihm siedend heiß wurde. Erinnerungen an die Eisbäder durch seine Peiniger von der Kinderlandverschickung schossen in ihm hoch. Seine Lungenflügel brannten, als hätte er glühendes Erz verschluckt. Er fürchtete zu ersticken, als er wieder die ruhige Stimme vernahm.

»Ich war müde von der Arbeit und bin wohl auf dem Sessel dort eingenickt, als mich plötzlicher Lärm geweckt hat. Dann standen Sie vor mir.«

»Da haste aber Mazel jehabt, Kleene. Wenn dir noch wat einfällt, meldste dich bei uns uff der Wache.«

Die Schritte entfernten sich, blieben wieder stehen.

»Du bist keen Arbeiterkind nich.« Es hatte halb wie eine Frage, halb wie eine Feststellung geklungen.

»Ich wohne hier.«

»Wie heißen Sie denn?« Der Ton war jetzt überraschend förmlich.

»Sala.«

»Und weiter?«

»Nohl.«

»Wo sind denn Ihre Eltern, mein Kind?«

»Mein Vater müsste bald nach Hause kommen.«

»Und Ihre Mutter?«

»Lebt nicht mehr …«

»Das tut mir leid, Frollein Nohl.«

»…nicht mehr hier«, fügte sie schnell hinzu.

Der Gendarm sah sie verwirrt an.

»Äh …wenn wir noch Fragen ham, werden wir uns bei Ihnen melden. Is hier irgendwat weggekommen?«

»Ich glaube nicht.«

»Und hier ist wirklich keiner drin jewesen?«

Wieder schlug Ottos Herz bis zum Hals. Wenn sie wollte, konnte sie ihn jetzt vernichten. Ein einfaches »Doch« oder »Vielleicht, ja«, ein etwas zu langes Zögern, ein verräterischer Zug um die Lippen würden reichen, um sein Schicksal zu besiegeln.

»Nein.«

Die Antwort kam weder zu schnell noch zu langsam.

»Dann erholen Sie sich von den Schrecken, meen Kind.«

»Danke, Herr Wachtmeister. Danke, dass Sie mich gerettet haben.«

»Dafür sin' wa ja schließlich da, Frollein.«

Otto hörte ein Hackenzusammenschlagen. Dann entfernten sich die Schritte laut und schwer. Die Eingangstür fiel zu und klappte wieder auf. Das Schloss war nicht mehr zu gebrauchen.

Wäre der Hohlraum groß genug gewesen, wäre Otto jetzt erschöpft in sich zusammengesackt. Er atmete zitternd aus. Wie von Geisterhand wurde die Klappe geöffnet. Er schaute schweißüberströmt zu dem Mädchen hoch. Ihm war übel, und er spürte ein heftiges Stechen in der Blase. Sie sah ihn an, ernst und vertraut.

Wie ferngelenkt steuerte er den Tiergarten an. In seiner Linken hielt er immer noch das gestohlene Buch fest umklammert, als sei es angewachsen. Roland hatten sie erwischt. Der Schmerz um den verlorenen Freund traf ihn kurz und hart. Von hinten mit einer Kugel niedergestreckt. Er musste sich ändern. Aber wie? Zum ersten Mal in seinem Leben fühlte er sich ratlos. Zurück in die Schule? Ja. Und dann?

Die mächtigen Bäume warfen ihre Schatten auf die Allee. Otto atmete den Duft des nahenden Sommers ein. Er fiel vom Weg ab, ließ sich treiben, überquerte eine kleine Brücke, kletterte die Böschung hinunter, zog die Schuhe aus und streckte seine Füße in das kühlende Wasser. Der Bach plätscherte vor sich hin. Otto sank in das Gras. Die Pollen kitzelten seine Nase. Er fiel in tiefen, traumlosen Schlaf.

Als er erwachte, wölbte sich der Himmel tiefblau über ihm. Die Natur hatte ausgeatmet. Er fühlte das Buch in seiner Hand, nahm es hoch, reckte die Arme zum Himmel, um sich zu strecken, und richtete sich auf. Er blätterte durch die Seiten. Der fremde Geruch von Buchstaben und Papier stach ihm in die Nase. Er klappte das Buch wieder zu und machte sich auf den Heimweg.

Als er sich der Parterrewohnung näherte, blieb er stehen. Polternd war er davongezogen, auf Zehenspitzen kam er zurück in sein altes Leben, mit nichts als einem Buch in der Hand. In der Küche zum Hof brannte noch Licht. Sein Stiefvater schlief mit dem Kopf auf der Tischplatte. Seine Mutter wischte vorsichtig mit einem Lappen um ihn herum. Otto biss seine Zähne zusammen. Er fühlte heiß und unerbittlich aufsteigende Scham.

9

Am nächsten Morgen lag er wieder im Tiergarten. Im Schatten der Eichen klappte er das neue Buch auf. In seinem Rücken gurgelte der Bach. Das Werk schien auf mehrere Bände angelegt. Er hielt den fünften in Händen. Überall tauchte der Name Caesar auf. Schlachten wurden beschrieben, Legionen fielen in fremde Länder ein, deren Namen er ebenso wenig kannte wie die Kriegsherren und Politiker, die Mommsen vor seinen Augen nur mit Worten lebendig werden ließ.

Seine Haut brannte. Eine Hummel summte über ihn hinweg. War er eingeschlafen? Auf seinem Bauch lag das Buch. Schweiß lief ihm in die Augen, seine Lippen schmeckten salzig. Wie lange hatte er hier gelegen? Langsam richtete er sich auf, streckte trotzig sein verbranntes Gesicht der Sonne entgegen. Diese verdammte Hitze. Er musste sich abkühlen. Er sah sich um. Niemand da. Schnell streifte er seine Kleidung ab, rannte hinunter zur Böschung. Ein Sprung, und das kühlende Wasser verschluckte ihn. Den Atem anhaltend blieb er so lange auf dem Grund, drückte seinen Körper so lange in den Schlamm, bis ihn die Lebensgier nach oben trieb. Ungestüm schoss er mit einem Sprung heraus und ans Ufer. Dort blieb er liegen, roch das trockene Gras. Dann richtete er sich auf. Mitten in der Bewegung hielt er inne. Wo er lesend eingeschlafen war, lag jetzt lässig aufgestützt ein Mann um die fünfzig, vielleicht auch jünger. Bevor er ihn studieren konnte, hatte er das Buch in den

Händen des Fremden entdeckt. Was blätterte der neugierig darin? Jetzt hob er den Kopf. Otto erschrak. Er merkte, dass er nackt war. Der Mann musterte ihn grinsend.

»Verstehen Sie, was Sie da lesen?«

Es klang kein wenig spöttisch.

»Ick gloobe schon«, hörte er sich murmeln.

»Wie alt sind Sie?«

»Siebzehn.«

»Haben Sie Theodor Mommsen im Geschichtsunterricht studiert?«

Der Fremde warf ihm seine Hose zu.

»Nee.«

Otto zog sich an, streifte sein Hemd über.

»Gehen Sie noch zur Schule?«

Die Frage ärgerte ihn. Hielt sich dieser vornehme Kerl in seinem hellblauen Tuntenanzug für etwas Besseres?

»Wieso nich?«

»Es ist noch nicht einmal Mittag …«

»Na und? Ick schwänze gerade. Se können mir gerne 'ne Entschuldjung schreiben, anstatt mir Löcher in'n Bauch zu fragen.«

»Auf welchen Namen soll sie denn lauten?«

Der lässt nicht locker, dachte Otto.

»Otto.«

»Otto der Große? Aus dem Geschlecht der Liudolfinger, Herzog von Sachsen, König des Ostfrankenreichs, römisch-deutscher Kaiser?«

»Jibt nur eenen in meener Klasse.«

Otto musterte ihn genauer. Der Mann war vielleicht Ende vierzig, vielleicht auch älter. Oder jünger? Eine große Nase beherrschte das feine Gesicht. Trotz der Hitze trug er einen Anzug, ein weißes Hemd und eine locker gebundene Schleife. Der Anzug war gar nicht hellblau, bemerkte Otto jetzt, eher aus mittelgrauem, für die Jahreszeit viel zu dickem Stoff. Bestimmt teuer, dachte Otto.

»Krieg ick nu' den Wisch für die Schule?«

»Um das verantworten zu können, müsste ich Sie näher kennenlernen.«

Otto sah ihn überrascht an.

»Wie wär's am kommenden Sonntagnachmittag? Dieckhardtstraße 17, in Friedenau.«

»Abjemacht.«

»Genießen Sie die letzten Sonnenstrahlen«, empfahl der Fremde im Aufstehen.

»Un'wo muss ick klingeln?« Otto versuchte nicht einmal, Hochdeutsch zu sprechen. Irgendetwas hatte dieser Mann an sich, dass man sich in seiner Gegenwart sicher fühlte. Bereits im Gehen warf er ihm über die Schulter zu: »Johannes Nohl, aber meine Freunde nennen mich Jean.«

Otto sah ihm nach. Woher kannte er diesen Namen?

10

Es klingelte. Sala lief zur Tür. Dem Klingeln folgte ein energisches Klopfen. Warum konnte der Besuch sich nicht gedulden, sie rannte doch schon? Atemlos riss sie die Tür auf. Sie erschrak. Vor ihr stand der junge Mann, dem sie gestern geholfen hatte. Er trug einen Anzug. Ihre Augen trafen sich. Salas Hände tasteten nach einem Halt ins Leere. Er stand vor ihr, wie gestern auf der Leiter in der Bibliothek.

Otto hatte die Mittagssonne im Rücken. Seine Silhouette zeichnete sich scharf vor der Straße ab. Ihr Körper spannte sich. Augen wanderten über ihr Gesicht, den Hals hinunter über die Brust, den Bauch, ihre Hüften, die Beine, bis in die Zehenspitzen fühlte sie ihn, und sie schämte sich nicht. Dieser Blick war weder abschätzend noch forschend, er stand vor ihr und sah sie einfach nur an. Noch nie hatte sie darüber nachgedacht, ob sie schön genug sei, um die Aufmerksamkeit eines Mannes zu erregen. Ihr Körper öffnete sich, ein Wiegen in den Hüften, Schwindel erfasste sie. Wie aus dem Nichts tauchte Jean auf. Er führte den jungen Mann, dessen Namen sie immer noch nicht kannte, in die Bibliothek. Bevor Otto die Tür hinter sich schloss, trafen sich ihre Blicke zum dritten Mal.

Während er verwundert registrierte, dass die Tür bereits repariert war, blieb Otto stehen. Warum war er nicht weggelaufen, als er den Ort seines Verbrechens erkannt hatte? Jean, der ebenfalls stehen geblieben war, überlegte, ob er

Otto jetzt an sich ziehen sollte, wie er es mit so vielen Jungen zuvor getan hatte. Seine Augen gruben sich in Ottos Lippen. Erregung pochte durch seinen Körper. Von einer unbekannten Verlegenheit überrascht, hielt er den Atem an. Schweigend standen sie voreinander. Otto sah ihm gerade ins Gesicht.

»Ich werde Ihre Tochter heiraten.«

Mit dem Ellenbogen drückte Sala die Türklinke zur Bibliothek ihres Vaters herunter. Bedacht die Teetassen jonglierend betrat sie das Innerste ihres zu Hauses.

Ihr Vater saß entspannt zurückgelehnt in einem dunkelgrünen englischen Lederfauteuil, rechts davon der junge Mann, der bei ihrem Hereintreten sofort aufgestanden war. Zwischen den beiden stand ein runder, dreibeiniger Tisch, darauf eine Auswahl von Büchern. Dachte er jetzt an den Einbruch? Und vorhin, an der Tür? War sie ihm fremd oder vertraut erschienen?

»Otto«, sagte er.

Sie schob die Bücher beiseite, stellte die Tassen auf den Tisch, ohne ihn anzusehen. Waren es seine tastenden Blicke, die sie jetzt spürte, oder die ihres Vaters? Sie richtete sich auf.

»Sala.«

Ohne sich umzudrehen, verließ sie schweigend den Raum, wie sie ihn betreten hatte. Sie schloss die Tür hinter sich und setzte sich zitternd auf einen Stuhl in der Diele. Sie beschloss zu warten. Und wenn es eine Ewigkeit dauern würde. Sie lauschte den Stimmen. Bei ihrer ersten Begegnung hatten sie kein Wort gesprochen. Sie neigte sich leicht vor, senkte den Kopf mit geschlossenen Augen nach dem Klang seiner Stimme. Ihr Herz schlug von weit her, von den Kindertagen bis zu diesem Moment.

Sie schreckte auf. Otto trat, von ihrem Vater gefolgt, aus der Bibliothek. Keiner bemerkte sie auf ihrem Stuhl in der Ecke. Ihr Vater lachte jungenhaft auf. Nein, es sei nichts weiter passiert, die Eingangstür schon wieder in Ordnung, und die paar zerbrochenen Glasscheiben würden frischen Wind durch die Wohnung treiben. Im Hausflur drehte sich Otto zu Jean um.

»Bitte grüßen Sie Ihre Tochter.«

Jean lachte verlegen.

Es dunkelte bereits. Otto fiel in einen leichten Trab, während er den Namen zwischen seinen Ohren hin und her balancierte. Sala ... Sala ... Sala. Er hatte sie sofort erkannt, als ihr feines Gesicht hinter der Tür aufgetaucht war. Ein jäher Schreck. Zum zweiten Mal hatte sie ihn nicht verraten. Vielleicht tat sie es jetzt? Er schüttelte den Gedanken ab, so wie Pferde mit einem Muskelzucken lästige Fliegen verscheuchen. Wieder sah er ihr Gesicht vor sich. Otto interessierte sich nicht für die Liebe. Sicher hatte er schon das eine oder andere Mädchen gehabt, aber Liebe, etwas Festes, solche Dummheiten hatte er sich bisher verkniffen. Einen großen Busen und einen schönen Arsch sollten sie haben, bloß nicht so dürr wie seine Schwester Erna. Aber sonst? Er konnte sich nur an Salas Augen erinnern. Ihre Augen und ihr dunkles Haar. Kräftiges Haar, zu einem dicken Zopf geflochten. Sein Puls beschleunigte sich, obwohl er jetzt langsamer ging. Aus diesen Augen hatte sie ihn so eigentümlich angesehen. Waren sie blau oder braun? Blau. Ihr Gesicht hatte die Form einer Mandel. Die Haut leuchtete weiß. Eine kräftige, leicht nach unten schwingende Nase. Als sie bei der Verabschiedung kurz sein Lächeln erwiderte, war ihm die Lücke zwischen den oberen Schneidezähnen aufgefallen. Menschen mit einer großen Zahnlücke reisen viel, sagte seine Mutter. Mitten in der Nacht lag er mit weit aufgerissenen Augen in seinem Bett. Er sah Salas langen weißen Nacken. Kurz darauf schlief er ein.

Sala sprach kein Wort über Otto. Sie fragte ihren Vater nicht nach dem Besuch, sie schwieg auch von ihrer ersten Begegnung. Nach der Schule zog sie sich in ihr Zimmer zurück, bis sie um sechs Uhr, wie jeden Tag, das Abendessen zubereitete. Jean bemerkte, dass sie kaum etwas aß. Auf seine Versuche, sie aufzuheitern, reagierte sie mit vornehmer Zurückhaltung, als sei er ein etwas aufdringlicher Fremder. Dann wurde sie krank, ein Fieber gebot Bettruhe. Nie war ihr Krankheit willkommener gewesen. Allein in ihrem Zimmer, fühlte sie sich unbeobachtet und frei, alle Momente ihrer Begegnungen zu wiederholen.

Otto genoss bald jeden Sonntag die offene Gesellschaft im Hause Nohl. Während die letzten Gäste verschwanden, saß er noch mit Jean ins Gespräch vertieft da. Sala schien er auszuweichen. Er spürte eine Veränderung in sich wachsen, die ihm nicht geheuer war. In den Stunden vor seinem Besuch dachte er nur an sie, aber wenn sie dann endlich vor ihm stand, fühlte er sich beklommen. Er ging jetzt häufig an der Teppichstange im Hof vorbei, ohne das Bedürfnis, einen neuen Klimmzugrekord aufzustellen. Er dachte an die vielen Bücher, die er bei Sala zum ersten Mal in seinem Leben gesehen hatte, an ihren Vater. Er sah seine feingliedrigen Hände, die beim Reden beiläufig seine Gedanken rhythmisierten. Wie ein Dirigent, dachte er, obwohl er noch nie in einem Konzert gewesen war. Die kostbaren Ledereinbände in den Regalen tauchten vor seinem inneren Auge auf. Die Flut von Gedanken, von Lebensentwürfen, von Geschichten, die sie in sich bargen. Auf dem Schreibtisch stand das Bild einer Frau. Sie sah schön und unnahbar aus. War das Salas Mutter?

Als Sala ihn das erste Mal in ihr Zimmer bat, blieb er ehrfürchtig auf der Schwelle stehen. Alles in diesem Raum atmete die Selbstverständlichkeit eines umsorgten Lebens, aber zugleich etwas Dunkles, für das er keinen Namen fand. Sala nahm ihn lachend bei der Hand. Es war das erste Mal, dass sie einander berührten. Beide erschraken. Der Schnee auf dem Fensterbrett war geschmolzen. Die Nachmittagssonne wärmte noch nicht. Es war noch kein Frühling, aber das Ende eines langen Winters.

Am Wochenende besuchten sie gemeinsam das Volksbad in der Gartenstraße.

»Hier gehen wir regelmäßig duschen«, sagte Otto, »na ja, manche eher mäßig, als regelmäßig«. Sie lachten. Sala war noch nie in einem öffentlichen Bad gewesen. Mit ihrem Vater schwamm sie im Sommer im Schlachtensee oder ein paar Hundert Meter weiter in der Krummen Lanke. Jean sprang immer unbekleidet ins Wasser, deswegen begleitete ihn Sala seit zwei Jahren nicht mehr auf seinen Ausflügen. Sie war nicht prüde, aber als sich die allzu große Offenherzigkeit ihres Vaters in geschlechtlichen Dingen zwischen sie zu stellen drohte, wich sie ganz selbstverständlich aus. Die Freiheit des einen durfte die des anderen nie begrenzen, das hatte sie von ihm gelernt. Beeindruckt blieb sie vor der mit Klinkern verblendeten Fassade des großen Gebäudes stehen.

»Das ist es?«

Otto nickte stolz. Als sei er der Bauherr dieser Pracht, führte er sie sicheren Schrittes durch die Eingangshalle, vorbei an den gefliesten Wänden, die Stufen hoch zum Kassenbereich. Dort löste er für beide die Eintrittskarten und überließ die etwas unsicher lächelnde Sala ihrem Schicksal.

»Bis gleich.«

Ein bisschen ärgerte sie sich über sein Grinsen, aber

vielleicht irrte sie sich auch, vielleicht war er ebenso aufgeregt wie sie. Natürlich hatte sie ihm verschwiegen, dass es ihr erster Besuch in einer derartigen Einrichtung war. Er sollte sie ja nicht für eine dieser verzogenen Bürgerstöchter halten. Lächerlich, dachte sie, während sie in einer Kabine in ihren Badeanzug schlüpfte, diese Dinger waren wirklich nur unbequem. Da war es bedeutend angenehmer, nackt zu baden, das musste sie ihrem Vater lassen. Und wie die Frauen einander musterten. Grauenvoll. Die Augen starr auf die Konkurrenz gerichtet, suchten sie, wie in einem Spiegel, nach Fehlern, die sie mit gnadenlosem Blick herausarbeiteten, um sich dann mit einem Lächeln abzuwenden, das Handtuch um die angedickten Hüften gewickelt, die gepolsterten Schultern hochgezogen. Nur nicht ausrutschen, dachte Sala. Eigentlich hatte sie genug gesehen. Am liebsten wäre sie jetzt nach Hause gegangen. Aber dort drinnen wartete Otto.

Als sie die Schwimmhalle betrat, fühlte sie sich von dem fünfzig Meter langen Becken, dem Licht, das durch die hochschießenden Fensterfronten flutete, vor allem aber von der chlorgeschwängerten Luft erschlagen. Sie stand dicht neben der Tür. Auf der gegenüberliegenden Seite entdeckte sie Otto. Er kam auf sie zu. Nackt, nur mit einer Badehose bedeckt. Selbstgewisser Gang, kräftiger Körper. Im Augenwinkel sah sie, wie ein grober Kerl unter dem lauten Gejohle seiner Kumpane ein Mädchen in hohem Bogen über den Beckenrand warf. Bitte nicht, dachte sie, während sie sich vorstellte, wie Otto im nächsten Augenblick nach ihrem Handgelenk fassen würde. Jetzt stand er vor ihr, in den Händen einen Ball.

»Na?«

Mit fragendem Blick rollte er das runde Ding von einer Hand in die andere. Der Ball flog weit über die Mitte des

Beckens. Mit vorgestreckten Armen war sie ihm gefolgt, tauchte außer Atem neben Otto auf, fasste nach dem Ball, lachte, trieb ihn vor sich her, fühlte sich wie ein Delfin oder – so dachte Otto – ein schillerndes Wesen, halb Mensch, halb Tier, eine Meerjungfrau. Sie folgte ihm mit kräftigen Stößen hinunter bis auf den Grund, von dem sie gemeinsam in die Höhe schnellten, gierig nach Luft schnappend, um wieder abzutauchen. Dieses Spiel trieben sie immerfort von der einen Seite zur anderen querend. Ihre Handflächen trafen sich, um sich wieder abzustoßen, ohne zu wissen, ob sie einander folgten oder bereits begannen, sich zu jagen.

In der Schule, oder im Gespräch mit ihren Freundinnen, erwähnte Sala Otto mit keinem Wort.

Ihr Gefühl kam in Wellen. Das Knacken der Kiefernwälder, die Sonne, die ihre Pfeile durch die dichter werdenden Wipfel schoss, das Geschwätz der Buchfinken und Blaumeisen. Otto war überall. Er war die Stille und der Lärm. In Gesellschaft fühlte sie sich einsam, verließ Otto sie, kostete sie gierig den Schmerz der Erwartung. In der Nähe fürchtete sie die Ferne, im Gewinn den Verlust. Manchmal riss sie wütend die Tür auf und verfluchte ihn still, wenn er nicht davorstand, oder sie bat ihn zu gehen, wenn er gerade gekommen war.

Eines Sonntags lauschte Otto im Arbeitszimmer Jeans auf und ab wanderndem Schattenriss. Im Herbstlicht wuchs der Raum mit seinen grünen Bücherregalen zu einem bedrohlichen Wald. Durchs offene Fenster stieß der Wind lose Seiten über den Boden. Wie in einem Traum löste sich die Stimme von der dunklen Gestalt. Sie wanderte durch das Zimmer, sprach vom Elsässer Postvogt Andreas Egglisperger, der über den zugefrorenen Bodensee nach Überlingen ritt. Kaum merklich verdichtete sich der Klang zu Versen, als der Reiter auf der Suche nach dem Fährkahn, der ihn hinüberführen sollte, im tiefen Winterschnee das Ufer verfehlte und den zugefrorenen See ohne Furcht überquerte, weil er ihn für eine baumlose Ebene hielt. Am andern Ufer stürzten die Menschen herbei, bejubelten sein Glück, luden ihn ein, um seinen tapferen Ritt über brüchiges Eis zu feiern, da fiel der Reiter leblos zu Boden.

Als Sala zur Tür hereintrat, sah sie die Augen ihres Vaters über Ottos Körper gleiten. Sie kannte den bewundernden Blick in Ottos Augen, die Hingabe, mit der alle ihrem Vater verfielen, wenn er, ein Buch in der Hand, seine Sirenengesänge anstimmte. Da stand er, wie ein Fischer, der in ruhiger Bewegung seine Netze auslegte. Sie ging auf Otto zu, nahm ihn bei der Hand, gerade als er im Begriff war zu fallen. Wortlos zog sie ihn hinaus, ohne sich nach ihrem Vater umzudrehen.

Als sie zu Bett ging, klopfte es an ihrer Tür. Jean trat herein.

»Liebst du ihn so sehr?«

Was für eine seltsame Frage. Sie liebte Otto, das wusste ihr Vater doch. Was meinte er mit »so sehr«? Konnte man viel oder wenig lieben?

»Ja.«

Ihre Augen leuchteten den Vater an. Was wollte er denn wissen?

»Ich auch.«

Sie hörte einen schrillen Ton in ihrem Kopf. Die Homosexualität ihres Vaters hatte sie nie gestört. Vielleicht lag das an der Selbstverständlichkeit, mit der er sie lebte. Manche Menschen werden blond geboren, andere dunkel, hatte er gesagt, als sie das erste Mal mit seiner Andersartigkeit konfrontiert worden war. Er hatte sie damals mit seinem Ausweis nach Essensmarken geschickt. Sie wartete geduldig in der Schlange vor einem Schalter, hinter dem ein kleiner, dicker Mann saß, dem die Nase lief. In regelmäßigen Abständen zog er den Schleim hoch, schob ihn nachdenklich im Mund hin und her, bevor er ihn zufrieden hinunterschluckte. Als sie vor ihm stand, legte sie den Ausweis ihres Vaters auf den Tisch. Der Beamte grinste beim Blättern.

»Dein Vater is ja 'n 175er. Det jibs ja nich! Schwul und dann ooch noch su feige, seine Marken selba absuholen.«

In ihrem Rücken ging ein Raunen durch die Schlange. Immer wieder dieses Wort. Schwul. Sie hatte es noch nie gehört. Jetzt wurde es ihr in allen Variationen um die Ohren gehauen. Schwuler, Schwuchtel, Schwulensau, Schwanzlutscher, Päderast, Arschficker, Perverser, warmer Bruder, Pupe. Trotzig hielt sie die Hand so lange ausgestreckt, bis das Lachen des Beamten in ein verklemmtes Hüsteln kippte und er ihr vor den Augen der tuschelnden Schlange widerwillig die Essensmarken aushändigte. Dann ging sie stolz nach Hause und fragte ihren Vater, was ein 175er sei. Ein Mann, der andere Männer liebt und dafür nach dem Paragrafen 175 vom Gesetz verfolgt und bestraft wird, war die Antwort gewesen.

Mehr wurde darüber nicht gesprochen. Mehr wollte sie auch nicht wissen. Oft kamen Männer zu Besuch, mit denen ihr Vater lächelnd in der Bibliothek verschwand. Nie wurde sie mit etwas Unsittlichem konfrontiert, nie fühlte sie sich von ihrem Vater vernachlässigt oder missachtet. Manche Menschen wurden eben blond, andere dunkel geboren.

Auf dem Teppich unter ihren Füßen entdeckte Sala jetzt einen Fleck. Sie deutete auf die kleine, unregelmäßige Stelle.

»Ein Webfehler, aus Ehrfurcht vor der Größe Allahs. Wäre der Teppich fehlerfrei, hätte die Weberin sich versündigt.«

Ihr Vater klang weit weg. Sie hörte seine Stimme, ohne sich umdrehen zu können.

»Liebt er dich auch?«, fragte sie.

»Nein. Er liebt dich«, sagte er. »Es tut mir leid.«

Sie sah ihn erschrocken an. Nie hatte ihr Vater sie um Verzeihung gebeten.

»Ich werde es nie wieder versuchen.«

Es war auf einer kleinen Brücke im hinteren Teil des Schlossgartens in Charlottenburg. Zum ersten Mal fasste Otto ungelenk nach ihr. Sie drehte sich weg, fühlte seine Hand über ihren Rücken gleiten. Halb im Schreck fielen ihre Lippen ineinander. Sie rannten schweigend bis in den hintersten Winkel des Parks, vorbei am Lustschlösschen, als könnten sie sich gemeinsam vor dieser Liebe verstecken. Bis ans Ende der Welt, dachte Sala, als sie Otto fallend zu sich ins Gras zog.

Der Herbst floh vor dem Winter, und ehe Sala und Otto sich einmal drehten, brachen die ersten Frühlingsboten durch die Eisschicht. Den Sommer verbrachten sie mit Jean in der Mark Brandenburg, im Herbst und Winter besuchten sie Ausstellungen und Museen. Sie erliefen sich ihre Stadt bis in die entlegensten Winkel, entdeckten Stein für Stein die Welt des anderen, rannten ins Theater, wann immer sie konnten, blind für die Veränderung, die ihre Kreise immer enger um sie zog.

»Was willst du mal werden?«

Sie schlenderten von der Friedrichstraße über die Weidendammer Brücke, vorbei am Preußischen Ikarus, der flügellahm über die Spree starrte. Links von ihnen lag das Theater am Schiffbauerdamm, wo jetzt billige Durchhaltestücke die Inszenierungen von Max Reinhardt verdrängt hatten.

»Arzt.« Er sagte es so selbstverständlich, als würde er den Beruf bereits ausüben.

»Warum?«

»Wegen der Menschen.«

Er legte seinen Arm um ihre Taille. Anfangs hatte er immer versucht, ihn über ihre Schulter zu legen. Da sie ihn aber um einen halben Kopf überragte, war er sich in dieser Haltung bald albern vorgekommen, außerdem wurde es schnell unbequem. Er fasste sie lieber um die Hüfte. So konnte er sie besser spüren.

»Und du? Schauspielerin?«

»Du hast es gewusst?«

»Von Anfang an.«

Otto bestand das Abitur, nur eine Drei in Mathematik trübte das Einserzeugnis. 1934, als die jüdischen Ärzte bereits seit über einem Jahr ihre Kassenzulassung hatten zurückgeben müssen, begann er sein Medizinstudium. Um sich ein eigenes Zimmer leisten zu können, arbeitete er in seiner freien Zeit in der Charité. Botendienste, Kisten schleppen, in der Küche aushelfen, er machte alles, was anfiel.

Von seinem Eifer angesteckt, fraß auch Sala sich durch ihre Arbeit, lernte nebenher die berühmtesten Monologe der Dramenliteratur auswendig, träumte sich in die großen Frauenrollen hinein, war Lady Milford und Luise Miller, Penthesilea, Gretchen und Marthe Schwerdtlein, entdeckte die Göttinnen des Stummfilms und rannte in ihre ersten Tonfilme. Sie bewunderte Marlene Dietrich und Henny Porten, aber auch Zarah Leander und Lída Baarová.

An den Wochenenden schlich sie mit Otto in die weniger gut verkauften und billigeren Matineevorstellungen, verschlang alles, vom Liebesfilm bis zu den Revue- und Operettenfilmen und träumte sich auf diese riesige weiße

Fläche, auf die eine wundersame Maschine fremde Welten aus Licht und Schatten warf, denen sie Nacht für Nacht im Schlaf wiederbegegnete.

Sala verdrängte die gesellschaftlichen Veränderungen. Sie war ein junges deutsches Mädchen, von katholischen Schwestern im Glauben an Jesus Christus erzogen. Sie wollte einen angehenden deutschen Arzt heiraten, sobald sie alt genug war, und sie wollte Schauspielerin werden. Ihre Mutter war Jüdin. Na und? Die Ehe ihrer Eltern war 1927 geschieden worden.

An den Wochenenden kam Otto nun fast jeden Morgen in die Nohl'sche Wohnung, vergrub sich in Salas Armen, roch ihre Haut, noch weich und warm vom Schlaf. Arme und Beine schoben sich ineinander, ihre Körper wuchsen zusammen, bis sie sich erschrocken wieder trennten. Ein kurzer Blick, verloren und erschöpft, ein Ziehen, ein Lösen, ein Zurückfallen in eine immer leidenschaftlicher geteilte Einsamkeit.

Später, wenn die Nachmittagssonne wärmend durchs Fenster leuchtete, machten sie es sich in den Ecken bequem, träumten vor sich hin, mal ein Buch in der Hand oder im Schoß, mal die Augen absichtslos auf den anderen gerichtet.

Sie sahen die Dunkelheit, aber sie erkannten sie nicht.

Es war spät geworden. Als Jean im Flur das Licht anschaltete, hörte er Geräusche aus Salas Zimmer. Auf Zehenspitzen schlich er zu ihrer Tür. Die Stimme seiner Tochter flüsterte aufgeregt in die Stille hinein. Er hielt den Atem an. War sie allein? Anscheinend deklamierte sie leise einen Dialog. Jean presste sein Ohr an die Tür. Er kannte den Text nicht. Vielleicht eines dieser Salonstücke, die jetzt gerne gespielt wurden? Er könnte auch einfach klopfen, fragen, ob er zuschauen dürfe, aber damit würde er nicht nur diese ersten, noch verschämten Versuche seiner Tochter stören, redete er sich ein, er würde sich auch selber um den Reiz des Heimlichen bringen. »Aber warum konnte ich dich nicht begleiten?«, hörte er Salas Stimme fragen. Diese Mischung aus Enttäuschung und Vorwurf, gar nicht schlecht, dachte er, ein direkter, ehrlicher Ton. Was könnte der junge Mann – denn er nahm an, dass es sich um einen Liebhaber handelte – gesagt haben, was könnte er auf ihre Frage erwidern? »Dringende Geschäfte, die keinen Aufschub duldeten, zwangen mich …«, so würde ein Wichtigtuer antworten, wie sie in diesen Stücken zuhauf auftraten. »Nichts als Spott«, zischte Sala. Wahrscheinlich war die vorhergehende Replik doch harscher gewesen. Definitiv 19. Jahrhundert, dachte Jean. Ein junges Mädchen oder wohl eher eine junge Frau, vielleicht eine Kokotte, wollte ihren Geliebten begleiten, wohin, auf eine Reise, oder zu einem wichtigen Diner? »Deinen Zweifel habe ich nicht verdient«, könnte der junge Mann empört entgegnen oder sich jeder weiteren Frage entziehen. »Du bist meine Mutter«, hörte er Sala halblaut sagen. Sie spielte nicht. Jean richtete sich gespannt auf. »Warum bedeutet dir dieser Mann mehr als mein Vater?« Es folgte eine lange Pause, als würde das Gegenüber die Antwort schuldig bleiben. So wäre es wohl in der Wirklichkeit, dachte Jean. Iza gab nie Erklärungen für ihr Handeln ab. Wenn sie etwas tun wollte, dann tat sie es, eine Begründung oder eine Rechtfertigung brauchte sie nicht, jede Forderung danach würde sie mit kühlem Schweigen quittieren. »Warum bedeutet er dir mehr als ich? Woher nimmst du das Recht, einfach zu gehen? Die Frage würdest du mir ebenso wenig beantworten wie jede andere, weil du dich jeder Auseinandersetzung entzogen hast, weil du meinst, du seist für wichtigere Aufgaben bestimmt, als Mann und Tochter glücklich zu machen. Du bist eitel und verlogen. Mir bleibt nichts, als immer wieder Briefe zu schreiben, auf die ich keine Antwort bekomme. Und da ich das weiß, schicke ich sie gar nicht erst ab. Gut für dich.« Jean hörte, wie Sala aufstand, um in ihrem Zimmer aufgebracht hin- und herzulaufen. Er erhob sich vorsichtig. Er musste jetzt gehen. Er konnte hier nicht wie ein drittklassiger Detektiv in der Seele seiner Tochter herumschnüffeln. »Du willst ein Meteor sein? Dass ich nicht lache.« Jean blieb stehen. »Ja, ein Brocken vielleicht, der irgendwann aus seiner Umlaufbahn auf diese Welt stürzt und alles in seinem Umfeld zerstört, aber nichts, was irgendjemandem auch nur das kleinste Licht auf seinem Weg sein könnte. Einfach nur ein Feuerball, der verbrannte Erde hinterlässt.« Ihre Stimme war lauter geworden. »Was hast du mir gegeben, außer deinem Judentum? Glaubst du, ich spüre nicht, wie sie alle heimlich mit dem Finger auf mich zeigen? Die Deutschen wollen mich nicht mehr, und zu den Juden gehöre ich nicht. Du hast es mir nie beigebracht.« Jean starrte gebannt auf die Tür. Jetzt müsste er hineingehen, seine Tochter umarmen. Aber er konnte nicht, er schämte sich.

II

Als Sala am nächsten Tag mit Otto durch die Straßen spazierte, wirbelte ein warmer Wind Blütenstaub durch die Luft. Sie hakte sich bei ihm ein und malte sich den ersten Besuch bei seiner Familie aus. Farbentrunken strahlte Kreuzberg vorzeitig dem Sommer entgegen. Vor den Kneipen hielten die Berliner ihre winterbleichen Gesichter der Sonne entgegen. Ein lautes Treiben, ganz anders als in ihrem Kiez. Die Menschen wirkten gröber, aber auch lebenszugewandter. In freudiger Erregung versuchte Sala, alles, was sie sah, in sich aufzunehmen. Otto ignorierte stolz die bewundernden Pfiffe, als sie in schmaleren Seitenstraßen im Vorbeigehen beinahe die Tische berührten. Sala trug ein helles, knielanges Kleid, um die schmale Taille hatte sie einen grünen Gürtel geschlungen. Mit ihren Absätzen war sie einen Kopf größer als Otto, den das nicht zu stören schien. Lange hatte er gegrübelt, wann er Sala seiner Familie vorstellen sollte. Seine Schwestern bereiteten ihm keine Sorgen, obwohl sein zukünftiger Schwager Günter, der Freund von Inge, ein strammer Parteigenosse war, dem er meistens aus dem Weg ging. Ingeborg war achtzehn und kein Backfisch mehr, sie hätte etwas Besseres verdient und auch finden können, sagte er sich immer wieder. Warum zum Teufel musste es ausgerechnet dieser krakeelende Nazi sein, der mit dreiundzwanzig Jahren schon bedrohlich in die Breite ging? Kinder rannten kreischend über das Kopfsteinpflaster.

»Du hast mir noch nie Kinderbilder von dir gezeigt.« Sala sah ihn herausfordernd an.

»Gibt nur eins. Da liege ich als Baby auf einem Eisbärfell. Jedes Mal, wenn meine Mutter es stolz vorzeigt, erzählt sie stundenlang, wie schwierig es für den Fotografen war, weil ich nicht aufhörte zu strampeln, und wie teuer sie das zu stehen kam. Der Ganove hat wohl 'n Extraaufschlag berechnet.«

Lachend überquerten sie die Straße. Otto deutete auf die gegenüberliegende Hofeinfahrt.

»Da isses.«

Die ersten zwei Höfe sahen noch ganz manierlich aus. Der dritte Hinterhof war verwahrlost. Der Fassadenputz blätterte ab, von unten kletterte Feuchtigkeit hoch. Ein schwerer, süßlicher Gestank verschlug Sala den Atem. Aus manchen Fenstern klang Gebrüll, weiter oben stöhnte und schrie ein Paar um die Wette. Otto nahm Sala fest am Arm.

Eine schmale Tür führte sie in einen feucht riechenden Seitenaufgang. Otto blieb kurz stehen. Innen schmetterte eine blecherne Männerstimme falsch und anzüglich einen Gassenhauer. Er nahm seinen Schlüssel heraus, zögerte kurz, dann klingelte er. Hinter der Tür verstummte das Gezeter für einen kurzen Moment, dann hörten sie schnelle Schritte hin- und herjagen, begleitet von unterdrückt geflüsterten Befehlen. Die Tür sprang auf. Es war Erna. Auch wenn er es gehofft hatte, es wäre Otto sonderbar erschienen, wenn seine Mutter jetzt dagestanden hätte. Wahrscheinlich saß sie wie eine Königin auf dem einzigen Sessel im Wohnzimmer. Piekfein, schmunzelte Otto zufrieden, als er seine ältere Schwester prüfend ansah, man hatte sich offenbar, seiner Weisung entsprechend, auf den hohen Besuch vorbereitet. Blieb nur zu hoffen, dass die Manieren der Sonntagskleidung angepasst wurden. Erna knickste aufgeregt.

»Ick bin die Erna, schön, dass de uns ma besuchen tust, Sala. Den Otto ham wa ja schon seit Monaten einjeschenkt, dass er dir mal endlich mitbringen soll.«

Voller Stolz auf ihre gewählte Ausdrucksweise reichte sie ihr die Hand und zog Sala lachend herein.

»Imma rin in die jute Stube. Ick hoffe, ihr habt Lachgas mitjebracht, der Günter pupt ma wieda rum, oh entschuldje meine Ausdrucksweise, ick meine, der stänkert wieda.«

Sie zwängte sich lächelnd zurück und machte Platz. Otto führte Sala durch den engen Korridor.

»Komm rin, Männeken«, dröhnte es laut von hinten.

Diese Frechheit würde zu einem geeigneteren Zeitpunkt Konsequenzen haben. Otto hatte sich fest vorgenommen, heute großzügig über die Schwächen seiner Familie hinwegzusehen.

»Is die Puppe ooch mit?«

Otto erschien als Erster in der Tür und machte eine versteckte, drohende Geste. Günter nahm entschuldigend die Hand vor den Mund, als Otto einen Schritt zur Seite machte, um Sala hereinzulassen.

»Jetz steh doch nich rum wie so'n Zinnsoldat, Jenosse. Meen zukünftjer Schwager is nämlich 'ne linke Bazille, aber det weeßte sicher schon. Ick bin der Jünter.«

Er streckte ihr, ohne aufzustehen, seine fleischige Hand entgegen. »Die Linke kommt von Herzen und entschudje, det ick sitzen bleebe, ick hab'n verstauchten Mittelfinger, und meene Bandscheibe klemmt. Weeß och nich', welche Hexe ma da abjeschossen hat.«

Er warf Inge einen strafenden Blick zu.

»Benimm dich, Günter.«

Im Halbdunkel erhob sich Anna mit mädchenhaftem Schwung aus ihrem Sessel und ging auf Sala zu. Sie reichte ihr die Hand mit einem strengen Lächeln.

»Mutter, das ist Sala.« Otto verneigte sich fremd.

»Willkommen.«

Dann fügte sie mit einem knappen Blick auf Günter hinzu:

»Nehmen Sie's ihm nicht übel, er weiß es nicht besser. Und in der Partei haben sie jetzt alle so einen Ton.«

Sala war beeindruckt von ihrer Erscheinung. Eine stolze Schönheit, jeder Blick, jede Bewegung ein unbeugsames Trotzdem. Sie überlegte, wie ihre Mutter jetzt wohl aussehen würde.

»Vielen Dank für die Einladung.«

Otto winkte seine jüngere Schwester zu sich. Sala versuchte zu verstehen, wie diese hübsche junge Frau, die kaum zwei Jahre älter sein mochte als sie, an einen so groben Mann wie Günter geraten war. Im Gegensatz zur dürren Erna, duftete ihr Körper vor Weiblichkeit.

»Und das ist Inge.«

Im Hintergrund wurde die Tür zugeschlagen. An dem gelallten Fluch erkannte Otto seinen Stiefvater, der nun schwankend das Wohnzimmer betrat.

Trotz seiner fahrigen Bewegungen wirkte er imposant. Sala sah, wie Inge ihren Vater anstrahlte, während Erna nervös die Beine verdrehte. Sein Anblick nahm Anna den Schwung, oder waren es Enttäuschung und Bitterkeit, die sich in ihre Mundwinkel gruben? Sala beobachtete, wie das Erscheinen eines einzelnen Menschen die Stimmung im Raum veränderte. Er, der trotz seiner Größe und Kraft wie eine verschmierte Kohlezeichnung aussah, war das Zentrum dieser Familie. Otto wirkte fremd in dieser Welt, genau wie er es, auf andere Art, in ihrer Welt war. Als hätte er seine Heimat verloren, dachte Sala, als sie sich an ihn drückte.

»Günni!« Karl warf die Arme hoch. Günter hievte überraschend behänd seinen schwammigen Körper aus dem Sessel, an dem er grade noch festgewachsen schien. Er bewegte sich, ebenfalls leicht schwankend, auf Karl zu, um ihn zum Sofa zu führen. Dabei umarmten sich die Männer, ohne dass Sala so recht erkennen konnte, wer sich an wem festhielt. Sie wirkten wie Vater und Sohn oder wie Kriegskameraden, tuschelten wie zwei unzertrennliche Freunde. Leidensgenossen, verbunden durch ein tieferes Verständnis, ohne sich tatsächlich füreinander zu interessieren. Bier, Schnaps und getrockneter Schweiß wehten ihr entgegen. Sala tastete nach Otto, als sie plötzlich seine Hand in ihrem Nacken fühlte. Sie schloss die Augen.

Karl war wieder aufgestanden. Alle sahen ihn gespannt an.

»Otto. Hast du diese schöne Blume in meene Hütte jebracht?«

Alle strahlten, selbst Otto erlag diesem überraschend charmanten Anflug.

»Vaseihnse, Frollein, ick komme jrade von de Arbeet, hab heute so jebuckelt, det ick noch janz kirre im Koppe bin, destawegen ha' ick Sie nich jesehen. Kinnings, ick hab euch alle noch nich richtig jesehen, fällt ma jetz uff. Und dabei ist det durch die junge Dame uff eenmal janz helle inne Hütte, da könn wa ja heute direkt Strom sparen. Respekt, Jungchen.«

Sala lächelte. Sie sah, wie Ottos Mutter kopfschüttelnd lachte. Das war Ottos Familie. Es gab schlechtere. Diese Menschen versuchten nicht, etwas anderes zu sein, wie sie es aus ihren Kreisen kannte. Vielleicht hatten sie auch gar nicht die Kraft dazu. Vielleicht war ihr Alltag zu hart, um sich am Abend noch zu verstellen.

»Mutta, wat jib's su futtern. Ick schiebe Kohldampf.«

Er wankte zu Anna und zwickte Erna im Vorbeigehen so

fest in die Hüfte, dass sie aufschrie. Er blieb kurz stehen und sah sie fragend an. Sie lachte.

»Komm her, meene kleene Gerte. Jib Papa 'n Dicken.«

Er deutete auf seine Wange. Als sie artig folgte, drehte er schnell seinen Kopf zu ihr, sodass sie seinen Mund küssen musste. Er lachte rau auf.

»Haha. Tut imma, als würd's druff rinfallen, det Luda.«

Dann drückte und herzte er alle reihum, bis er schließlich vor Sala stand.

»So hübsch sin Se. Wirklich hübsch. Det vasteh ick, det der Sie vaschteckt jehalten hat. Da musste ooch uffpassen, meen Lieba.«

Dann drehte er sich zu Anna.

»'ne Molle und 'n Korn. Aber zackig, wenn ick bitten darf.«

Den letzten Halbsatz schob er eilig hinterher, als ihn Annas fester Blick traf. Erst jetzt bemerkte Sala, dass sein vom Alkohol verwüstetes Gesicht einer Karikatur glich. Das war es, was ihr auf dem Weg hierher aufgefallen war. Nun standen die Bilder wieder klar vor ihr. Was ihr wie das pralle Leben vorgekommen war, kannte sie aus dem Museum, von den Bildern von Zille, von Grosz oder Dix. Sie hatten diese Typen und Charaktere eingefangen. Ebenso wie die fetten Reichen, waren diese Gesichter eine Übertreibung. Paradies oder Hölle. Trotzdem, die kleine, dunkle Wohnung war weniger verlogen als alles, was sie kannte. Diese Familie mochte eigenartig sein, aber es war eine. Es gab einen Vater und eine Mutter.

»Heute gibt's Eintopf, Ottos Leibgericht. Ich hoffe, du magst so was auch. Komm mit, ich zeig dir wie man's macht. Musst du schließlich wissen, wenn du seine Frau werden willst, und das willst du doch, wenn ich's richtig verstehe.«

Bevor Otto etwas sagen konnte, nahm sie Sala bei der Hand und zog sie in die Küche. Im Rausgehen hörte Sala Inges flötende Stimme.

»Eintopf essen wa jetze, um für den Führer su sparn.«

»Komm her Kleene, du hast det Herz an'n richtjen Fleck.« Günter stieß laut auf.

Auf der Anrichte stellte Anna die Suppenteller bereit und gab Sala eine große Schöpfkelle.

»Tu mal ordentlich auf und gib Otto 'ne extra Portion Fleisch dazu. Der braucht das jetzt, so viel, wie er an der Universität lernen muss. Und wenn du so'n Eintopf machst, muss immer genug Fett in der Suppe schwimmen, sonst schmeckt's nich. Was willst du von meinem Sohn?«

Sala sah sie konsterniert an. Sie verstand die Frage nicht recht.

»Warum liebst du ihn?«

Der Geruch von altem Fett kroch Sala in die Nase. Sie sah, wie die Tapete sich von der Wand ablöste, erkannte die dürftige Einrichtung, hörte, wie der betrunkene Vater im Nebenzimmer wieder zu poltern begann.

»Ich weiß es nicht«, sagte sie mit etwas zu fester Stimme.

»Na, ehrlich biste jedenfalls.« Anna sah sie schweigend an.

»Überlegt euch das gut. Eine Ehe ist 'ne komplizierte Sache. Da braucht man viel Gemeinsames, um das zu überstehen, und … ihr kommt aus sehr verschiedenen Ecken. Versteh mich nich falsch. Ich hab nichts gegen dich. Aber ich hab nur den einen Sohn. Einen zweiten wird's nich geben. Er ist das Einzige, was ich gut gemacht hab in meinem Leben. Da bin ich stolz drauf. Das lass ich mir nicht nehmen.«

So viel Direktheit war Sala nicht gewöhnt. War das eine Kriegserklärung, oder steckte Anna nur ihr Terrain ab?

»Soll ich schon mal auftragen?«, fragte sie und hasste sich für die Unsicherheit und den Trotz in ihrer Stimme.

»Du bist nich verkehrt, Sala. – Aber, wie gesagt, er ist mein einziger Sohn.«

»Ja.«

Annas Blick wurde weicher.

»Und red in Gegenwart von Günter nich über deine Herkunft. Der ist inner Partei und will dort was werden. Verstehste?«

»Ja. Danke, aber ich bin Deutsche, wie ihr.«

»Natürlich, ich mein ja bloß. Und die Inge, die is ihm hörig. Die hat sich bei der Gestapo als Sekretärin beworben und wartet auf Antwort.«

»Warum sagen Sie mir das alles?«

Anna reichte ihr einen Teller mit geschnittenem Brot.

»Deine Mutter is' Jüdin, sagt Otto.«

Sala nickte.

»Und dein Vater?«

»Der ist Protestant.«

»Na, das sind wir ja hier fast alle. Aber dann bist du ja eigentlich nur Halbjüdin.«

Wieder nickte Sala stumm.

»Und was haben deine Großeltern dazu gesagt?«

»Wozu?«

»Na, zu der Ehe deiner Eltern.«

Sala wusste genau, was Anna meinte, aber sie zog es vor, so zu tun, als würde sie die Frage nicht verstehen.

»Ich weiß nicht«, sagte sie ausweichend.

»Na, ganz normal ist so eine Verbindung ja nicht.«

Anna lächelte. Ein durchaus freundliches Lächeln, dachte Sala.

12

Salas Mutter, Iza Prussak, entstammte einer alten jüdischen
Familie aus Lodz. Ihr Vater, Leijb Prussak, ein Tuchfabrikant,
schickte seine drei Töchter zum Studium ins Ausland. Lola
wurde eine erfolgreiche Modeschöpferin in Paris, Cesja ging
nach Buenos Aires und Iza, die Erstgeborene, studierte Medizin in Bern, wo sie sich später auf Dermatologie und Psy-
chiatrie spezialisierte. Sie fühlte sich den Neomalthusianern
verbunden, die Teil einer Reformbewegung waren, die die
Armut bekämpfen wollte, indem sie die Sexualität durch Ver-
hütung von der Pflicht zur Fortpflanzung befreite. Für Iza
gab die Geburtenkontrolle der Frau das Recht am eigenen
Körper zurück. Sie verbrachte ihre freie Zeit im Haus ihrer
Freundin Margarethe Hardegger, die einen Diskussionsklub
führte, eine Art literarisch-politischer Salon. Neben der Li-
teratur ging es um Bildung, freie Liebe, die Rolle der Frau,
die Abschaffung der Ehe, die inneren Konflikte der Arbeiter-
organisationen, Fragen theosophischer Natur und sozialer
Ethik. Immer wieder hörte sie von einem Berg in Ascona,
oberhalb des Lago Maggiore, den ein junger, belgischer In-
dustriellensohn gekauft habe, um dort mit ein paar Gleichge-
sinnten das Leben zu reformieren. Sie ernährten sich streng
vegetarisch. Bei warmem Wetter bewegten sie sich nackt,
wurde es kühler, trugen sie selbst genähte weiße Baumwoll-
gewänder. Im Sommer 1907 machte Iza einen Ausflug nach
Ascona. Sie ging die vielen Stufen zum Berg hinauf. Die Be-
wohner hatten ihn Monte Verità getauft, Berg der Wahrheit.

Als sie in der untergehenden Sonne zwischen den kleinen Holzhütten spazierte, sah Iza zwei junge Männer nackt im Gras liegend angeregt diskutieren. Sie wollte sich gerade wegdrehen, als der eine von ihnen aufsprang und auf sie zueilte. Er verneigte sich höflich.

»Johannes Nohl, und dahinten, das ist mein Freund Erich Mühsam. Wollen Sie mit uns zu Abend essen?«

»Nackt?«

Sie lachten.

»Hier nennen mich alle Jean.«

»Ich heiße Iza.« Sie streckte ihm die Hand entgegen.

»Wir gehen heute Abend runter ins Dorf. Erich verträgt den vegetarischen Fraß nicht. Ein bisschen Pasta alla Bolognese und eine Flasche Rotwein?«

»Lieber ein blutiges Stück Fleisch und einen Eimer Rotwein.«

»Wir werfen uns nur in Schale.«

»Ich warte im Haupthaus bei Herrn Oedenkoven auf Sie.«

»Passen Sie auf, dass seine Freundin Sie nicht sieht.«

Mit seinem jungenhaften, hellen Lachen drehte er sich um und ging zurück zu seinem Freund, der die Konversation argwöhnisch aus der Ferne beobachtet hatte. Iza blickte ihm ungeniert nach. Sein schön gewachsener Körper schien leicht zu schweben. Sie roch das Gras.

Ich versuchte mir ein Bild von diesem Wahrheitsberg zu machen. Im Internet fand ich blühende Seelandschaften, notierte mir verschiedene Buchtitel und erinnerte mich an zwei Ferienaufenthalte in meiner Kindheit, allein mit meiner Mutter, irgendwo in der französischen Schweiz. Ich glaube, der Ort hieß L'Auberson. Nirgendwo war sie so entspannt gewesen. Sie trug dort auch keine Perücken.

In einer Buchhandlung entdeckte ich unter den Schriften Erich Mühsams ein kleines Buch über Ascona. Vieles darin kannte ich bereits aus früheren Erzählungen meiner Mutter. Ich fragte sie, ob sie nicht Lust hätte, mit mir ihren Geburtsort zu besuchen. Ich hoffte, die Landschaft würde emotionale Erinnerungen auslösen, Dinge oder Geschichten, die in ihrem Bewusstsein erloschen waren. Ich lockte sie mit ein paar alten Fotografien, die ihren Vater und Erich Mühsam mit anderen Monteveritanern bei einem Wasserfall zeigten.

»Die sind ja alle nackt! – Wie spaaaßig.«

Sie starrte lange auf das Bild ihres Vaters.

»Erkennst du einige von den Leuten wieder?«

»Aber natürlich.«

»Wen?«

»Alle.«

»Kannst du dich an die Namen erinnern?«

Sie fuhr sich mit der Hand über das Gesicht.

»Na, das ist doch der Mühsam. Und dahinten, das muss Fanny zu Reventlow sein. Mein Gott, war die schön. Eine schöne Frau.«

Ich glaubte, dass sich Franziska zu Reventlow zu dieser Zeit noch nicht am Monte Verità aufhielt, wollte sie aber nicht verwirren. Ihren Vater und Erich Mühsam hatte sie jedenfalls erkannt. Vielleicht war doch noch Hoffnung.

»Was meinst du, wollen wir hinfahren?«

»Ist das nicht zu anstrengend für mich? Die ganze Reise, weißt du?«

»Würde es dir denn Freude machen?«

»Ich glauuuube schon.«

Ich versprach, alles so schnell wie möglich in die Wege zu leiten.

Der Flug ging von Berlin über Zürich nach Lugano. Eine halbe Stunde später bog unser Taxifahrer in den Serpentinenweg, der zum Hauptgebäude der Fondazione Monte Verità führte. Mitten in der Natur lag ein Ensemble von zeitloser Schönheit. Der Aachener Bauhaus-Architekt Emil Fahrenkamp hatte die beiden Würfel des ursprünglichen Zentralhauses um eine Grotte im tessinischen Stil erweitert. Darüber lag ein Restaurant mit großzügigen Fensterfronten, verbunden mit lichtdurchfluteten Zimmern und großen Balkonen bis zum vierten Stockwerk des neuen Hotels. Dieser Umbau wurde 1927 von dem neuen Besitzer, dem Bankier, Kunstsammler und Mäzen Eduard von der Heydt, beauftragt.

Meine Großeltern zogen 1921 oder 1922 nach Berlin zurück, damals war meine Mutter zwei oder drei Jahre alt. Mein Großvater war sehr betrübt, weil sie kein einziges Wort sprach. Schweigend, wie damals, stieg sie jetzt die Treppen hinauf. Ein schwerer Gang, sie war bemüht, es sich nicht anmerken zu lassen.

Nachdem ich alle Formalitäten erledigt hatte und unser Gepäck auf die Zimmer verteilt worden war, machten wir einen kleinen Spaziergang. Ein schmaler, gepflegter Weg führte, vorbei an dem alten Teehaus, zu den letzten noch erhaltenen Hütten ihrer Kindheit. Es waren drei oder vier, jede konnte zwei, höchstens vier Personen beherbergen. Sie waren aus dunklem Holz gebaut, mit einer kleinen Veranda.

Ich half meiner Mutter die zwei Stufen hinauf. Die Tür stand offen. Wie damals, schien ihr Blick zu sagen. Wir standen mitten im Raum. Wie klein, dachte ich. In einer Ecke stand ein einfacher Holzstuhl. Sie setzte sich. Die Mittagssonne fiel durch das Fenster, die Holzwände seufzten, ein Laut aus einer verlorenen Zeit. Hier hatten sich ihre Eltern kennengelernt, hier wurde sie geboren, hier hatte ihr Schicksal seinen Lauf genommen.

In die längst zur Neige gehende Romantik hineingeboren, in die aufstrebende Industriewelt, in die sie sich nicht fügen konnten und wollten, waren sie aus allen Himmelsrichtungen hierhergekommen, mit ihrer Sehnsucht, ihrer Hoffnung, ihrem Willen, etwas Neues zu wagen. Eine Lebensreform sollte es werden. Ein Paradies. Eine Gegenwelt für all jene, die nicht geschaffen waren, das auszuhalten, was war, was noch kommen sollte, was keiner vorhersah. Ein Utopieraum für Künstler und Parias, eine neue Kultur, die dem Patriarchat den nackten Hintern ins Gesicht streckte, die alle Autoritäten, die bürgerlichen Institutionen, den rapide wachsenden Kapitalismus verachtete.

Ich suchte in dem Gesicht meiner Mutter nach Spuren dieser Zeit.

»Hier gab es keine Betten.«

Ihre Stimme kam von weit her. Konnte sie sich an Dinge aus ihrer frühesten Kindheit erinnern? Wohl kaum, aber vielleicht wusste sie es von ihrem Vater.

»Wir haben hier auf dem Boden geschlafen. Es war alles sehr spartanisch. Man trug auch keine Schuhe. Wenn wir im Wald nach Pilzen suchten, oder meinem Vater mit der Botanisiertrommel folgten, kamen wir immer mit blutigen Füßen zurück.«

Wie lebte ein Kind unter diesen Menschen, die so ausschließlich mit sich beschäftigt waren, mit ihrer Individuation, ohne die es für sie kein höheres Leben gab? Ein bisschen Goethe, ein bisschen Rousseau, Natur, Kultur, Wissenschaft, eine ordentliche Prise Freud und alles durcheinandergeschüttelt? Und darüber noch Bachofens *Mutterrecht* gestreut, das in den Bildern der griechischen und römischen Sagen die alten Mythen von Matriarchat und

Patriarchat gegeneinander abwog? Kein leicht verdaulicher Cocktail.

»Ich möchte zum Wasserfall«, sagte sie in die Stille hinein.

1900 war Freuds *Traumdeutung* erschienen.

Auf dem Weg zum Wasserfall erzählte sie mir, dass mein Großvater seine Schriften verschlungen habe.

»Hier, am Monte Verità, bildete er sich selber zum Laienanalytiker aus«, sagte sie, als wir eine kurze Pause einlegten um Luft zu holen.

Aus den Tagebüchern von Erich Mühsam wusste ich, dass sich damals eine recht dynamische Gruppe um meinen Großvater und den jungen österreichischen Psychiater und Psychoanalytiker Otto Gross gescharrt hatte. Gross war mit seiner Frau hierhergekommen, um sich von seiner Kokainsucht zu kurieren. Man kannte sich bereits aus dem Schwabinger Café Stefanie. Jeden Morgen traffen sich alle Interessierten auf dem großen Rasenfeld. Sie saßen nackt im Kreis und analysierten gegenseitig ihre Träume.

»Für meinen Vater waren das die ersten Versuchskaninchen. Die haben ihm alle aus der Hand gefressen. Besonders die Frauen, obwohl die ihn ja nur platonisch interessierten. Er verführte gerne, egal ob Männlein oder Weiblein.«

»Aber er lebte doch damals schon mit Iza zusammen. Und du warst auch schon geboren. Also nur schwul kann er ja nicht ...«

»Ja, aaaber er gab Männern den Vorzug.«

»War er bisexuell?«

»Na, du bist gut.«

»Was meinst du?«

»Er war eben nicht bürgerlich, weißt du? Bei uns zu Hause

gingen ja später die Stricher ein und aus. Die gaben sich die Klinke in die Hand, ja?« Sie starrte vor sich hin. »Spaaaßig.«

»Das war für dich als Tochter bestimmt nicht einfach, oder?«

»Ach, was ist schon einfach? – Mein Vater ist als junger Mann von seinem Vater rausgeschmissen worden. Wahrscheinlich hat er das nie verwunden, jedenfalls duldete er keine Einmischung, weißt du, er ließ jedem Menschen seine Freiheit, beanspruchte das aber auch für sich. Ich hätte es nie gewagt, ihn darauf anzusprechen.« Sie holte tief Luft.

»Als mein Großvater mit seiner zweiten, jungen Frau von einer Bildungsreise durch Italien nach Berlin zurückkehrte, da war was los.«

»Was denn?«

»Na, die wurden von ungeladenen Gästen bereits hungrig erwartet.« Sie lachte. »Und dann, am nächsten Morgen, waren ihre Körper voller dunkelroter Hautquaddeln, Wanzenbisse«, rief sie und fuhr juchzend fort, »Wanzenbisse in langen, straßenförmigen Linien, sozusagen eine stechende Gegenwelt zur florentinischen Renaissance. Das sollte seinem Sohn nicht gut bekommen.«

Sie machte eine Pause, dann wechselte sie in einen ernsten Tonfall.

»Dass mein Vater den Verlust seiner Mutter nie ganz verwunden hatte, wusste mein Großvater, dass er ein Träumer war, ein melancholischer Fantast, dessen Benehmen er oft nicht verstand, konnte er noch schlucken, dass sein Sohn in der Schule, die er leitete, in der Sexta und in der Quarta sitzen geblieben war, fiel ihm sicherlich schon etwas schwerer, sogar seinen Hang zum eigenen Geschlecht hätte er noch als jugendliche Verirrung toleriert, aber ...«, sie erhob die Stimme, versetzte sich nun vollkommen in die Rolle ihres Großvaters, »aber nicht mit Männern aus den untersten

Ständen und nicht in seinem Bett. Er sah darin einen Angriff auf seine junge Ehe und fühlte sich in seiner männlichen Ehre verletzt.«

Ich sah sie schweigend an. In den letzten Jahren hatte sie mir diese Geschichte in immer neuen Variationen erzählt. Aber was sie auch veränderte, das Ende blieb gleich.

»In einem kurzen Brief forderte er ihn auf, sein Haus zu verlassen und fügte als Post Scriptum hinzu: ›Wenn du dich an jungen Männern deines Standes vergangen hättest, das wäre noch zu verzeihen gewesen, aber du hast dich mit der Hefe des Volkes abgegeben.‹«

Ihr Vater brach kurz darauf sein Studium der Kunstgeschichte ab. Mit seinem Freund Erich Mühsam reiste er nach München. Von dort wanderten sie mittellos über Italien in die Schweiz. Sie schlossen sich einer kleinen Gruppe von Künstlern und Aussteigern an. Ida Hofmann und Henri Oedenkoven, ein junges Paar in wilder Ehe, hatte mit den Brüdern Karl und Gusto Gräser auf einem Berg bei Ascona eine vegetabile Gesellschaft gegründet.

Der Rauch von Pfeifen, Zigarren und Zigaretten schlug ihnen entgegen, als sie die kleine Trattoria in einer der Seitengassen der Hafenpromenade von Ascona betraten.

Jean und Erich wurden johlend begrüßt. Iza spürte an den verspielten, taxierenden Blicken, dass die beiden hier selten oder gar nicht in weiblicher Begleitung erschienen. Der Wirt umarmte sie und streckte Iza seine dicke Pranke hin.

»Luca. Es ist mir eine Ehre. Kommt, ich habe den besten Platz für euch, come sempre.«

Er winkte einen jungen, dunkelhaarigen Kellner herbei, der sofort einen Tisch am Fenster herrichtete. Jean streichelte ihm dabei mit größter Selbstverständlichkeit sanft den Hintern, dabei flüsterte er ihm ein paar Worte ins Ohr.

Der Kellner wurde feuerrot und kicherte, Jean zwickte ihn aufreizend zwischen den Beinen. Erich senkte wütend den Blick. Iza schwieg. Dieser Jean schien es faustdick hinter den Ohren zu haben. Jedenfalls sah er fabelhaft aus, groß, ein ovales, fein geschnittenes Gesicht, lange dunkelblonde Haare, ein sensibler Mund, verträumte Augen, die im Licht mal grün, mal blau leuchteten. Aber am meisten beeindruckten Iza seine Hände, noch an keinem Mann hatte sie so neugierige, wissende Hände gesehen. Hemd und Hose waren aus weißem Leinen. Mit seinem großen Hut und dem Umhang erinnerte er an Goethe während seiner Jahre als Maler Möller in Rom. Sie merkte, wie Erich sie beobachtete. Sie war noch nie homosexuellen Männern begegnet. Sie konnte nichts Anstößiges daran finden, sie wirkten frei, besonders Jean verfügte über eine kultivierte, selbstbewusste Eleganz, eine erotisierende, teils männliche, teils weibliche Aura. Plötzlich zog er den jungen Kellner auf seinen Schoß, nahm ein schmales Buch aus seiner Brusttasche, blätterte mit der einen Hand darin, während er mit der anderen den Knaben weiter befummelte, und in leicht singendem Ton zu lesen begann. Bei der mittleren Strophe presste er dem Jungen seine Lippen ans Ohr und rezitierte leise, aber gerade noch laut genug, damit auch Erich und Iza ihn hören konnten.

> »Komm heiliger knabe! hilf der welt die birst
> Dass sie nicht elend falle! einziger retter!
> In deinem schutze blühe mildre zeit
> Die rein aus diesen freveln sich erhebe.
> Es kehre lang erwünschter friede heim
> Und brüderliche bande schlinge liebe!
> So singt der dichter und der seher weiss
> Das neue heil kommt nur aus neuer liebe.«

Mit dem letzten Vers wandte er sich Iza zu und legte den Kopf an ihre Brust.

»Stefan George«, flüsterte er mit leuchtendem Blick. Dann sprang er unversehens auf, sprach die letzte Strophe, drehte eine Pirouette und verneigte sich clownesk in die Runde. Ein paar Gäste klatschten ihm von den angrenzenden Tischen zu. Er nahm den Aufruhr um seine Person, das Tuscheln, die neugierigen Blicke, nicht zur Kenntnis, zumindest war er bemüht, diesen Eindruck zu erwecken, dachte Iza und lächelte.

Endlich kam das Essen. Jean bestellte die zweite Karaffe Rotwein. Luca servierte das Fleisch persönlich. Den hübschen Kellner hatte er hinter den Tresen verbannt, Erichs eifersüchtige Blicke waren ihm nicht entgangen, das war schlecht fürs Geschäft.

Solche Männer hatte sie in Lodz nicht kennengelernt, auch nicht in Bern, die Medizinstudenten waren allesamt langweilige Wissensverwalter, frei von Neugierde, blutleer und spießig. Und die Kommunisten im Haus ihrer Freundin Margarethe waren auch nicht viel besser, einige waren auch noch unerträglich autoritär. Die beiden hier waren aus einem ganz anderen Holz. Was wohl ihr Vater denken würde, wenn er sie jetzt sehen könnte? Sie, Tochter eines streng orthodoxen Juden, zwischen zwei homosexuellen Männern? Homosexualität war bei den Juden streng verboten.

»Ich frage ihn«, redete sich Erich nun in Rage, »was denn nun wäre, wenn ich an dem ganzen vegetarischen Quatsch krepieren würde, und wissen Sie, was mir dieser eingebildete Pinsel zur Antwort gibt? Er betrachtet mich so von oben bis unten und näselt dann mit seiner alles verstehenden, alles verzeihenden Fistelstimme: ›Dann wäre es ein Verlust, der ohnehin nicht zu vermeiden gewesen wäre.‹ Und jetzt frag' ich Sie, Gnädigste, macht der Vegetarismus impotent, oder muss man impotent sein, um Vegetarier zu werden?«

Bei Kaffee und Schnaps lagen sich alle drei in den Armen. Wenige Tage später zog Iza in eine Hütte auf dem Berg.

Den Tag begann man mit der Traumanalyse. Jean, Iza, Otto Gross, Erich Mühsam und ein paar junge Frauen und Männer saßen schweigend im Kreis. Alle waren nackt. Ein leichter Wind war zu spüren. Bienen summten über die Wiese.

»Wer möchte beginnen?«

Die Männer senkten den Blick, die Frauen sahen Jean erschrocken an. Otto Gross kratzte sich genüsslich am Hodensack. Sein Glied schwoll etwas an. Johanna, eine große, sehr dünne Frau mit schneeweißer Haut voller Sommersprossen bemerkte es und wandte diskret den Blick ab.

»Irritiert dich der Anblick eines Glieds, Johanna?«

Johanna sah Otto Gross gerade in die Augen. »Nein.«

»Erregt es dich, wenn du meine Erregung siehst?«

»Vielleicht …« Sie schlang kichernd ihre Arme um ihre hochgezogenen, endlosen Beine.

»Ich kann sehen, wie du feucht wirst, während wir sprechen. Erregen dich Wörter?«

»Manchmal …«

Gross drehte sich in die Runde.

»Was glaubt ihr? Reagieren Frauen stärker auf Wörter und Männer eher auf primäre sexuelle Reize?«

»Soll das ein Unterdrückungsgespräch werden?«, sagte Iza. Ihre Augen ruhten kühl auf Gross.

»Zwischen Männern und Frauen geht es immer um Unterdrückung, Iza.«

»Wir haben angefangen, uns zu wehren.«

»Ja? Wie denn? Wie willst du dich gegen zweitausend Jahre christlich-jüdische Geschichte wehren? Selbst wenn ihr das wolltet, man hat euch die Kraft dazu genommen. Ihr werdet erzogen, zu geben und zu gefallen. Vielleicht könnt ihr anders denken, aber nicht anders fühlen.«

»Ihr habt uns die Sprache genommen, aber wir werden sie zurückerobern.«

»Gegen den patriarchalischen Willen? Das möchte ich sehen. Eure Emanzipation ist wertlos, eine Totgeburt, wenn die Männer bleiben, wie sie sind.«

»Das werden sie nicht. Wenn sie nicht begreifen, dass sie von demselben System versklavt werden wir wir, werden sie untergehen.«

Jean wartete gespannt, welche Richtung das Gespräch nehmen würde. Seine Hand wanderte über Izas Knie. Sie schob sie bestimmt weg. Die andern Frauen spielten nervös mit ihren Haaren oder streckten ihren Körper der Sonne entgegen.

»Ich dachte, wir wollten Traumanalyse machen ...«, murmelte eine von ihnen enttäuscht.

»Johanna, findest du auch, dass Frauen im Widerstand ihre erotischen Reize einbüßen?«

»Manchmal ...«

»Hättest du Lust, mit mir zu schlafen?« Er sah sie herausfordernd an.

»Und deine Frau?«

»Wir gehören einander nicht.«

»Nein.« Eine schlanke Frau mit breiten Schultern lachte sie offen an.

»Auch nicht zueinander?«, sagte Iza, ohne sie eines Blickes zu würdigen.

»Du teilst deinen Jean doch auch mit Erich«, sagte Gross.

»Er war vor mir da, und ich nehme niemandem etwas weg.«

»Das ist natürlich etwas ganz anderes«, lachte Gross.

»Außerdem sind Jean und Erich das beste Beispiel für eine männliche Emanzipation.«

»Tief in uns tobt ein Konflikt, Iza, der unsere innere Einheit zu zerreißen droht«, begann Otto Gross leise und eindringlich, »diese seelische Zerrissenheit bedroht uns alle, jeden einzelnen Menschen auf diesem Planeten. Und deswegen«, seine Augen funkelten nervös, seine Gliedmaßen begannen zu zucken, während er, immer schneller redend, seine Stimme anschwellen ließ, »deswegen glaubt jeder von uns, dass unser persönliches Leid unvermeidbar sei, dass es normal ist, so zu leben. Das beginnt bereits im Mutterleib. Das noch nicht geborene Kind lernt, sich der Familie anzupassen, in die es demnächst hineingeboren wird, in der es lernen wird, dass es seine Art zu lieben an den Liebeskodex ebendieser Familie anpassen muss. Sobald es fähig ist zu erleben, spürt es, dass sein Wille mit dem Willen der anderen kollidiert, ebenso sein Liebeswunsch, den es lernt umzudeuten und, im Falle des Mädchens, den väterlichen Erwartungen unterzuordnen. Es gibt keine Antwort auf den Erlösungswunsch, auf die flehentliche Bitte, so sein zu dürfen, wie man fühlt, außer der Einsicht in die eigene Wehrlosigkeit, in die Einsamkeit. Und die schrankenlose Angst des Kindes vor dieser allumfassenden Einsamkeit beantwortet die klassische Familie, wie wir sie alle kennen, mit einer einfachen, klaren Forderung: Sei einsam, oder werde wie wir.«

Alle starrten betroffen zu Boden. Jeans Hand suchte nach Erich, während er den Arm um Iza legte. Gross erwiderte offen ihren kritischen Blick. Eine kleine Frau neben Erich schüttelte lachend ihre rubenshaften Rundungen. Alle fielen in ihr spitzes Lachen ein, kicherten, knabberten an sich herum, als die blasse Johanna, wie aus dem Nichts, hemmungslos zu schluchzen begann. Ihr Körper krampfte. Sie rang panisch nach Luft. Jean und Iza versuchten sie behutsam in die Arme zu nehmen, da schlug sie plötzlich wild schreiend um sich.

»Alles Schweine, unterdrückerische Schweine. Ihr Schweine. Ihr elenden Schweine.«

Gross sprang auf und stellte sich vor die am Boden liegende, zuckende Johanna. Seine Augen bohrten sich in ihr Gesicht. Das Zucken ließ langsam nach, ihr Atem beruhigte sich. Während Jean sie sanft streichelte, holte Gross ein weißes Pulver aus einer Medizintasche hervor, die immer in seiner Nähe lag. Er schüttete etwas davon in Johannas weit offenen Mund. Unter dem bitteren Geschmack verzog sie grimassierend das Gesicht.

»Erkenntnis ist bitter, Johanna, wenn wir begreifen, dass wir aus fremdem Willen bestehen, gefangen in fremdem Sein.«

Das Morphium lief durch ihre Blutbahn. Ihr Gesicht wurde weich, ihre Hände wanderten über ihren eigenen Körper und über die fremde Haut der anderen Leiber, die sich um sie drängten, auf sie legten, in sie drangen. Ihr Körper bäumte sich auf, ein dunkler Ton löste sich aus ihrer Brust, ein jubelnder Klang, in den die anderen ekstatisch einfielen.

»Eine ausgewachsene Hysterikerin«, flüsterte Gross Jean zu, »wir dürfen uns später bei der Traumanalyse nicht ablenken lassen, sie ist mit allen Wassern gewaschen ... wie aus dem Schulbuch«, fügte er noch kichernd hinzu. Iza sprang wütend auf. Sie lief den Weg hinunter zum Wasserfall. Jean und Erich folgten ihr.

Schweigend stapften sie nebeneinander her. Im Schutz der Bäume war es angenehm kühl, vereinzelte Sonnenstrahlen blitzten durch das Geäst. Aus der Ferne drang das Rauschen des Wasserfalls zu ihnen. Jean trabte los. Schneller. Immer schneller. Iza und Erich versuchten ihm zu folgen. Er preschte ins Unterholz, flog über Baumstämme, stürzte, sprang wieder auf, rannte dem Lauf des Baches entgegen, bis er atemlos an den Wasserfall gelangte. Dort sanken sie auf den bemoosten Boden, steckten die Köpfe in die Flut, tranken wie Verdurstende. Im Wasser sahen sie ihre Spiegelbilder. Jean warf sich auf den Rücken. Er schrie gegen das Wasser, gegen den Wald, gegen Otto Gross, gegen seinen unbarmherzigen Vater, gegen den Verlust seiner Mutter, gegen Zerstörung und Vergewaltigung. Sein Schrei wuchs zu einem langen, singenden Ton.

In weiter Ferne vom Wahrheitsberg, in der aufstrebenden Weberstadt Lodz, näherte sich Izas Mutter Alta zögerlich dem Arbeitszimmer ihres Mannes. Noch war die erste Kerze am Chanukkaleuchter nicht angezündet, noch durfte er arbeiten. Die Geschäfte liefen gut. Als Leijb aufsah, stand Alta in der Tür.

»Stell dir vor, die Tochter vom Zelig hat 'nen Goj geheiratet.«

»Und?«

»Nu, die Verzweiflung ist groß.«

»Aber er liebt des Estherle doch.«

»Schon.«

»Dann wird's werden.«

»Meinst du?«

»Sie ist seine Tochter«, sagte Leijb.

»Dann kann ich's dir ja sagen.«

»Was?« Leijb wandte sich wieder seiner Arbeit zu.

»Unsere Iza hat's auch getan.«

»Was denn?«

»'nen Goj geheiratet«, sagte Alta.

»Wann?«

»Vor zwei Wochen.«

»Wo?«

»In der Schweiz, in Ascona.«

»Auf diesem Wahrheitsberg?«

»Ja.«

Leijb starrte vor sich hin. Ein kurzes Zischen. Alta zuckte zusammen. Die Kerze war gelöscht. Leijbs schwerer Schatten verschwand im Nebenzimmer. Ein klagender Ton verwandelte sich in ein Totenlied. Alta blieb im Türrahmen stehen. Sie sah Leijb vor einem kleinen Altar knien. Er zündete zwei Totenkerzen an.

»Was singst du das Teiten-Lid? Iza ist nicht tot. Sie trägt ein neues Leben in sich. Sie ist deine Tochter.«

Leijb schloss die Augen und verhüllte sein Gesicht mit einem weißen Tuch, wie man es nach jüdischem Brauch den Toten überwirft.

»Ich habe keine Tochter mehr.«

13

Der Wasserfall tauchte vor uns auf.

»Wie kannst du dich so genau an dein Leben hier erinnern? – Du warst doch noch sehr klein.«

»Ja – spaaaßig, nicht?«

Wir saßen auf einem runden Stein. Aus vier oder fünf Metern Höhe stürzte das Wasser in den Bach. Ich war überrascht, wie gut sie noch hören konnte. Das Rauschen schien sie nicht weiter zu stören.

»Hast du gerne hier gelebt?«

»Ja.« Meine Mutter bewegte schweigend ihre Lippen. Oder flüsterte sie doch etwas vor sich hin? Ich neigte mich vor. Sie war still. Ihr Blick hing am Wasser, sanft wiegte sie ihren Kopf. Sie ließ sich auf den Boden gleiten. Ihre Hände fühlten das Gras.

»Früher kannte ich jede Pflanze hier.«

Sogar das Wasser schien jetzt vorsichtiger zu fallen.

Zum Abendessen saßen wir im weiträumigen Speisesaal des Hotels. Nach dem ersten Scheitern der Lebensreformer verwies Eduard von der Heydts Architekturfantasie mit ihren heruntergezogenen Fenstern und ihren auslaufenden Fluren bereits auf die mondäne Selbstinszenierung späterer Besucher der Welt um den Lago Maggiore, wie auf die Investoren, die davon profitierten.

Während ich durch die Fensterfont der untergehenden Sonne folgte, fühlte ich die Anziehungskraft, die der Monte

Verità über Jahrzehnte auf Sinnsuchende ausgeübt hat. Das italienische Klima, der ins Schweizer Bergpanorama hineingemalte See. Vielleicht zu reizvoll, um sich selbst zu begegnen? Keine Wüste, eher ein nachdenklich gewordener Garten Eden. Hierhin, in eine dieser kleinen Licht-Luft-Hütten, hatten sich meine Großeltern zurückgezogen, während der bis dahin brutalste Krieg vier lange Jahre die Welt neu ordnete. Wie Pflanzen im Sterben ein letztes Mal ihre Samen verschleudern, bäumten sich die Menschen mit ihren Ideen ein letztes Mal gegen die um sich greifende Zerstörung auf.

»Hat dein Vater je mit dir darüber gesprochen, warum sie von hier nach Berlin zurückgekehrt sind?«

»Auf dieser Speisekarte findet man sich gar nicht zurecht.«

Entweder hatte sie meine Frage überhört, oder sie wollte nicht darauf antworten.

»Er hatte sich hier einen Weinberg gekauft«, sie zog die Luft laut durch die Zähne, »ein Vermögen, sage ich dir, ein Ver-mö-gen.«

»Und?«

»Na, er hat's dann wohl irgendwann verkaufen müssen. War wohl wieder Ebbe im Portemonnaie. So ging's ja immer. Einen Tag wie Ludwig der XIV., und am nächsten Tag alles verspielt.«

»War er auch ein Spieler?«

Ich nahm an, dass sie ihn jetzt mit meinem Vater verwechselte, der nach dem Krieg einige Jahre der Spielleidenschaft verfallen war.

»Ja. Und meine Mutter hat ihm dann die Pistole auf die Brust gesetzt. Entweder du wirst jetzt vernünftig und ernährst deine Familie, oder ich gehe.«

Vor diese Alternative hatte sie jedenfalls meinen Vater in

den späten Fünfzigerjahren gestellt, als er Gefahr lief, Haus und Hof zu verlieren.

»Wie gewonnen, so zerronnen«, sagte sie. »Ich habe mir aus Geld nie etwas gemacht. Tant pis. Fürs Gewesene gibt der Jude nichts. Auch die Fabrik deines Urgroßvaters, er war der größte Tuchhändler von Lodz – für immer perdu.«

Nachdem ich sie in ihr Zimmer begleitet hatte, beschloss ich, noch ein wenig über das Gelände zu streifen. Wieder kam ich an den kleinen Licht-Luft-Hütten vorbei. Hier würde ich jetzt gerne schlafen, dachte ich. Ich sah mich um. Niemand da. Wie damals gab es kein Schloss. Ich ging hinein. Mit der Feuchtigkeit kroch mir der Holzgeruch in die Nase. Anders als am Nachmittag. Ich legte mich auf den Boden und atmete die Vergangenheit ein. Ich fühlte mich wie auf der Suche nach der verlorenen Zeit. Es fehlte nur noch eine Tasse Lindenblütentee und eine Madeleine. Aber es waren nicht meine Erinnerungen, die ich hervorzulocken suchte. Oder doch? Waren es nicht meine Großeltern, denen ich hier nachspürte? Es gab Erinnerungen an beide. Der Mond schob sich vor das kleine Fenster. Sein Licht warf das Fensterkreuz schattenschwarz auf den Boden des winzigen Raumes. Das ferne Rauschen des Baches vermischte sich mit dem Klickern der bunt gestrichenen Holzboote an der Uferpromenade von Ascona. Vor mir tauchte ein kleines weißes Segelboot mit einem umlaufenden blauen Doppelstreifen auf. Oder war es ein einzelner Streifen gewesen? Es stand auf einem hellen Holzpodest hinter dem Schaufenster eines Spielwarenladens in Weimar. Und der Junge, der seine Nase an der Scheibe platt drückte, war ich.

»Ist es das?«

Die Stimme meines Großvaters drang ruhig und geduldig in meinen Erinnerungsraum.

Bevor wir losgezogen waren, hatte meine Mutter mich zur Seite genommen. Der Großvater sei sehr müde, ich müsse unbedingt auf seine Krankheit Rücksicht nehmen. Das sei jetzt wichtiger als die Suche nach einem Geschenk für mich, die sie ihm leider nicht habe ausreden können. Er würde sowieso nie auf andere hören, wenn er sich etwas in den Kopf gesetzt habe. Ob mir das jetzt klar sei? Ich solle im ersten Geschäft das erste Boot nehmen und sagen, dass es mir gefalle. Sie würde mir dann zu Hause in Berlin ein anderes kaufen, das Spielzeug in der DDR sei sowieso nicht besonders schön, eher so altes Zeugs. Ich sei noch sehr klein und könne sicher nicht verstehen, was es bedeute, aber der Großvater sei sehr krank und erschöpft. Sterbenskrank. Sie wiederholte das Wort mehrmals, zog und dehnte es und sah mich dabei eindrücklich an. Ich nickte. Meine Mutter strich mir über den Kopf. Trotzdem fühlte ich mich schlecht. Wenn es stimmte, was sie sagte, und warum sollte es nicht stimmen, sie war schließlich meine Mutter, dann würde dieser Spaziergang sehr gefährlich werden. Er könnte ja auch plötzlich tot umfallen. Wie würde ich dann wieder nach Hause finden? Ich kannte mich hier überhaupt nicht aus. Hand in Hand hatten wir das Haus verlassen. Still waren wir durch die Straßen von Weimar spaziert. Viel weniger Autos als in Berlin sah man dort, vor allem ganz andere. Ich kannte mich aus mit Autos. Ich hatte eine umfangreiche Sammlung von der Firma Matchbox. Was hier auf den Straßen verkehrte, sah eigentlich aus wie unsere großen Limousinen, nur eben anders, irgendwie zusammengeschoben, ja es waren eigentlich die gleichen Autos, nur zusammengestaucht. Es waren große kleine Autos, während die kleinen Autos zu Hause kleine kleine Autos waren, die eben nicht nur kleiner als die großen waren, sondern auch eine andere Form als diese hatten. Ich fühlte mich nun gar nicht mehr schlecht. Man konnte neben meinem Großvater sehr schön schweigen. Er stellte einem keine komischen Fragen, auf die man keine Antwort wusste. Seine Hand fühlte sich warm an. Ich war fest davon überzeugt, dass es uns beiden gut ging. Sehr gut.

Das erste Geschäft war nicht überzeugend. Großvater fragte mich, was ich mir wünschen würde.

»Ein Segelboot.«

»Haben wir nich'.« Die Antwort des Verkäufers kam schnell, obwohl er dabei langsam sprach.

»Nur eins ohne Segel«, sagte er dann noch etwas missmutig. Ich dachte an die mahnenden Worte meiner Mutter.

»Das macht nichts.«

»Aber dann ist es doch kein Segelboot«, sagte mein Großvater ruhig.

»Macht nichts«, sagte ich leise.

»Doch.«

Dann nahm er meine Hand, und wir gingen wieder raus. Nach ein paar Schritten blieb er stehen. Er beugte sich zu mir.

»Du? Man kauft nicht etwas, nur um dem andern einen Gefallen zu tun. Das ist dummes Zeug. Dann sind wir nämlich beide betrogen. Du, weil du nicht das Boot bekommst, das du dir wünschst, und ich, weil ich dir nicht das Geschenk machen kann, über das du dich wirklich freust. Verstehst du das?«

Ich nickte, und wir gingen weiter. Es strengte meinen Großvater nicht an. Das konnte ich in seinen Augen sehen und an seinem Gang. Er war gut gelaunt. Es machte ihm Spaß, mit mir durch seine Stadt zu spazieren. Wenn ihn jemand grüßte, nickte er freundlich zurück, schwang seinen Spazierstock mit Silberknauf zum Gruß, und wir zogen munter weiter.

Der zweite Laden war nicht viel besser als der erste. Der Verkäufer redete noch langsamer, eigentlich fast gar nicht. Wir ließen uns nicht aufhalten. Die Sonne war hinter den Wolken hervorgekrochen. Die Straßen von Weimar sahen aus, als hätte Gott einen Eimer Gold verschüttet. Hin und wieder deutete mein Großvater mit seinem Spazierstock auf ein Gebäude und erklärte etwas dazu. Aber es klang nie wie eine Erklärung, es klang wie eine spannende Geschichte. Er erzählte von Menschen aus einer anderen Zeit, die in den Häusern gewohnt hatten. Er beschrieb ihre Kleidung, ihre Frisuren, sprach von Kutschen und Pferden, von Dichtern und Herzögen, von sehr vornehmen, klugen Frauen und von Italien, wo er früher einmal gewesen war. Und dann standen wir vor dem Schaufenster des dritten Ladens. Und da war es. Das schönste Segelboot, das ich je gesehen hatte.

»Ist es das?« Ich fühlte die Hand meines Großvaters auf meiner Schulter. Ja, das war das Boot, nach dem ich gesucht hatte. Zwei dünne blaue Streifen verliefen parallel um den weiß gestrichenem Rumpf, innen war das Holz naturbelassen, in der Mitte ein schlanker, etwas dunklerer Mast und ein leuchtend weißes Segel, das sich bewegen ließ. Es war mein Segelboot.

Als wir zu Hause ankamen, wollte meine Mutter schimpfen, aber als sie unsere Gesichter sah, musste sie lachen. Und dieses Lachen war so schön und so ansteckend, dass wir alle lachten.

»Ich mach mir in die Hosen, Kinder, ich mach mir in die Hosen.«

So hatte sie lange nicht mehr gelacht. Sie war in letzter Zeit oft traurig gewesen. Sie fiel ihrem Vater um den Hals. Er streichelte ihr Haar. In der Tür stand mein Vater und lächelte. Großvater streckte die Hand nach ihm aus. Sie umarmten sich alle drei. Ich schlich mit meinem Boot die Treppen hinauf. Es war unsere letzte Begegnung. Wenige Wochen später war mein Großvater tot.

»Wie kam es damals zu der Trennung zwischen deinen Eltern?«

Meine Mutter kämpfte schweigend mit ihrem Frühstücksei. Köpfen kam für sie nicht infrage. Sie klopfte vorsichtig mit ihrem Löffel auf der Spitze herum. Ihre Augen waren schlechter geworden. Immer wieder glitt ihr das Ei aus den Händen. Eigensinnig pulte sie so lange an der Schale herum, bis sie es geschafft hatte.

Sie strich die Tischdecke glatt.

»Was wurde aus der Freundschaft mit Mühsam?«

»Hat sich verlaufen. Irgendwie war er in einen Bombenanschlag in München verwickelt. Er wollte handeln. Das war meinem Vater zu viel.«

»Und warum ist deine Mutter nach Madrid gegangen? Wegen Hitler?«

»Nein, das war viel früher, da hatte der Heini gerade mal seinen Putsch gemacht und war im Gefängnis gelandet.«

»1923.«

»So was ja, oder ein Jahr später. Ich weiß es nicht mehr. Das war wegen Maloney.«

»Maloney?«

»Tomás Maloney, ein ungarischer Maler, auch Jude. Mein Vater meinte, dass das auch eine Rolle gespielt hat.«

»Dass er Jude war?«

»Ja. Meine Mutter hat das furchtbar geärgert. Es gibt viele Gründe, warum eine Ehe kaputt gehen kann. Am Judentum wird's nicht gelegen haben. Meine Mutter war Atheistin. Mein Vater auch. Tomás war zwanzig Jahre jünger als sie. Vielleicht auch ein Grund.« Sie lachte. »Eigentlich hatte mein Vater ihn ins Haus gebracht. Er war ja immer auf der Suche …« Sie lächelte. »Stelle nie deine Frau einem Freund vor. Ein altes Gesetz.« Wieder lachte sie. »Na ja, jedenfalls hat sie sich in ihn verliebt. Wie so was dann eben passiert. Mein Vater und sie passten auch nicht wirklich zusammen. Er war ihr wohl nicht ehrgeizig genug. Ein Flaneur, ein Dandy und Bohémien, belesen wie kein Zweiter, aber im Herzen ein Kind, nicht gemacht für diese Welt, schon gar nicht für das, was sich damals zusammenbraute.«

»Wovon habt ihr gelebt?«

»Ach, manchmal hat mein Vater etwas für die NZZ geschrieben. Immer wieder hat er versucht, seine Gedanken zur Psychoanalyse zu veröffentlichen, aber für einen Journalisten fehlten ihm Selbstbewusstsein und Frechheit. Eine Zeit hatte er eine kleine Praxis in Bern. Er hat auch mal den Hesse analysiert. Auch kein großer Erfolg.«

»Hermann Hesse?«

»Ja, ja. Der hat sich da auch eine Zeit lang einquartiert, wegen seiner Alkoholsucht. Seine Ehe war ein einziges Desaster. Wenn er nach den Stunden mit meinem Vater zu seiner Frau zurückwackelte, hat die ihm die Hölle heißgemacht. Der Nohl, dieses Schwein, hat sie gezetert, und du jämmerlicher Tropf, du. Ach du meiiine Güte! Ich kann dir sagen. – Dann ist er mit dem Gusto Gräser, dem der ganze Berg zu kommerziell wurde, in den Wald gezogen. Die haben da in einem Fels gelebt und nur noch geschwiegen.«

»Wer?«

»Na, der Hesse. Und dann hat er den *Demian* geschrieben. So eine komische Jugendgeschichte. Ein bisschen verschwiemelt, wenn du mich fragst. Und da war der ja schon vierzig. Ha! Na ja. Ich glaube, mein Vater hatte dann nicht mehr so viele Patienten, die gingen mehr zum Gross oder gleich zum Jung. Der Hesse ja auch. Vielleicht sind wir auch deswegen nach Berlin gezogen. Hier lebte man doch sehr abgeschieden. Vielleicht hatten meine Eltern sich auch auseinandergelebt und hofften auf frischen Wind in Berlin. Aber in Berlin verfiel mein Vater dann wieder seinen alten Gewohnheiten. Er war ja jeden Tag im Tiergarten auf der Pirsch.«

»Auf der Pirsch?«

»Na, du weißt schon.«

Natürlich wusste ich, aber eben nur vage. Hatte mein Großvater nicht auch meinen Vater im Tiergarten kennengelernt?

»Geld gab's auch keins. Meistens lebten wir von Luft und Lesen. Oder sein Bruder schickte ihm etwas. Er hatte ja seine Professur an der Humboldt-Uni und verdiente gut. Außerdem publizierte er flott vor sich hin. Dabei verwendete er immer wieder Ansätze meines Vaters, die der ihm in seiner Naivität in seinen Bittbriefen schön brav mitteilte. Er wollte ihm ja nur beweisen, dass er nicht untätig war, wie sein Vater nicht müde wurde zu unterstellen. Abgesehen davon verweigerte sein Vater nach wie vor jeden Kontakt. Die Ehe mit einer Frau ›mosaischen Glaubens‹ und dazu noch ein Enkelkind aus dieser Verunreinigung, das war dann endgültig zu viel. Ha!« Sie lachte laut auf.

»War er Antisemit?«

»Wie es im Buche steht, jawohl, ein guter deutscher Protestant.«

»Es waren doch nicht alle deutschen Protestanten Antisemiten.«

»Nein, nicht alle.« Wieder lachte sie. »Wie kann man Humanist und zugleich Antisemit sein? Kannst du mir das erklären? Außerdem, was konnte ich dafür? Ich bin ja nur Halbjüdin.«

»Du bist Jüdin.«

»Jetzt fang nicht wieder damit an, ja? Ich bin Halbjüdin, ich muss es ja wohl wissen.«

»Du beziehst dich auf die Nürnberger Rassengesetze, Halb- und Viertel- und Achteljuden, das gab es doch vor Hitler gar nicht.«

»Ich bin Halbjüdin und damit basta! Ich weiß schon, als was ich verfolgt wurde, besser als du, mein lieber Freund und Kupferstecher.«

Wir starrten uns beide wütend an.

»Du bist Jüdin. Du wurdest von einer jüdischen Mutter geboren. Und damit bist du im Sinne des jüdischen Glaubens Jüdin. Punkt.« Ich schlug mit der flachen Hand auf den Tisch. Meine Mutter zuckte zusammen, als hätte ich ein unwiderrufliches Urteil über sie gesprochen. Ich wollte in ruhigem Ton einlenken.

»Warum hast du denn so ein Problem damit?«

Der Versuch missglückte gründlich. Sie zitterte.

»Nicht ich habe ein Problem. Du hast ein Problem. Und zwar ein gewaltiges. Aber glaube ja nicht, dass du mich benutzen kannst, um es zu lösen. Das haben schon andere versucht. Löst eure Probleme selber und lasst mich in Ruhe.«

In einer plötzlichen Bewegung fegte sie Teller und Tasse vom Tisch. Sie erhob sich schwankend. Ich wollte ihr zu Hilfe kommen, fasste nach ihrer Hand, aber sie riss sich wütend los, starrte mich an und verschwand auf ihr Zimmer.

Ein junger Kellner eilte herbei. Mit hochrotem Kopf sammelte er die Scherben ein. Ob ich noch einen Wunsch hätte. Ich setzte mich und bestellte einen Kaffee. Der Morgennebel über dem Lago Maggiore war verflogen. Im Gegenlicht lag die Bergwelt scharf gezeichnet vor mir. Mein Blick blieb auf der großen Wiese hängen. Ich lauschte dem Klappern von Löffeln und Geschirr. Leises Gemurmel drang an mein Ohr. Eine Kinderstimme trat hervor. Der Apfelbaum stand plötzlich einsam vor mir. Wie damals in unserem Garten konnte ich meine Tränen nicht zurückhalten. Wie damals wusste ich nicht, wie mir geschah. Wie damals versuchte ich hinzuschauen, während alles vor meinen Augen verschwamm.

Ich saß in kurzen Hosen mit meinen Eltern unter dem Apfelbaum. Onkel Walter und Tante Kläre kamen zu Besuch. Walter und Kläre Blocher. Sie waren nicht mit uns verwandt, aber in dieser Zeit, in den Sechzigerjahren des letzten Jahrhunderts, waren alle Erwachsenen Onkel und Tanten. Die Sonne brannte hell an diesem Frühsommertag. Als sie zum Gartentor hereinkamen, rannte ich auf sie zu, nahm sie bei der Hand und führte sie zu meinem Apfelbaum. Das tat ich sonntags immer, wenn Besuch kam. Am Fuß des Baumes warteten bereits Stühle auf die Gäste. Ich kletterte auf den obersten Ast, verneigte mich vor meinem Publikum, warf die Arme in die Luft, beschrieb einen großen Kreis und rief aus voller Kehle »Alle Amerikaner haben einen riesengroßen Arsch …«

Mehr fiel mir an diesem Tag nicht ein. Mit einem halsbrecherischen Salto landete ich zwischen den Zuschauern, verneigte mich flüchtig und rannte schnell weg.

Etwas später saß ich dem Amerikaner gegenüber. Onkel Walter stieß kleine Laute der Zufriedenheit aus, während er eifrig Streuselkuchen in sich hineinschob. Meine Augen wanderten über seine hellgraue Sommerhose, sein kurzärmeliges weißes Hemd, wie bei Papa, dachte ich, auch seine Krawatte war rot-blau gestreift. Sie hatten beide kaum noch Haare. »Kassengestell«, riefen sie sich lachend zu. Ja, die Brillen glichen sich auch. So sahen alle Männer in Deutschland aus, dachte ich. Aber Onkel Walter war Amerikaner. Hatten sie gesagt.

»Warum spricht Onkel Walter deutsch wie wir, wenn er eigentlich Amerikaner ist?«

Das Geklapper verstummte. Meine Mutter neigte sich zu mir. Sie legte sanft ihre Hand auf mein Knie. Das fühlte sich gut an.

»Weißt du? Walter ist Deutscher, wie wir, aber er musste sein Land verlassen, weil er Jude ist.«

Ich verstand sofort. Obwohl die Stimme meiner Mutter bei dem Wort Jude so eigenartig stumpf klang. Ich wusste ohne hinzusehen, wie ihre Augen jetzt schauten. Ich kannte diesen glanzlosen Blick. Er machte mir Angst. Sonst leuchteten ihre Augen immer bei diesem Wort. Warum sahen mich alle so merkwürdig an? So unecht. Die Augen meiner Mutter sollten wieder leuchten. Jetzt.

»Aber dann ist er doch einer von dem Auserwählten Volk«, sagte ich.

Da war es wieder. Das Leuchten in den Augen meiner Mutter. Alle Augen leuchteten jetzt. Alles war gut. Vergessen meine peinliche Vorstellung auf dem Apfelbaum. Sie lachten wieder. Die Stimme meiner Mutter drang sanft in die plötzliche Heiterkeit.

»Du bist auch ein bisschen jüdisch.«

Wieder richteten sich alle Blicke auf mich. Ich rutschte auf meinem Stuhl hin und her.

»Ein bisschen?«

»Ja.«

»Nicht ganz?«

»Nein. Nicht ganz.«

Ich fühlte ein Kribbeln in den Beinen. Nicht ganz?

»Bin ich denn ein ganzer Deutscher?«

Wieder lachten alle. Diesmal noch lauter als zuvor. Ungestümer auch.

»Neiiin, nicht ganz …«

Die Stimme meiner Mutter überschlug sich ein wenig, als hätte sie etwas getrunken. Plötzlich fühlte ich ohnmächtige Wut in mir aufsteigen. Nicht ganz. Ich wusste genau, was sie sagen wollte. Wenn etwas nicht ganz war, dann war es kaputt. Wie Spielzeug. Damit war nicht mehr viel anzufangen.

»Ich will aber ein ganzer Deutscher sein!«

Ich fühlte mich, als hätte ich die Worte erbrochen. Warum ein ganzer Deutscher und nicht ein ganzer Jude? Ich hätte es genauso sagen können. Aber ich hatte es nicht gesagt. Ich wusste nicht, warum. Alle starrten mich an. Onkel Walters Gesicht war bleich. Seine Unterlippe zitterte.

»Es ist im Blut ... sie werden es nie lernen ... es ist im Blut«, stammelte er.

»Walter«, sagte meine Mutter, »er ist noch ein Kind ...«

Ihre Stimme klang fern. Schockgefroren hörte ich sie leise knacken – wie singendes Eis.

Die Tage starben langsam. Nach der Schule lief ich schnell hinauf in mein Zimmer, murmelte etwas von Hausaufgaben und schloss mich ein. Meist starrte ich aus dem Fenster. Ich hatte etwas erfahren, das meine Welt durcheinanderwirbelte.

Bald wechselte ich auf eine französische Schule. Getrieben von einer dumpfen Sehnsucht, mir selbst zu entkommen, schlüpfte ich aus meinem deutschen Hemdchen. Ich begann vorsichtig nach der Geschichte meiner Familie zu fragen. Mein Vater schwieg, meine Mutter erzählte. Die Antworten unterschieden sich von Antworten, die ich auf andere Fragen bekam. Manches passte nicht zusammen. Leerstellen klafften auf. Erst verstand ich sie nicht, dann sah ich sie bald nicht mehr. Manchmal verhedderten sich zwei Erzählstränge, mal fehlte ein Übergang, oder etwas wirkte unwahrscheinlich. Es war wie bei einem Fernsehbild, das aus einer bestimmten Anzahl von Punkten bestand, die in einzelnen Reihen zusammengesetzt waren. Die Punkte ergaben kein vollständiges Bild, das Fehlende wurde vom Gehirn ergänzt. Diese Wahrnehmung übertrug ich auf alle anderen Lebensbereiche. Meine neue Wirklichkeit war ein Flickenteppich aus hellen und dunklen Abschnitten. Ich war der festen Überzeugung, dass es bei allen so war. Wenn ich etwas nicht verstand, eine Lücke ahnte, nach einem fehlenden Bindeglied fragte, flüchtete sich meine Mutter ins Vergessen. Wie die meisten Kinder dieser Zeit, wurde ich von Menschen erzogen, deren Erinnerung in einzelnen Bereichen so zerfressen wirkte, wie das Gehirn eines Alzheimerkranken. Vielleicht verknüpfte ich dadurch Vorgänge anders. Strenge Logik verlor an Wert, Kausalität wurde aufgehoben, sonst hätte es eine schlüssige Erklärung geben müssen. Aber es gab sie nicht.

Klang etwas besonders schlimm, lachte meine Mutter, als würde sie eine Anekdote zum Besten geben, etwas ganz und gar Unwahrscheinliches, so absurd, dass es wohl kaum geschehen sein konnte, vielleicht überhaupt nicht geschehen war.

Einmal erzählte sie von einem Lager. »Ein Ferienlager?«, fragte ich.

»Neiiiin«, lachte meine Mutter laut. Es war wieder dieses Erwachsenenlachen, kurz bevor eine Geschichte unheimlich wurde. Damals wollte ich lieber Augen und Ohren schließen oder mich in einem dunklen Keller verstecken, aber ich wollte auch wissen, wie es weiterging.

Der Kellner stellte den Kaffee vorsichtig auf den Tisch und verschwand wieder.

Meine Mutter hatte das Wort »Jüdin« wie einen Urteilsspruch erlebt. Sie sprach nicht gern über ihre jüdische Identität. Als könnte sie kein Verhältnis dazu entwickeln, dachte ich. Der Kaffee war zu heiß und schmeckte bitter. Für mich, für das Kind, das in seine eigene Welt auf den Apfelbaum kletterte, bedeutete damals das kleine Wort »halb« »nicht ganz«, also kaputt, für meine Mutter bedeutete es vielleicht, nicht ganz der Vernichtung ausgesetzt zu sein, noch ein halbes Lebensrecht zu haben, noch dazuzugehören, wenn auch nicht ganz.

Leblos war sie vorhin aufgestanden, der Blick wie damals in Berlin, als ich aus meinem Zimmer rannte und die Treppen hinuntersprang. Meine Mutter stand unten und starrte. Mein Vater hielt sie an beiden Armen, als drohte sie zu fallen. Er streckte warnend die Hand nach mir aus. Ich rührte mich nicht. Ich durfte nicht zu ihr. Ich starrte sie an. Dort unten stand meine Mutter, aber ich erkannte sie nicht. Mein Vater wandte sich ab und wartete. Ihre Augen waren leer. Sie hörte nichts. Sie sah nichts. Sie war nicht da. Sie war tot.

Ich erstarrte damals, als wollte ich es ihr gleichtun. Warum? Weil sie mich nicht sah? Fürchtete ich, sie könnte mich vergessen haben? Ahmte ich sie nach, um sie besser zu verstehen? Ich weiß es nicht. Ich weiß nicht mehr, warum ich so reagierte, ich erinnere mich nur, dass die Welt stehen blieb. In dieser Erstarrung begann ich zu denken. Langsam, wie bei einer defekten Wasserleitung, schob sich etwas durch mein Gehirn. Es tröpfelte in mein Bewusstsein. So ist die Hölle, dachte ich, weiß und von unruhiger Stille. In tiefer Angst fühlte ich ein dringendes Bedürfnis zu leben.

14

Jean und Otto saßen in der Küche. Die Wohnungstür flog auf. Im Entree krachte etwas gegen die Wand. Leise summte Salas Stimme die Melodie des Horst-Wessel-Liedes. Vom Hof fiel die Nachmittagssonne durchs Fenster.

»Die Fahne hoch! Die Reihen fest geschlossen!

SA marschiert mit ruhig festem Schritt

Kam'raden, die Rotfront und Reaktion erschossen,

marschiern im Geist in unsern Reihen mit …«

Sala näherte sich durch den langen Korridor. Sie baute sich vor ihnen auf. Jean sah sie ruhig an.

»Was ist passiert?«

»Wieso? Das wird doch jetzt überall gesungen. Warum soll ich es denn nicht singen?«

»Sala.«

Jean ließ die Schultern hängen. Was sollte er sagen? Das ist abscheulich? Du gehörst nicht dazu? Die wollen dich nicht? Er gehörte ja selber nicht dazu. Sein Leben wurde täglich gefährlicher, aber er kannte es nicht anders, er hatte sich mit der Zeit daran gewöhnt. Ihm war nichts Besseres eingefallen, als seine Tochter von dieser Welt fernzuhalten, mit ihr ins Konzert zu gehen, ins Theater oder ins Museum. Immer hatte er gedacht, den Schmerz, den Verlust durch Schönheit heilen zu können, ihr die graue kleinbürgerliche Normalität und ihren Wettlauf in die Barbarei zu ersparen, indem er sie außerhalb dieser Realität aufwachsen ließ. Er sah in ihr trotziges Gesicht.

»Die Straße frei den braunen Bataillonen!

Die Straße frei dem Sturmabteilungsmann!«

»Hör auf, diesen Schwachsinn zu singen!« Otto sprang auf und fasste Sala an den Schultern. Sala stieß ihn von sich und sang mit leuchtenden Augen weiter.

»Es schaun aufs Hakenkreuz voll Hoffnung schon Millionen.

Der Tag für Freiheit und für Brot bricht an.«

Otto blickte Hilfe suchend zu Jean. Salas Stimme sprang triumphierend eine Oktave höher.

»Zum letzten Mal wird Sturmappell geblasen!

Zum Kampfe steh'n wir alle schon bereit.

Schon flattern Hitlerfahnen über allen Straßen,

Die Knechtschaft dauert nur mehr kurze Zeit!«

Keiner bewegte sich. Nur ihr ratloser Atem war zu hören. Langsam kroch ein Lächeln über Jeans Gesicht, dann kicherte er in die Stille hinein.

»Dieses Lied … nein, wirklich, das scheint niemandem aufzufallen.«

Sala beäugte ihren Vater misstrauisch. Mit leichter Stimme begann er, die ersten Takte zu summen. Otto schlug mit der Faust auf den Tisch.

»Singst du jetzt auch diesen Mist?«

»Die Fahne hoch … ta ta ta ta.«

Jean hob eine imaginäre Fahne in die Höhe und wiederholte die ersten Töne.

»Ta ta ta ta! Merkt ihr es nicht? Die Fahne soll nach oben gerissen werden, aber die Töne fallen nach unten. Ta ta ta ta.«

Er wiederholte es und deutete den Tönen folgend mit der linken Hand nach unten, während er mit der rechten Hand wieder die imaginäre Fahne hisste. Seine Hände flogen rauf und runter, runter und rauf, Jean bog sich vor Lachen, die Tränen liefen an seinen Wangen herunter.

Sie saßen schweigend um den Tisch herum. Otto hielt den Kopf zwischen den Händen, als drohte er zu zerspringen. Im Radio sangen die Comedian Harmonists »Wochenend und Sonnenschein«.

»Verdammte Nieselpisse.«

Otto starrte aus dem Fenster. Auf dem Tisch lag ein Brief. Jean schob ihn behutsam Sala zu.

»Von deiner Mutter.«

Sie nahm das Kuvert ohne Zögern, drehte es ein paarmal, roch daran, dann warf sie es zurück auf den Tisch. Der letzte Brief von Iza war pünktlich zur Machtergreifung Hitlers gekommen. Seitdem hatte Sala nichts mehr von ihrer Mutter gehört. Damals wohnte sie noch in Toledo, dieser Brief kam aus Madrid.

»Nun muss ich ihr wohl auch noch dankbar sein, dass sie mich verlassen hat.«

Ottos finstere Miene schien sie zu amüsieren.

»Na ja, wenn sie bei uns geblieben wäre und mich im mosaaaischen Glauben erzogen hätte« – zum ersten Mal in ihrem Leben zog sie ein Wort ironisch in die Länge – »dann würde ich jetzt als Volljüdin gelten. Volljüdin, das klingt doch nicht schlecht. Fast so gut wie Vollidiotin, oder? Dagegen fällt die Halbjüdin schon ein bisschen ab, findet ihr nicht?«

Sie nahm das Kuvert, hielt kurz inne, riss es auf und kramte den Brief heraus. Distanziert ließ sie ihre Augen über die Zeilen wandern, dann stopfte sie die zwei kurzen Seiten zurück in den Umschlag und warf ihn auf den Küchentisch.

»Wie nett von ihr, sie macht sich Sorgen um uns, besonders um mich. Ob ich nicht lieber zu ihr nach Madrid kommen möchte.« Sie biss sich auf die Lippen. »Ich glaube, da würde ich lieber ins Arbeitslager gehen.«

Jean schaute auf den Brief.

»Lies ruhig.«

Jean beugte sich vor, nahm das dünne Papier aus dem Kuvert, faltete es sorgsam auseinander. Iza warnte in ruhigem, ernsthaftem Ton vor dem, was da noch kommen würde. Ihre Nachricht war an Sachlichkeit nicht zu überbieten. Am Ende, die Einladung, verbunden mit einem Gruß an ihn, indem sie zugleich an seine Vernunft appellierte. Dem war, wie immer, nichts hinzuzufügen.

Sala ging wütend auf und ab, sie bohrte die Fäuste in ihre Hüften, bis sie keine Luft mehr bekam, dann platzte es aus ihr heraus.

»Ich bin nicht jüdisch. Ich will nicht jüdisch sein. Ich will es nicht. Ich – will – nicht. Nicht halb, nicht ganz, nicht gar nicht.« Sie rang nach Luft, ihr Gesicht schwoll rot an. »Was hab ich mit ihr zu tun? Ich hasse sie. Ich hasse sie und ihre ganze Sippschaft. Es ist mir gleich, was aus ihnen wird. Sie sollen mich in Ruhe lassen. Sie sollen verschwinden!« Ihre Stimme überschlug sich. Sie stand jetzt am Fenster. Draußen funkelten die Straßenlampen in den fliehenden Tag. Nicht für sie. Die Straßen, die Bänke, die von Bäumen gesäumten Alleen, mit den Menschen, die ihren Geschäften nachgingen oder nach Ruhe suchten, sie alle wandten sich angewidert von ihr ab. Als wäre sie kein Mensch. Ein Etwas. Ein Ding.

»Ich bin hier aufgewachsen. Ich spreche dieselbe Sprache. Ich denke wie sie. Ich fühle wie sie. Ich gehöre dazu. Ich bin eine Deutsche. Ich bin keine Jüdin.«

Ihre Stimme klang fremd. Sie erkannte ihren eigenen Ton nicht mehr. Redete eine Deutsche so? Hatte sich unbemerkt irgendetwas Jüdisches bei ihr eingeschlichen?

»Habe ich etwas Gehetztes in meinem Ausdruck? In meinen Bewegungen? In meiner Sprache? Schwester Agathe hat mich gestern darauf aufmerksam gemacht. Sie sagte, sie meine es gut mit mir. Nach dem Biologieunterricht hat sie mich zur Seite genommen. Im Unterricht hatte sie mich fortwährend angestarrt. Rassenkunde. Na und? Ich wusste alles. Besser als die andern. Aber sie hat mich trotzdem angestarrt. Ich war immer ihre Lieblingsschülerin, und auf einmal starrt sie mich an, als sei ich über Nacht jemand anders geworden. ›Du bist nicht mehr du selbst, mein Kind‹«, äffte sie Schwester Agathe nach. »Ach ja? Was bin ich denn dann? Ein Elefant?« Sala wandte sich jetzt an ihren Vater. »Du bist deutsch, du hast mich gezeugt. Also ist das hier mein Vaterland. Ich lasse mich nicht einfach vom Hof jagen. Es ist mein Recht, hier zu sein.«

Plötzlich brach sie ab. Sie stand kerzengerade und starr vor ihnen. Warum schwiegen sie? Dachten sie ebenso? Wollten sie sie auch nicht mehr haben?

»Sie haben die Wahrheit umgeschrieben, Sala«, sagte Jean ruhig und trocken.

»Welche Wahrheit denn? Gibt es da eine Auswahl?«

»Damit ist es wohl erst mal vorbei.«

»Aber ... die Wahrheit ... ist doch ... die Wahrheit«, stammelte sie.

»Nein. Das war sie noch nie.«

Sala senkte den Kopf zu Boden.

»Wo soll ich denn hin?«

Jean sah ihr gerade ins Gesicht.

»Und meine Reifeprüfung? Darf ich nicht mal die Schule beenden?« Salas Stimme zitterte. Sie sah ihren Vater flehend an. »Vielleicht überlegen sie es sich ja noch. Ich bin doch wie sie. Ich bin doch nicht anders. Ich bin wie sie.«

»Was nutzt dir das Abitur, wenn du nicht studieren darfst. Nahezu täglich werden Juden abgeholt. Wer weiß, wann die Halbjuden dazukommen. Wenn sie von deiner Liebe zu Otto erfahren, werden sie dich öffentlich demütigen und wegsperren. Euch blüht dann beiden das Zuchthaus.«

Otto hörte schweigend zu. Er wusste von seiner Schwester Inge, dass etwas im Busch war, auch wenn sie nicht mehr offen mit ihm redete, weil sie seine Beziehung zu Sala missbilligte.

»Ich darf also nicht mal lieben, wen ich will.«

»Nein.«

Jean fühlte eine Übelkeit in sich aufsteigen. Wer durfte das schon? Wer konnte es? Ein Schmerz hämmerte gegen seine Schläfen. In Spanien tobte der Bürgerkrieg. Iza war auch anders, anders als er, anders als Sala, anders als sie alle. Sie würde in den bewaffneten Kampf ziehen, falls sie es nicht bereits getan hatte. Sie fürchtete weder Tod noch Teufel. Immer hatte er sie im Stillen dafür bewundert. Warum dachte er jetzt an Iza? Seine Augen gruben sich in Ottos Gesicht. Vielleicht war Otto ihr noch am ähnlichsten. Er kannte auch keine Angst.

Die Sonne war längst untergegangen. Sala öffnete das Fenster. Ein Duft von Nacht und Blumen schlug ihr entgegen. Der Regen ließ nach. Wurde sie verrückt? Worauf wartete sie? Auf Tränen. Niemand sollte Macht über sie erlangen, niemand.

Sie fühlte die Hand ihres Vaters.

»Was ist?«

Sie wusste keine Antwort.

Am nächsten Tag sprach Otto eindringlich auf sie ein.

»Wir müssen vorsichtiger sein.«

»Was ist passiert?«

»Gestern hat mir jemand den Völkischen Beobachter auf mein Bett gelegt. Wahrscheinlich Inge oder Günter, der verfluchte Nazi. Der Titel des aufgeschlagenen Artikels lautete ›Der angeborene Bastardisierungstrieb des Juden‹.«

Sala sah Otto erschrocken an. Dann lachte sie laut auf.

»Was für ein Trieb?«

Otto nahm sie bei der Hand und zog sie auf die Seite. Er flüsterte aufgeregt.

»Das ist kein Scherz, Sala, die meinen es ernst. In manchen Städten haben sie Männern und Frauen, die Rassenschande begangen haben, Schilder um den Hals gehängt und sie wie Schlachtvieh durch die Straßen getrieben.«

»Was für Schilder denn?«

»›Ich bin am Ort das größte Schwein und lass mich nur mit Juden ein.‹« Er sah sie schweigend an. »Das hatten sie einer Frau umgehängt. Daneben stand ein Mann mit einem Schild, auf dem stand: »Ich nehm als Judenjunge immer nur deutsche Mädchen mit aufs Zimmer.‹«

Sala lachte wieder. »Tja, wir sind das Volk der Dichter und Denker.«

»Sala, die fordern die Todesstrafe.«

Sie machte sich los.

»Zwingt dich ja keiner, meine Hand zu halten.«

»Sala.«

Er nahm sie an den Schultern und erwiderte lange ihren ernsten Blick.

15

Nur noch wenige Minuten bis Madrid. Ob sie auf dem Bahnsteig auf sie wartete? Wie sie jetzt wohl aussehen mochte? Würde sie sie wiedererkennen? Und Tomás? Was für ein Mann war er? Nach der Beschreibung ihres Vaters klein und eher zierlich. Dunkles, volles Haar, eine große Nase, die das Gesicht beherrschte, flinke, rastlose Augen, elegante, extravagante, meist helle Kleidung, viel zu weite Hosen, die ihn wie einen Clown, einen Spaßmacher aussehen ließen, und ein starker österreichisch-ungarischer Akzent. So genau schauten nur verletzte Augen, dachte Sala. Sie wusste mehr über Tomás als über ihre Mutter.

Der Zug fuhr pfeifend in den Bahnhof ein. Sala verabschiedete sich überschwänglich von ihren Mitreisenden. Mit klopfendem Herzen hievte sie ihren schweren Koffer durch den engen Gang bis zum Ausstieg. Ein kurzes Rucken, der Zug atmete aus.

Sie drückte die schwere Klinke herunter und sprang auf den Bahnsteig. Warum war ihr nicht mulmig zumute? Gestern noch konnte sie sich kaum etwas Schlimmeres vorstellen, als nach Madrid zu fahren. Und jetzt? Der spanische Schaffner reichte ihr den Koffer herunter. Um sie herum strömten die Passagiere dem Ausgang zu, ein wogendes Meer von Hinterköpfen. Sie reckte sich, hielt Ausschau nach einer kleinen, schlanken Frau, die vielleicht schon etwas ergraut war. Mama, Mama, rief es laut und aufgeregt in ihr. Einen Moment lang glaubte sie, ihre eigene Stimme über die Lautsprecher zu hören. Langsam lichtete es sich um sie herum. Wenige Minuten später stand sie allein auf dem Bahnsteig. Wahrscheinlich wartete die Mutter am Ausgang auf sie. Sala umfasste den Griff ihres großen Koffers.

Der Bahnhof war größer als erwartet. Während sie weiter nach ihrer Mutter suchte, schnappte sie einzelne Sätze auf. War das wenige Spanisch, das sie sich selbst beigebracht hatte, ausreichend, um sich zurechtzufinden? Ihre Mutter war nicht da. Wahrscheinlich war etwas Wichtiges dazwischengekommen. Auf der Fahrt hatte sie versucht, mehr über den Bürgerkrieg zu erfahren, aber da sie Deutsche war, reagierten die Spanier verhalten. Hoffentlich war nichts passiert.

»Du musst Sala sein.« Die helle Stimme in ihrem Rücken ließ sie herumfahren. Vor ihr stand ganz offensichtlich Tomás, ihr Vater hatte ihn gut beschrieben.

»Du siehst aus wie deine Mutter, nur noch schöner, aber wehe, du sagst es ihr!«

Seine Stimme klang nach Kaffeehaus, nach Budapest und Wien.

»Ich bin Tomás. Sei willkommen, mein hübsches Kind.«

Der Mann, der sie so charmant wie unverschämt ein Kind nannte, war keine dreißig Jahre alt, und sie würde nun bald achtzehn werden, aber seine Art gefiel ihr trotzdem. Ungläubig starrte sie ihn an. Er war zwanzig Jahre jünger als ihre Mutter und sah sehr gut aus.

»Wir nehmen die Linie 3, da müssen wir nur einmal umsteigen und fahren die ganze Strecke unterirdisch, das ist im Moment sicherer.« Er bot ihr seinen Arm und führte sie zum Ausgang.

»Ist es hier gefährlich?« Sala klang aufgeregt.

»Bei mir bist du sicher. Ich kenne alle Schlupfwinkel in dieser Stadt. Iza und ich kämpfen, seit wir hier leben, mit den Arbeitern und Bauern für die Revolution. Die Jahre in Toledo waren ein einziges Fest, aber am Ende wurde der Boden zu heiß. Wir werden dir alles erzählen. Du wirst begeistert sein, schönes Kind. Wir leben in einer großen Zeit. Was jetzt geschieht, wird die Welt verändern. Berlin ist ja ganz nett, aber mit den braunen Horden wird's ein schlimmes Ende nehmen. Aber hier in Spanien entsteht etwas Großes. Nirgendwo sind die Anarchisten so stark. Wir werden dem Staat dabei behilflich sein, sich selber abzuschaffen. Und dabei führen wir ein freies, ungebundenes Leben, mit Freunden, die wir lieben. Das Leben ist so anders hier, weißt du, schönes Kind. Es ist so warm wie die Sonne, die jedem Spanier in die Seele und in sein Herz leuchtet. Nicht dieser deutsche Missmut, diese schwerfällige, graue Lebensart mit Wurst, Kartoffeln, Sauerkraut und Bier. Wenn sie jetzt auch noch die Juden vertreiben, ist es endgültig um sie geschehen. Dann kannst du dieses Land vergessen, dann darf nicht mal mehr in den Kellern gelacht werden, es sei denn, die Witze stammen vom Führer persönlich.«

Sala wunderte sich, dass Tomás so ungeschützt drauflosredete. Dann fiel ihr ein, dass sie nicht mehr in Deutschland war, dass die anderen Fahrgäste um sie herum wahrscheinlich kein Wort von alldem verstanden. Die Metro jagte durch dunkle Schächte und versteckte Madrid vor ihren neugierigen Augen. Sie war noch gar nicht angekommen.

Als sie die Stufen hinaufliefen, schossen ihr die ersten Sonnenstrahlen entgegen. Vor ihnen lag die Gran Vía. Sala verschlug es den Atem.

»Da vorne ist die Plaza del Callao. Siehst du dieses große Gebäude? Das ist das Hotel Florida. Komm, wir trinken einen Cortado und essen ein paar Tapas.«

»Und meine Mutter?«

»Man muss Frauen immer ein bisschen warten lassen.

Das erhöht die Spannung. Obwohl, deine Mutter ist in vielen Dingen eher wie ein Mann. Wenn etwas nicht so läuft wie erwartet, ändert sie es, oder vergisst es schnell. Außerdem hat sie viel zu tun, wahrscheinlich würden wir nur stören.« Sala sah ihn verblüfft an.

»Was meinst du: Ich zeige dir die Stadt. Wir flanieren an diesem herrlichen Tag auf den großen Avenuen und treffen deine Mutter zum Abendessen. Bestimmt ist die Bude dann voll. Es wird lustig. Du wirst nicht mehr nach Berlin zurückwollen.«

Dessen war sich Sala nicht so sicher, aber ein Spaziergang durch die Stadt klang verlockend.

»Und mein Koffer?«

Tomás lachte. Es war ein helles, fast knabenhaft sorgloses Lachen.

Im Hotel Florida nahm ihm der Portier respektvoll das schwere Ding ab.

»Der wird vor uns zu Hause ankommen«, grinste Tomás zufrieden.

Sala kannte diese Nonchalance von ihrem Vater. Zumindest darin ähnelten sie einander. Die politischen Ansichten schienen sie auch zu teilen. Er war Maler, also verstand er auch etwas von Kunst. Bestimmt war er auch meistens unpünktlich, wie ihr Vater, und so, wie er gedankenlos ihre Bestellung aufgab, schien er auch in Gelddingen unbekümmert. Vor allem aber entstand ein völlig neues Bild von ihrer Mutter, die sie als strenge, lieblose Frau in Erinnerung hatte. Ein Mensch mit klaren Prinzipien. Sie konnte sich an kein einziges Lächeln erinnern. Wie konnte es sein, dass sie ihr Leben mit so heiteren Gesellen teilte?

Der Kellner brachte immerfort Teller mit neuen Köstlichkeiten. Begeistert stürzte sie sich auf die Tortilla. »Ein Armenessen«, wie Tomás ihr kichernd versicherte, »heute allerdings mit Meeresfrüchten gespickt.« Sie hatte während der Fahrt kaum geschlafen, aber die Müdigkeit war einer rauschhaften Heiterkeit gewichen. Tomás hatte sie angesteckt. Sie dachte an Otto. Im Rausch und bei drohender Gefahr würden Endorphine freigesetzt, die die Angst betäubten, hatte er ihr erklärt. Hatte sie Angst, ihre Mutter zu treffen? Auf einen unmerklichen Wink hin stellte ein weiterer Camarero zwei schlanke Gläser randvoll mit Champagner vor sie hin. Sala lachte entgeistert.

»Puffbrause.«

»Ja«, kicherte Tomás, »dein Vater hasste Champagner.«

Sala leerte ihr Glas in einem Zug.

»Tut er immer noch.«

»Hier in diesem Hotel finden manchmal unsere Versammlungen statt, oder wir treffen uns mit den Kameraden in der Bar Chicote. Dort kommen wir später auch vorbei. Eigentlich ist es dort lustiger, aber die hätten uns nicht deinen Koffer abgenommen.«

Was zunächst planvoll wirkte, wurde, wie bei ihrem Vater, im Augenblick geboren. Ihr Kopf begann sich aufs Angenehmste zu drehen, sie fühlte sich leicht und träumte sich in eine aufregende Zukunft. Zum ersten Mal lag ihr die Welt zu Füßen, frei von deutscher Ernsthaftigkeit. Während sie erneut auf die Straße traten, hörte sie Gitarrenklänge und lebenshungriges Lachen. Hier in dieser Stadt lebte also ihre Mutter.

»Was macht meine Mutter eigentlich? Arbeitet sie im Krankenhaus, oder hat sie eine eigene Praxis?«

Tomás sah Sala überrascht an.

»Sie hat in Spanien nie als Ärztin gearbeitet. Ihr Abschluss wurde hier nicht anerkannt. Hat sie euch das nicht geschrieben?«

»Nein.«

»Deine Mutter ist eine gefragte Kunsthändlerin. Sie konzentriert sich auf das achtzehnte und neunzehnte Jahrhundert. Hin und wieder findet sie auch Arbeiten aus der Renaissance oder dem Spanischen Barock. Heute hat sie viele wichtige Termine. Es geht um eine Ausstellung der Arte Antigua. Ein alter Freund von ihr hat eventuell einen Schatz entdeckt, den er ihr zeigen will.« Er lächelte geheimnisvoll.

»Besitzt sie einen Laden, also, ich meine eine Galerie?«

»Iza hasst jede Form von Geldverschwendung.« Er lachte. »Ganz im Gegensatz zu mir. Sie macht alles von unserer Wohnung aus, empfängt dort ihre Kunden, organisiert Ausstellungen, und abends …« Er zögerte kurz. »Na, du wirst ja sehen.« Er blieb vor einer kleinen Bar stehen. Sala las über zwei großzügigen Fensterfronten und der Drehtür des Eingangs in großen, einfachen Lettern b a r c h i c o t e. Sie blickte in einen lang gezogenen Raum, eingerichtet im Art-déco-Stil.

»Pedro Chicote ist ein guter Freund, wir werden ihn bald besuchen. Er ist ganz einfach der beste Barmann der Welt und besitzt eine sagenhafte Sammlung von über zwanzigtausend Flaschen, darunter auch einen alten Cachaca, den ihm der brasilianische Botschafter eines Abends geschenkt hat, als Pedro noch an der Bar im Hotel Ritz seine Cocktails mixte. Aber noch umfangreicher ist seine Sammlung kleiner und großer Geschichten. Keiner erzählt so kunstvoll von den Nachtvögeln, ohne die leiseste Indiskretion zu begehen. In Wahrheit ist er ein Geschichtenerzähler, der aus dem Rohstoff langer Nächte, aus den hellen und dunklen Gestalten, die bei ihm verkehren, den Träumern, Verbrechern und Hochstaplern, den Anarchisten, Schauspielern und Königen seine Miniaturen destilliert. Er hat nur einen Fehler. Noch mehr als diese Geschichten liebt er das Geld, vielleicht ist er deswegen kein Dichter. Komm, jetzt zeige ich dir die Plaza de los Torros, wo die größten Stierkämpfe stattfinden, oder möchtest du lieber erst den Prado sehen, du hübsches bürgerliches Kulturkind?«

Er lachte wieder mit seiner hohen Stimme. Eigentlich hasste Sala hohe Stimmen, aber bei Tomás hätte eine tiefe Stimme vollkommen unpassend geklungen. Er wirkte gerade durch diesen eigenartig hohen Singsang unerwartet männlich. Von Stierkämpfen wollte sie nichts hören. Das Töten eines Tieres zur allgemeinen Volksbelustigung verabscheute sie.

»Ich verstehe diese Lust am Töten nicht. Es ist wie früher, als das Volk zu den öffentlichen Hinrichtungen rannte. Widerlich. Ich hab mal gehört, dass die Elefanten sich zum Sterben von ihrer Herde absondern. Niemand möchte sich beim Sterben zusehen lassen, oder? Vielleicht möchte man von einem geliebten Menschen, von seinen Kindern begleitet werden. Oder würdest du gerne öffentlich sterben?«

»Kommt ganz drauf an, welche Bedeutung ich meinem Leben beimessen würde.«

Sala verstand nicht, was er damit sagen wollte, und wechselte schnell das Thema.

Die kühle Luft in den großen Hallen des Prado war ihr lieber. Sie atmete den vertrauten, modrigen Duft alter Gemälde. Die Sonntage ihrer Kindheit zogen an ihr vorüber, an denen sie, geduldig neben ihrem Vater stehend, in seiner Miene zu lesen suchte, was er in den Bildern sah. Heute glaubte sie zu verstehen, warum er sich scheute, das Gesehene zu kommentieren. Vielleicht wollte er das Gefühl nicht verlieren, das ihn mit dem Bild verband, so wie man von einer Liebe nur allzu ausführlich erzählt, wenn ihr Verlust bevorsteht oder wenn sie gestorben ist, um ihr in der Erinnerung ein zweites Leben zu schenken. Sie dachte an Otto und fühlte einen Schmerz. Hier in diesen stillen Räumen, inmitten des gestalteten Lebens, war sie ihm mit einem Mal nah. Erstaunt wandte sie sich zu Tomás, der leicht versetzt hinter ihr stand. Sie sah ihn versunken seinen Bleistift über einen Zeichenblock führen. Wie anders stand er jetzt da. Beinahe hätte sie ihn nicht wiedererkannt. Alles Glühende war von ihm abgefallen. Er stand fest auf dem Boden, die Beine leicht auseinandergestellt. Ertappt blickte er zu ihr hoch. Es waren erste Skizzen von ihr, die er schnell aufs Papier geworfen hatte. Als sie näher trat, steckte er sie weg.

Draußen raste ein mit Sandsäcken beladener Lastwagen an ihnen vorbei. Tomás sah ihm aufmerksam nach.

»Sie bauen Barrikaden, um Madrid gegen die Franquisten zu verteidigen.«

In der Ferne fielen Schüsse. Sala zuckte zusammen. Er nahm ihren Arm.

»Komm!«

Als sie die Treppen des alten Wohnhauses hinaufstiegen, überfiel sie eine bleierne Müdigkeit. Wie gerne würde sie jetzt die Wiederbegegnung, die sie sich in den letzten Jahren immer wieder anders ausgemalt hatte, verschieben. Was sollte sie tun, wenn sie ihr gleich gegenüberstehen würde? Wie würde ihre Mutter reagieren, was könnten die ersten Worte sein? Oder würden sie schweigen? Müsste man sich in die Arme fallen? Eigentlich konnte es nur peinlich werden. Sie dachte daran umzukehren, da öffnete sich leise die Tür. Vor ihr stand Iza.

»Wo wart ihr denn so lange? Kommt rein.«

Sie nahm Sala lachend bei der Hand und zog sie in ein beeindruckend großes, leeres Entree. Später bemerkte Sala, dass ihr Blick zuerst auf die nackten Glühbirnen gefallen war, die von der gelbbraun gekalkten Decke baumelten. Unsicher war sie dem prüfenden Blick ihrer Mutter ausgewichen, der eigenartig mit dem herzlichen Klang ihrer Stimme kontrastierte.

»Habt ihr schon gegessen? Ich habe ein paar Kleinigkeiten zusammengestellt, zum Kochen war keine Zeit, außerdem kann Tomás das viel besser als ich. Wie war deine Reise? Was habt ihr heute gesehen? Vor allem aber, erzähl mir, was gibt es Neues? Dein Vater ist ein schlechter Briefeschreiber, wenn es ums Alltägliche geht.«

Sala fühlte wieder diesen ruhigen, durchdringenden Blick. Ein Brennen, dem sie ausweichen wollte. Ihr war, als hätte sie eine Prüfung zu bestehen. Tomás deckte den Tisch. Auch im Esszimmer hingen die Glühbirnen in ihren Fassungen von der Decke. Kein Tischtuch, wie sie es von zu Hause gewöhnt war, Geschirr und Besteck lagen auf einem langen alten Holztisch, an dessen Kopfende Iza Platz nahm. Sie war kleiner und zierlicher als ihre Tochter und begann sofort mit gutem Appetit zu essen. Sie beobachtete aus den Augenwinkeln Sala, die hastig ein paar Bissen hinunterschluckte.

»Jeden Bissen achtunddreißigmal kauen. Dann wirst du alt und bleibst jung.« Sie trank einen Schluck Weißwein. »Das ist gut für den Kreislauf. Niedriger Blutdruck ist gut fürs Herz, aber schlecht für die Dachstube.« Sie deutete auf ihren Kopf.

Als Sala von den Eindrücken dieses Tages berichtete, war ihr unter dem aufmerksamen Blick ihrer Mutter, als würden die Wörter von jemand anderem gesprochen werden. Verliere dich nicht, dachte sie, aber die Sätze purzelten von ihren Lippen. Sie hätte sie auf der Straße nicht wiedererkannt, dachte sie und wäre beinahe über den nächsten Satz gestolpert.

Während sie in einem fort redete, wurde die Entfernung zu ihrer Mutter immer größer. Ein fremder Mensch saß da, an der gegenüberliegenden Seite des Tisches, eine schöne Frau. Ihre Mutter. Ein-, zweimal meinte Sala, einen Adler zu sehen, der fortwährend kleine Bissen mit seinem Schnabel von ihr abriss und gewissenhaft zerkaute. Jeden Bissen achtunddreißigmal.

»Ich glaube, mir ist schlecht«, murmelte Sala. Ihr wurde schwindelig.

Es dunkelte bereits, als sie aus halb offenen Augen den Schatten ihrer Mutter durch die Tür verschwinden sah. Wenig später drang Stimmengewirr zu ihr hinüber. Füße trampelten über das alte Parkett, der Duft schwerer Speisen kroch durch den Türspalt. Jemand klatschte in die Hände. Sie hörte eine weiche, seltsam ölige Stimme.

»Hitler wird Franco mit Waffenlieferungen unterstützen, das haben wir längst von unseren Verbindungsleuten erfahren. Wahrscheinlich wird Mussolini gleichziehen, dann haben wir eine faschistische Front aus drei verschiedenen Staaten. Demgegenüber stehen Stalins Bolschewiken, die vermutlich, nur um Hitler und Mussolini in die Suppe zu spucken, die Republik unterstützen werden, und dann wird das Ganze zu einem Krieg zwischen Faschismus und Kommunismus. Was am Ende rauskommt, weiß der Teufel. Jedenfalls keine syndikalistische Gewerkschaftsorganisation, wie die CNT sie geplant hat. Keine Auflösung der staatlichen Gewalt, wofür wir Brigadisten gemeinsam mit der CNT kämpfen wollen. Nicht die Worte Bakunins werden sich auf diesem Wege durchsetzen, sondern Stalins Westentaschenmarxismus, der – daran kann es gar keinen Zweifel geben – nur eine neue Form der Ausbeutung der Arbeiter mit sich bringen wird. Es bleibt die Gewalt beim Staat, und der Staat heißt in diesem Fall Stalin, so wie es immer Einzelne oder kleine, privilegierte Gruppen sein werden, die dem Staat ihren Willen aufzwingen und sein Gewaltmonopol zur Unterdrückung jeglichen Widerstands nutzen.«

Ein wildes Durcheinander folgte der Ansprache. Sala versuchte sich den Redner vorzustellen. Vor ihrem inneren Auge tauchte ein kleiner, rundlicher Mann auf, um die dreißig, würde er wohl sein. Sie stellte sich vor, wie er sich nun, nach dem Ende seiner langen Rede, die ihn weit zurück in eine ruhmreiche, kämpferische Vergangenheit geführt hatte, den Schweiß von der Stirn wischte und sich in seinen Sessel fallen ließ. Er stammte aus einer Bauernfamilie, die, wie er immer wieder betonte, bereits in der zweiten Hälfte des 19. Jahrhunderts, gemeinsam mit anderen Bauernfamilien und Landarbeitern, instinktiv dem anarchistischen Ideal der sich selbst verwaltenden Dorfgemeinschaft anhing.

»Schon damals haben meine Ahnen Kampfgemeinschaften gegen die adligen Grundbesitzer gebildet, um sich gegen deren Ausbeutungsversuche zur Wehr zu setzen. Sie verteidigten Kollektivismus und Gleichheit und kämpften gegen die Privatisierung von Landbesitz, der den Zusammenhalt der Dorfgemeinschaft bedrohte.«

Sala hörte, wie er plötzlich wieder aufsprang. Was er wohl für Hände haben mochte, überlegte sie. Wahrscheinlich klein und dick. Warf er sie jetzt in die Luft, um sich erneut Gehör zu verschaffen? Sie schloss die Augen, um seiner Stimme zu lauschen, die vor Pathos zu zittern begann.

»Liebe Freunde! Liebe Kämpfer! Vergesst nie, der Anarchismus wurde in unserem Land bereits von unseren Vorfahren erfolgreich praktiziert. Mit der Einführung kapitalistischer Besitzverhältnisse hat die Aushöhlung von innen unsere Dörfer erfasst. Wir können es mit eigenen Augen sehen, wie der Mensch entmachtet und weggeworfen wird. Die Kapitalisten ersetzen ihn durch Maschinen, die seine Arbeit schneller und effizienter bewerkstelligen. Sie zerteilen ihn, denn sie brauchen ihn nicht mehr als ein Ganzes, sie brauchen nur noch seine Arme, seine Hände oder was auch immer ihnen noch einfällt. Am Ende – und das ist ihr Ziel, täuscht euch darin nicht –, am Ende werden sie ihn ganz abschaffen, den arbeitenden Menschen, so wie sie bereits alles Menschliche in sich selbst abgetötet haben.«

In der Abgeschiedenheit ihres Zimmers beäugte Sala neugierig das Bild, das sie sich von diesem Mann machte. Er wird nicht besonders attraktiv sein, dachte sie. Auch kein Intellektueller, dafür plapperte er zu gewollt in einem wenig kultivierten Tonfall. Aber es schwang eine Begeisterung in seiner Stimme mit, den Glauben an die rechte Sache konnte man ihm wohl nicht absprechen. Wie anders als in Deutschland klangen diese Töne, denn die Begeisterung der Nazis, das begann sie zu begreifen, wurde von einem kalten Feuer am Leben gehalten.

»Antonio, mein Freund, du bist entzückend, aber dein sentimentaler Geschichtsunterricht, den du uns hier voller Selbstergriffenheit vorträgst, verändert gar nichts. Deine republikanischen Freunde, deren Beifall du dir mit solchen wohlfeilen Reden erkaufen möchtest, scheißen auf den kleinen, dicken Bauernlümmel, der du für sie immer bleiben wirst.«

Ha, dachte Sala, klein und dick, ich wusste es.

»Wir brauchen keine Selbstbeweihräucherungsartisten, wir brauchen bessere Waffen, nicht diese verrosteten Flinten. Wir brauchen deine aufrüttelnden Reden nicht. Wir von den Internationalen Brigaden sind mutig, viel mutiger als Francos verdammte Truppen. Wir kämpfen nicht für irgendeine hübsche Vergangenheit, wir kämpfen für die Zukunft. Wir kennen nur eine Hemmung, die Ladehemmung unserer beschissenen Gewehre, die allesamt in den Orkus gehören. Hast du darauf eine Antwort, dann sag es, hast du Waffen, dann gib sie uns, ansonsten rate ich dir, deine weinerlichen Reden woanders zu halten.«

Sala saß jetzt aufrecht in ihrem Bett. Die Stimme, die sich eben so vehement und männlich erhoben hatte, kam aus dem kleinen, zähen Körper ihrer Mutter. Diese entschlossene Frau kannte sie nicht. Es war still geworden. Sala hörte das Knarren eines Sessels. Jemand stand auf.

»Sehr verehrte Genossin Doña Isabella.« Es war wieder der Kleine, Dicke, den ihre Mutter mit dem Namen Antonio angesprochen hatte.

»Doña Isabella …« Weiter kam er nicht.

»Spar dir dein selbstgefälliges Getue.«

»Was erlauben Sie sich, Doña Isabella!«

»Was erlaubst du dir, du verlogener Dorftrottel.« Ein Raunen ging durch die Reihen. »Was willst du hier überhaupt? Wer hat dich eingeladen? Schämst du dich nicht nach den Kämpfen in Toledo? Wie kannst du es wagen, dich mit uns an einen Tisch zu setzen und von gemeinsamen Zielen zu faseln. Unsere Freunde sind in Toledo jämmerlich verreckt, weil du ihnen Gewehre geliefert hast, die du wahrscheinlich aus den Ställen deiner geliebten Dorfgemeinschaften unter den Ärschen deiner Ziegen hervorgeholt hast. Sei froh, dass wir dich am Leben lassen. Du hast den Frauen ihre Männer geraubt, du hast ihre Kinder zu Waisen gemacht und traust dich hier zu erscheinen und dummes Zeug über Bakunin oder Marx zu schwätzen, von denen du keine einzige Zeile gelesen hast. Du und deine ganze Mischpoke.«

»Sie irren sich, Verehrteste, Sie irren sich gewaltig. Ha! Das ist ein erneuter Beweis für Ihre jüdische Gehässigkeit, für Ihre Verlogenheit.« Die Stimme begann wieder zu zittern. »Ich habe die gesamten Jugendschriften von Marx und sein bahnbrechendes Werk, seine brillante Analyse der kapitalistischen Gesellschaftsordnung, ja, *Das Kapital*, meine Freunde, sehr wohl gelesen, ha! Ich habe damit mein Gehirn prall wie den Euter einer Ziege gefüllt.«

»Aber nichts verstanden, nichts verstanden! Da kannst du dich noch so sehr bemühen, der Verstand hat nichts gemein mit den Zitzen deiner Ziegen.«

»Meine Freunde, meine Freunde ... äh ... äh ...«

»Määäääh, määäääh, määäääh, määäääh.« Iza ahmte unter dem schallenden Gelächter der Gäste eine Ziege nach.

Als Sala am nächsten Morgen aufwachte, war es noch dunkle Nacht. Vorsichtig streckte sie ihre schmerzenden Glieder. Sie verspürte einen schalen Geschmack im Mund. In ihrer Armbeuge entdeckte sie einen blutunterlaufenen Fleck. Jemand schien ihr eine Spritze gegeben zu haben. Sie war in Madrid. In der Wohnung ihrer Mutter. Es roch nach Medizin. Auf dem Nachttisch stand ein Glas Wasser, daneben lag offen ein Tablettenröhrchen. In ihren Schläfen pochte es. Sie wusste nicht mehr, wie sie hierhergekommen war. Vorsichtig schob sie die Decke beiseite und setzte die Füße auf den Holzboden.

Als sie die Vorhänge aufzog, fiel ihr Blick auf eine sonnenhelle Straße, auf der Menschen geschäftig auf und ab wimmelten. Es war Tag. Sie öffnete das französische Fenster und atmete die Frühsommerluft ein. Verträumt lauschte sie dem Lärm einer einfahrenden Straßenbahn, während der Geruch von Teer und Asphalt ihre Sinne weckte. Es klopfte an der Tür.

»Wie geht es dir?« Ihre Mutter trat näher.

Sie wirkte weniger streng als gestern. Salas Angst war verflogen. Stattdessen strahlte sie mit einem Mal über das ganze Gesicht. Sie stürzte mit weit ausgebreiteten Armen auf Iza zu und ließ sie nicht mehr los.

»Was ist passiert?«, fragte sie unsicher, als sie sah, wie blass ihre Mutter war.

»Du bist ganz plötzlich bewusstlos vom Stuhl gefallen.« Unter ihren Augen erkannte Sala die Schatten einer schlaflosen Nacht.

»Hast du das öfter?« Sie setzten sich beide auf Salas Bett.

»Nein. Noch nie. Ich …«, Sala fühlte sich verunsichert, ohne zu wissen, warum.

»Zuerst konntest du plötzlich nicht mehr sprechen. Dabei …« Iza schwieg, als wüsste sie nicht, ob es der richtige Zeitpunkt war, darüber zu sprechen. »Es war wie damals in Berlin. Du hast mich mit großen Augen angestarrt, als wolltest du etwas sagen, aber dein Mund, du …«

Überrascht erkannte Sala, wie schwer es ihrer Mutter fiel, über diese Zeit zu sprechen, in der sie als Kind geschwiegen hatte.

In ihrem Kopf begann es sich wieder zu drehen. Ihre Mutter sah sie an. Da war er wieder, dieser stille Vorwurf, dieser anklagende Blick, dieser Zwang, sich zu erklären. Was sollte sie denn erklären? Warum wollten immer alle alles von ihr wissen? Was wusste sie schon selber? Nichts. Rein gar nichts. Das war nicht gut, was jetzt geschah, sie konnte es fühlen, es war falsch, alles wurde verkehrt. Sie sah den Zorn, den ihrer Mutter und ihren eigenen. Gerade noch waren sie beide traurig gewesen, aber nun waren sie wütend, und Sala fragte sich, wer nun als Erste schreien würde? Wo sollte sie hinlaufen in diesem Moment? Sie war hier fremd. Sie kannte die Wege nicht, nicht die Straßen und Plätze, auch die Sprache beherrschte sie kaum. Sie war es, die Hilfe brauchte. Sie. Plötzlich packte Sala ihre Mutter am Arm. Sie drückte so fest zu, wie sie konnte. Ihre Hände wurden weiß, ihr Atem ging schneller. Ihre Mutter saß reglos vor ihr.

»Was machen wir heute?«

Ihre Stimme stand laut und kraftvoll im Raum. Iza befreite sich vorsichtig aus der Umklammerung ihrer Tochter.

»Du bist etwas überspannt, mein Kind. Vielleicht ging das alles zu schnell. Dein Brief. Die Anreise. Zu viel auf einmal nach all den Jahren. Es war ein Fehler. Gut gemeint ist eben nicht gut.«

Sala fasste wieder nach ihrer Mutter.

»Wer war gestern zu Besuch?«

»Niemand.« Iza rückte von ihr ab.

»Aber ich habe doch Stimmen gehört. Ihr habt über Politik geredet.«

»Das musst du geträumt haben. Wahrscheinlich geistert dir Deutschland durch den Kopf.«

»Nein, nein, ihr habt über Franco und die Anarchisten geredet, ich habe es doch genau gehört.«

Izas Stimme hatte wieder zu ihrer gewohnten Festigkeit gefunden. Sie richtete sich auf und strich mit den Händen über ihren hellen Rock.

»Wahrscheinlich ist das Frühstück jetzt kalt. Aber Tortilla schmeckt auch so. Ich muss weg, wir sehen uns später.«

Im Bad versank Sala in ihrem Spiegelbild. Wie sie wohl auf andere wirkte? Otto hatte sie nie beschrieben. Auch ihr Vater nicht. Ihre Hände legten sich um den Waschbeckenrand, als wollte sie die Porzellanschüssel zerbrechen. Wieder schaute sie in ihr Gesicht. Es war angeschwollen und leuchtete rot, aber auch hier konnte sie kein Gefühl erkennen. Wer war sie? Die Tochter einer polnischen Jüdin, die ihren Mann verlassen hatte, ihren Vater, einen Bohemien, Anarchisten und Atheisten, wie seine Frau, die er immer noch zu lieben schien, er, der auch Männer liebte, der sich vielleicht auch in Tomás verliebt hatte? Sie, die Tochter eines gebildeten Protestanten, dem alles Kirchliche lächerlich erschien, die auf eine katholische Mädchenschule geschickt worden war und sich in einen kommunistischen Arbeitersohn aus dem dunkelsten Kreuzberger Hinterhof verliebt hatte; die – sie hatte es vom ersten Moment an gespürt – sich von dem Geliebten ihrer Mutter, einem zwanzig Jahre jüngeren Budapester Juden, der sich hier offenbar als ihr Bruder ausgab, also offiziell ihr Onkel war, beschämend angezogen fühlte; die in ihrem eigenen Land nur noch als halber Mensch galt, ohne auch nur das Geringste über ihr Judentum und seine Geschichte zu wissen; die noch vor wenigen Monaten eine glühende Nationalsozialistin werden wollte, enttäuscht, dass der Bund Deutscher Mädchen eine wie sie niemals aufnehmen würde. Wütend schlug sie mit der Faust auf ihr Spiegelbild ein und starrte in das zersplitterte Gebilde. Von ihrer Hand tropfte Blut auf weiße Fliesen. Triumphierend fühlte sie endlich Schmerz und sank erleichtert schluchzend zu Boden. Im Nebenzimmer wurde leise die Tür geöffnet. Jemand trat herein.

»Sala?«

Sie erkannte die helle Stimme von Tomás. Sie sprang auf und wusch sich eilig das Blut von der Hand. Es half nichts, es floss weiter aus ihr heraus. Sie wollte gerade rufen, da tauchte Tomás hinter ihr in dem zerborstenen Spiegel auf. Sie drehte sich schnell um, ihre Hand hinter dem Rücken verbergend.

»Ich … ich wollte eine … Kakerlake über dem Spiegel … ich wollte sie totschlagen und … wo ist das verfluchte Viech jetzt überhaupt?«

Sie ging auf die Knie und suchte mit übertriebenem Eifer unter dem Waschbecken.

»Kakerlaken gibt's hier einige. Sie klettern aus der Kanalisation durch die Wasserrohre hinauf. Unangenehme, äußerst flinke Mitbewohner. Ich werde einen Kammerjäger bestellen.« Er sah sie herausfordernd an. Sie lächelte verlegen. Auf einmal spürte sie, wie ungewöhnlich heiß es jetzt schon war.

»Ich würde dich gerne malen.« Sein Blick fiel auf ihre blutende Hand.

Sie sah zu ihm auf. Er stand immer noch in der Tür zum Badezimmer. Jetzt trat er einen Schritt näher. Sie bewegte sich nicht. Er trug eine dunkle, weite Hose, sein weißes Hemd war halb offen. Sie sah seine Haut. Seine Hände wirkten viel zu groß für den schmalen Körper.

»Wo ist meine Mutter?«

»Unterwegs.« Er beugte sich zu ihr herunter. »Komm.«

Er nahm sie an der Hand und führte sie schweigend durch die leere Wohnung. Wieder fielen ihre Augen auf die nackten Glühbirnen. Er öffnete die Tür zu einem lang gestreckten, leeren Raum.

»Mein Atelier.«

Er ließ ihr den Vortritt. Sie drehte sich durch den Raum wie durch einen Tanzsaal. Sie atmete den Geruch von Farbe und Terpentin. An der Wand standen mehrere angefangene Bilder, die Staffelei war leer. Tomás schloss die Tür.

Die Hufe eines mächtigen Stieres donnerten auf das Pferd zu. Der Reiter versuchte verzweifelt, dem kraftstrotzenden Bullen seine Lanze in die Nackenmuskulatur zu stoßen. Pfiffe gellten von den gefüllten Rängen. Alles, was sie sah, war für Sala verabscheuenswert, aber sie fühlte sich wohl auf ihrem Platz. Sie genoss dieses Schauspiel, zu dem ihre Mutter und Tomás sie überredet hatten.

»Der Picador versucht die Muskelstränge des Stiers zu

treffen, damit er den Matador später nicht mehr mit erhobenem Haupt angreifen kann«, erklärte Iza. Sie gehörte zu den Aficionados dieses Schauspiels. Plötzlich packte sie Salas verwundete Hand.

»Was ist das?«

Ehe Sala antworten konnte, sprangen die Menschen um sie herum von ihren Sitzen. Vereinzelte Schreie, lautes Raunen, Pfiffe und Gelächter.

Auch Sala war aufgesprungen. Unten in der Arena riss der Stier dem Pferd mit seinen gewaltigen Hörnern den Unterleib auf. Das Tier sackte unter seinem Reiter zusammen. Der Picador rettete sich mit einem Schwung aus dem Sattel über die hölzerne Balustrade, während die herbeieilenden Banderilleros versuchten, den wütenden Stier mit Schreien und mit ihren Capas, den Umhängen, von dem verletzten Pferd wegzulocken. Schnaubend fuhr der schwere Bulle herum und galoppierte nach kurzem Zögern auf die geschickt ausweichenden Banderilleros zu. Sie platzierten ihre Banderillas mit den spitzen Widerhaken in seinem Nacken. Sala schaute hin- und hergerissen von dem Stier zu dem verletzten Pferd. Es schabte an der Holzwand entlang, seine Vorder- und Hinterbeine knickten immer wieder ein. Aus seinem aufgerissenen Leib quollen die Gedärme, die das Tier wie eine riesige Nachgeburt hinter sich herschleifte. Es blieb nur das protestierende Geschrei der Masse, ein Tumult, für den Sala keine Erklärung wusste.

Nach einigen Minuten hatte sich alles beruhigt. Das Pferd war verschwunden, die Banderilleros hatten ihre Arbeit getan, alle warteten gespannt auf den letzten Akt, den Auftritt des Matadors. Zuerst war Sala enttäuscht. Er war von untersetzter Statur, seine einfachen Bewegungen wirkten desinteressiert. Sala verstand nicht, was vorging. Auch der

Stier wirkte verändert. Eine atemlose Stille breitete sich aus.

Sala sah, wie sich der Stier in einiger Entfernung vor dem Matador positionierte. Beide standen ruhig da. Aus dem Stand donnerte das Tier auf den Mann los. Sala fühlte die Erschütterung im Unterleib. Der Matador rührte sich nicht von der Stelle, als seien seine Füße in der Erde verwurzelt. Ruhig nahm er mit beiden Händen die Capa vor den Körper und bewegte sie im letzten Moment weich und sanft zur Seite. Der Stier schob seinen riesigen Kopf dicht an seinem Körper vorbei, hinein in das Tuch.

»Das kann nur Enrique, schau, seine Füße haben sich nicht bewegt.«

Iza fasste ihre Tochter an der verletzten Hand und drückte fest zu.

»Diese Bewegung nennt man Veronica, wie das Schweißtuch Jesu. Damit führt er den Stier so dicht wie möglich an seinem Körper vorbei. Wenn es perfekt ist, wirst du nachher das Blut des Tieres an seinem weißen Hemd sehen. Schau, noch eine und noch eine. Damit zeigt er, wie er den Stier kontrolliert. Und jetzt eine halbe Veronica zum Abschluss. Da. Perfekte Eleganz.«

Sala zuckte bei dem letzten Wort zusammen. Der Matador hatte den Stier mit dieser letzten Bewegung zum Stehen gebracht und wandte sich nun von ihm ab. Sein Hemd war knapp unter der Brust blutverschmiert.

Salas Kopf drehte sich leicht.

»Ich glaube, mir wird schlecht«, flüsterte sie.

»Nicht jetzt«, sagte Iza.

Ihre Stimme zwang Sala auszuharren. Tomás beobachtete die Frauen von der Seite.

Der Stier machte sich wieder zum Angriff bereit. Iza sah ihre Tochter an.

»Nur was wir verlieren können, verdient unsere ganze Liebe. Alles andere ist gepflegte Langeweile.«

Enrique vollführte eine Reihe von Veronicas, mit denen er den Stier auf engstem Kreis wenden ließ, bis er das erste Mal in die Knie ging. Dann entfernte er sich wieder. Die Menge tobte vor Begeisterung.

»Ich habe das Bild gesehen, das Tomás von dir gemalt hat.«

»Und?«

»Sehr hübsch.« Sie wandte sich mit einem Lächeln zu Tomás.

»Erzähl mir von deinem jungen Freund in Berlin, wie heißt er gleich?«

»Otto.«

»Richtig, Otto.«

»Er würde dir gefallen.«

»Muss er das?«

»Ich dachte, es würde dich freuen.«

»Du bist genau so ein Früchtchen wie dein Vater.«

»Es gibt weniger schmeichelhafte Vergleiche.«

»Wollte ich dir schmeicheln, würde ich seine besseren Eigenschaften heranziehen.«

»Was habe ich dir getan, dass du mich so hasst?«

»Es gibt zwei Dinge, die ich nicht ausstehen kann. Verlogenheit und Selbstmitleid.«

»Auf dein Mitleid könnte ich auch lange warten.«

»Mitleid gibt's umsonst an jeder Ecke, Neid musst du dir erst verdienen.«

»Ich dachte, das hätte ich gerade.«

Iza starrte sie wütend an.

»Luft«, dachte Sala, »Luft.«

Der Stier galoppierte mit gesenktem Kopf auf Enrique los. Durch eine Bewegung mit der scharlachroten Muleta zwang er ihn zum Stehen. Sie sahen einander in die Augen. Enrique hielt mit der linken Hand die rote Seite der Muleta direkt vor seinen Körper, während er den Degen mit der Rechten herauszog. Iza griff nach Salas Hand. Der Stier setzte zum Sprung an. Enrique schob sich zwischen seine Hörner, wich unmerklich zurück und stieß ihm den Degen bis zum Schaft zwischen die Schulterblätter.

»Mitten ins Herz«, sagte Iza trocken. Sie atmete aus.

Enrique wandte sich pietätvoll ab. Der Stier knickte zuerst ein, dann fiel er zur Seite, drehte sich auf den Rücken, seine Läufe trabten zuckend durch die Luft. Wie die Arme und Beine eines hilflosen Babys, dachte Sala. Von der Seite schaute sie in das Gesicht ihrer Mutter. Iza weinte.

16

»Dabei hätte *ich* allen Grund gehabt zu heulen. Na ja. Tant pis. Fürs Gewesene gibt der Jude nichts.«

Die Sonne war kaum aufgegangen, als es bereits wieder dunkelte. Die Schneeflocken tanzten vor dem Fenster im Dezemberwind. Mit einem verstohlenen Seitenblick griff meine Mutter blitzschnell nach den Plätzchen, die sie gerade für mich auf einen Teller geschüttet hatte. Ein Zimtstern, ein Dominostein und ein Schokoladenherz verschwanden in ihrem Mund. Ein kurzes Auflachen, ein Schulterzucken – niemand lebte so überzeugend die lustvolle Seite der Unvernunft wie sie. Schnell noch eine Handvoll Studentenfutter hinterhergeworfen, dann konnte man sich endlich über den Käsekuchen hermachen, den man im hintersten Küchenregal vor dem Zugriff des Pflegedienstes versteckt hatte. Ihre letzte Insulinration hatte sie vor einer halben Stunde bekommen, um achtzehn Uhr würde Schwester Barbara noch mal nach dem Rechten sehen und ihr die dritte Spritze »verpassen«. »Lerne leiden, ohne zu klagen.« Aus dem Mund meiner Mutter klangen selbst Kalendersprüche wie eine Punchline gegen das Schicksal.

Bilder von meinem ersten Besuch in Madrid tauchten vor mir auf. Ich muss ungefähr vier Jahre alt gewesen sein. Eine große, leere Wohnung. Nackte Wände ohne Tapeten, an denen vereinzelt dunkle Ölbilder hingen: tote Tiere auf einem rustikalen Tisch, katholische Würdenträger, ein mittelalterliches Kirchenschiff, Jesus am Kreuz vom göttlichen Licht erfasst, Krieger in blitzenden Rüstungen, ein Reiter, der seinen Speer in den Nacken eines Stieres treibt, ein Selbstportrait von Velázquez, ein kleines Hündchen. Die meisten dieser Bilder haben mich nach dem Tod meiner Großmutter Izalie, wie ich sie nannte, durch meine Kindheit und Jugend begleitet. Nichts verwies auf eine jüdische Tradition, außer den zwei sehr einfachen Chanukkaleuchtern, die ich heute noch besitze. Von der Decke baumelten Glühbirnen. Über Parkett und Sofa waren alte Kunstteppiche oder Brücken geworfen. Heute würde man die Einrichtung als minimalistische Bohème oder einfach als cool beschreiben. Damals sagten meine Eltern etwas schmallippig »sehr spartanisch«.

Vor der Fensterfront des Esszimmers dehnte sich ein Tisch mit vielen Stühlen aus den unterschiedlichsten Epochen bis zu seinem im Halbdunkel liegenden Kopfende, dem Stammplatz meiner Großmutter. In meiner Erinnerung nahm sie dort jeden Tag pünktlich um vierzehn Uhr schweigend ihr Mittagessen ein, perfekt frisiert und im Morgenmantel.

»Jeden Bissen achtunddreißigmal kauen, bevor man ihn runterschluckt.« Die mahnende Stimme meiner Mutter holte mich aus meinen Gedanken zurück nach Berlin.

»So wird man hundert. Das war ihr Motto«, fügte sie hinzu. »Wie alt sie wirklich geworden ist, weiß niemand. Sie hat ja regelmäßig ihren Pass gefälscht. Als sie im Sterben lag, fragte der Chefarzt, wie alt sie denn nun wirklich sei. Sie sah ihn zuerst empört an und murmelte dann: ›Um die neunzig, aber wer will das schon wissen?‹«

»Warum hast du sie damals besucht?«

»Kooomisch, ja.« Meine Mutter machte eine Pause, in der sie den Kuchenteller von sich wegschob, als würden ihr die Erinnerungen den Appetit verderben. »Weiß ich eigentlich nicht, ja?« Sie nestelte abwesend an ihrer Bluse herum. »Ich weiß auch nicht, warum ich nach Madrid geflogen bin, als sie im Sterben lag. Hatte sie mich gerufen? Keinen Schimmer. Na ja. Jeeedenfalls habe ich mich dann die letzten vier Wochen bei ihr einquartiert und der Krankenschwester gesagt, sie könne ruhig spazieren gehen oder sich um andere Patienten kümmern. Ich war ja ausgebildet und wusste, was zu tun war.«

»Habt ihr über früher geredet?«

»Ich glaube, eigentlich nicht. Nein. So genau erinnere ich mich auch nicht, weißt du? Meiiin Gott.« Sie lachte kurz auf. »Nach ihrem Tod habe ich dann ihre Diamanten und Brillanten in alten, gebrauchten Penicillinfläschchen gefunden, so Glasdinger. Zum Piiiepen. Sie war ja so geizig. Ganz anders als mein Vater.« Wieder zupfte sie an ihrer Bluse herum. »Sie hat mich immer wie eine Fremde behandelt. Als ich sie damals in Madrid besucht habe, kurz bevor ich nach Frankreich ausgewandert bin, stellte sie mich ihren Freunden als ihre Nichte vor. Nichte! Ja, du hast richtig gehört. Ein starkes Stück. Nichte.« Sie stand unvermittelt auf. »Mein Morbus Crohn meldet sich, bin gleich wieder da.« Sie verschwand in die Toilette.

Mein Blick wanderte über die Bilder meiner Großmutter, die jetzt in der kleinen Wohnung dicht an dicht, übereinander und nebeneinander, im Stil der Petersburger Hängung, die Vergangenheit näher an mich heranrückten. Ich sah mich auf einem blauen Babyelefanten durch den Park des Königspalastes in Madrid reiten. Vor der Brust einen goldenen Panzer, in der Linken ein Plastikschwert, dazu einen Ritterhelm, der meinen Kopf stolz in die Höhe wachsen ließ. Meine Schwester behauptete später, es habe nie einen Babyelefanten gegeben, schon gar nicht einen blauen, vielmehr sei sie es damals gewesen, die im Zirkus und nicht in einem Park, einen riesigen Elefanten allein durch die Manege führen durfte, während ich zu Hause bleiben musste. Unsere Mutter lachte über unsere Geschichten: Es habe tatsächlich einen Elefanten gegeben, aber weder im Zirkus noch im Park der Casa Real, nein, sie sei mit unserem Vater und Iza auf dem Weg zu einer Corrida, einem Stierkampf, dem ersten, bei dem der junge El Cordobés als Matador auftreten und den Stier erlegen durfte, von einem einzelnen, durch die Straßen streunenden Elefanten überrascht worden, der ein Verkehrschaos verursacht habe, übrigens völlig unbemerkt von unserem Vater und unserer Großmutter, die über irgendeine Nichtigkeit in Streit geraten waren.

Meine Augen ruhten jetzt auf dem Selbstportrait von Velázquez. Merkwürdig hingequetscht hing es neben dem altdeutschen Bauernschrank meines Großvaters. Im unteren rechten Bildrand leuchtete hell auf braunem Grund die Zahl 23. Das vermeintliche Original im Museo de Bellas Artes in Valencia, in dem exakt gleichen Format gemalt, führt an der gleichen Stelle die Inventarnummer 28 und verweist damit auf die Sammlung der Casa Real, den spanischen Königspalast. Immer wieder hatte meine Mutter auf kleine unregelmäßige Stellen hingewiesen, möglicherweise wurde die Leinwand durch Hitze beschädigt. Dann fügte sie gerne mit leicht gedeckter Stimme hinzu, dass im 18. Jahrhundert ein Flügel des Palastes gebrannt habe und viele Bilder von dem Königlichen Hofmaler Velázquez damals unrettbar zerstört wurden, aber eben nicht alle. Und dieses magische *nicht alle* gehörte fortan zum Fundus unseres Familienromans. Egal was geschah, zur Not hatten wir immer noch den Velázquez. Im Alter sagte meine Mutter in regelmäßigen Abständen zu meinem Vater, schlimmstenfalls könnten sie immer noch das Haus aufessen – die Architektur erinnerte tatsächlich an ein altes Hexenhäuschen. »Und wenn das nicht reicht …« – »Jaja, der Velázquez«, brummte mein Vater dann genervt.

Meine Mutter war ihr ganzes Leben darauf gefasst, von einem Moment zum andern alles zu verlieren. Menschen, Heimat, Besitz, Identität. Auswege zu denken war zu ihrer zweiten Natur geworden. Sie fürchtete keine Krisen, nur im Alltäglichen wuchs ihre Angst, trieb sie bisweilen ohne erkennbaren Grund in die Erstarrung. Dann wurde ihre Haut fahl, der Blick leer, der Körper fremd, alles wartete auf die nächste Katastrophe, den nächsten Ausweg. So wie ihr Bewegungsapparat nur Stillstand, Angriff oder Flucht kannte, gab es für sie auch keine mittlere Stimmungslage.

»So.« Sie kam von der Toilette, ließ sich in ihren grün bezogenen Lieblingssessel fallen und winkte mich hinüber zum Sofa. Über mir Mariä Verkündigung auf zwei Teilen eines gewebten Triptychons, dessen dritter Teil verschwunden war. Eine konventionelle, in ausgeblichenen Farben gehaltene Darstellung, die einen unförmigen Engel in fortgeschrittenem Alter vor Maria zeigte, dahinter zwei Kühe, die ausdruckslos auf die etwas zu fette Taube starrten, die sich auf Marias Schulter niedergelassen hatte.

»Na ja. Madrid war ein Reinfall, ein Reinfall bei Schaffhausen. Als sie mich dann abends nach dem Stierkampf noch mal zur Rede stellte oder, besser gesagt, mir wilde Anschuldigungen um die Ohren schlug, sagte ich: ›Einbildung ist auch eine Bildung‹, drehte mich um und wollte sie einfach stehen lassen. Sie packte mich, riss mich herum und schlug mir mit ihrer beringten Hand ins Gesicht. Mit dem Handrücken. Jaaa … Wir standen voreinander wie zwei dampfende Schlachtrösser. Ich saaage dir, mein liiieber Freund und Kupferstecher. Ich bin dann in meine Kemenate gegangen und habe meinen Koffer gepackt. Ein kurzes Intermezzo. Mehr nicht. Eigentlich überflüssig. Na ja.« Sie machte eine Pause. »Zurück in Berlin war mir alles fremd. Als würde mir alles durch die Finger gleiten. Kein Halt. Nirgends. Auch dein Vater nicht. Er versuchte alles Mögliche, um mich aufzuheitern, besorgte Theaterkarten, lud mich ins Konzert ein, obwohl ihn Musik, zu der man nicht tanzen konnte, nicht sonderlich interessierte. Er war ein fabelhafter Tänzer. Fabelhaft, sage ich dir. Aber je mehr er sich um mich bemühte, desto fremder wurde er mir. Ich wusste selbst nicht, warum.«

Sie lehnte sich erschöpft zurück. Nicht einmal der Kuchen auf dem Tisch interessierte sie. Sie versank schweigend in eine andere Welt. Was sie sah, schien sie stark zu bewegen. Ihre Pupillen weiteten sich, sie zog Augenbrauen und Schultern in die Höhe. Atmete schneller, ließ alles wieder fallen, kniff die Augen zusammen, als könnte sie nicht recht erkennen, was sich vor ihrem Inneren abspielte, dann wich sie mit dem Kopf zurück, als würde etwas oder jemand unerwartet auf sie zustürzen.

»Ho, ho, ho.«

»Was ist?«, fragte ich.

Sie schien mich nicht zu hören. Ich stand auf und ging unruhig auf und ab. Es fiel mir schwer, über mein Gefühl nachzudenken. Ich wusste nicht einmal, ob ich in diesem Augenblick überhaupt etwas fühlte. Ich schaute auf den Velázquez. Draußen hatte es aufgehört zu schneien. In meinem Rücken hörte ich den Atem meiner Mutter. Es war ein rhythmisch erstickendes Röcheln, ein Kratzen und Scharren. Ich blieb wie angewurzelt stehen. Und wenn sie jetzt in meinem Rücken stirbt, dachte ich. Es durchzuckte mich wie ein Blitz. Das Röcheln wuchs an. Dann riss es plötzlich ab. Mir stockte der Atem. Langsam drehte ich mich um. Das Röcheln hob wieder an. Gleich würde ich sie sehen, sie atmete noch, sie war noch nicht tot, sie lebte noch, meine

Mutter, die mich unter Schmerzen geboren hatte, die mich so oft verlassen hatte, wie ich es gar nicht denken konnte, verlassen, während sie kraftlos vor mir stand oder maskiert mit einer ihrer Perücken, verlassen in all den Momenten, in denen ihre Augen so leer, so still wurden wie der Tod, verlassen, wenn ich auf der Suche nach ihr so einsam wurde wie sie selbst. Jetzt endlich drehte ich mich vollends zu ihr um. Sie lächelte mich an. Hinter dem Fenster schob ein Mann mit seiner großen Schaufel den gefallenen Schnee zusammen. Sie holte tief Luft, während das rhythmische Kratzen der Schaufel hinter dem Fenster von Neuem anhob.

»Was guckst du denn schon wieder so? Da kann einem ja direkt unheimlich werden.« Sie lachte kurz auf. »Hast du noch Töööne.«

Sie hatte recht. Wir wurden einander unheimlich, je weiter wir uns in die Vergangenheit wagten. Was erwartete ich? Was störte mich an ihrem Vergessen, dass ich versuchte, ihm mit Reisen, Fragen und Bildern aus der Vergangenheit oder durch Deutungsversuche entgegenzutreten? Ich reagierte wie auf einen Widerstand, den ich nicht hinnehmen, nein, den ich in Wahrheit nicht ertragen konnte. Aber wir alle vergessen doch unaufhörlich, was ist so schlimm daran? Wir vergessen, was wir nicht wissen wollen oder können. Unser Vergessen ist unser Fensterkitt, der Mörtel zwischen den Steinen, die wir zu unseren tragenden Wänden türmen. Wir vergessen den Schmerz, weil die Erinnerung an unsere Verletzlichkeit zu bedrohlich ist.

»Möchtest du etwas Musik hören?«, fragte ich.

»Ach ja, das wäre schön.«

»Was denn?«

»Vielleicht die *Kindertotenlieder* von Mahler, die hörte mein Vater so gern.«

Ich fand in ihrem Musikschrank die Schallplatte. Es war

eine alte Aufnahme von Fischer-Dieskau. Als Jugendlicher hasste ich seinen gepflegten Bariton. Die Nadel kratzte über die hundertfach durchlaufenen Rillen, sie mischte ein wenig Leben in die überkultivierte Stimme. Meine Mutter lauschte mit geschlossenen Augen.

Nach einer Weile sagte sie: »Schön.«

Zu Hause lief ich mit den Hunden hinunter zum See. Der frische Schnee knirschte unter meinen Füßen. Ich näherte mich dem Ufer. Seit einigen Tagen war die Eisschicht immer dicker geworden. Jetzt schneite es nicht mehr. Der Himmel war sternenklar. Ab und zu ein Knacken, als würden Drahtseile reißen. Die Hunde rannten auf das Eis, sie tobten im Schnee, vorsichtig folgte ich ihnen. Unter mir ächzte es wie ein müde kreisender Esel, der tagein, tagaus das Wasser aus dem Brunnen ziehen musste. Ich dachte an die Tiere, die, vom Frost überrascht, eingefangen in ihren letzten Bewegungen, unter dieser dicken Schicht erstarrt waren. Ich flüchtete mich in Gedanken zurück, in die kleine Zweizimmerwohnung meiner Mutter, als die Kindertotenlieder noch spielten und sie zu erzählen begann, wie sie ihr Bett im Sterbezimmer ihrer Mutter aufschlug, wie sie sie wusch, jeden Morgen und jeden Abend und auch zwischendurch, wenn sie sich verunreinigt hatte. Sie prüfte den Tropf, tauschte die Kanüle aus, wechselte die Behälter, schob ihr die Wanne ins Bett, schleppte sie zur Toilette, säuberte sie, wischte den Boden, versuchte, sie zu füttern, strich ihr über den Kopf, wenn sie wütend ausspuckte, was ihr nicht schmeckte. Sie gewöhnte sich das Rauchen an, um ihre Müdigkeit zu bekämpfen, kümmerte sich nicht um ihre Hustenanfälle, ignorierte ihre Unterleibskrämpfe, schluckte allerlei Medikamente, um die tagelange, immer schmerzhafter werdende Verstopfung zu beheben. Sie ertrug den

Gestank schwindenden Lebens, die Sprachlosigkeit, die Kälte, den Hass. Wollte sie Iza mit ihrer Zuwendung strafen? Den Abgrund einer jahrzehntelangen mütterlichen Schuld vor ihren sterbenden Augen aufreißen, damit sie, im Angesicht des Todes, schaudernd hinabblicke, bevor die Dunkelheit sie auf ewig verschlingen sollte? Wie fein verläuft die Linie zwischen Liebe und Hass?

Es war, erzählte meine Mutter, ein ungewöhnlich heißer und stickiger Tag in Madrid. Das Licht überstrahlte den winzigen Raum, Izas Haar fiel mit dem Weiß der Bettdecke, des Kopfkissens, des Bodens, der Wände zusammen, allein ihre großen Augen belebten ihr fliehendes Antlitz, als sie sich zu ihrer Tochter wandte. Dabei fasste sie mit erstaunlicher Kraft nach ihrer Hand, bohrte die Fingernägel in ihren Unterarm, ihr Zwerchfell federte den Atem hoch zu den kaum noch schließenden Stimmbändern.

»Ich weiß nicht, wie lange das hier noch dauern soll, aber irgendwie scheine ich nicht zu sterben.«

Sala sah sie ruhig an.

»Du lässt ja auch nicht los.«

»Meinst du?«

Iza streifte ihre Tochter mit einem prüfenden Blick. Zärtlicher Spott huschte über ihr Gesicht. Dann drehte sie sich zur Wand und starb.

Ich stand wie angefroren mitten auf dem See. Die Dunkelheit fiel über mich her, als ich mich aus meiner Erstarrung löste. Unter dem Mond stürzten die Schatten der Bäume auf mich zu. Ich lief, so rasch ich konnte, zurück.

Zuerst war da der Geruch. Sie stand auf dem Bahnsteig des
Gare de Lyon. Paris duftete nicht so elegant, wie Sala es
sich vorgestellt hatte, es roch nach Arbeit und Asphalt. Sie
dachte an Otto. Er hatte sich um sie bemüht, aber es wollte
alles nicht helfen. Berlin war kein Ort mehr für sie. Und er
war kurz davor, sein Medizinstudium zu beenden. Er konnte sie nicht begleiten. Konnte er wirklich nicht? Oder wollte er nicht? Sie spürte ein spitzes Tippen auf ihrer linken
Schulter.

»Hallo, Kleines, wie war die Reise?«

»Lola?«

La Prusac, wie ihre Tante in Paris genannt wurde, trug
ein elegantes blassgelbes Kostüm aus fein gewebtem Stoff,
durchzogen von filigranen Goldfäden. Die durchgehenden
Bundfalten des knielangen Rocks, die nach oben breiter
werdenden Revers, die Taillierung eines Zweireihers, eine
leicht ironische Interpretation des männlichen Business-
anzugs, zeigten eine selbstbewusste Frau, die auch im Spiel
ihren Ernst nie verlor. Am oberen linken Revers steckte
eine smaragdgrüne Brosche, unter dem Jackett stach ein
blau in blau changierender Pullover aus feinstem Cashmere
hervor. Auf dem Kopf trug sie ein Bonnet, eine Art Pudel-
mütze, unter der ihr kinnlanges schwarzes Haar hervor-
schaute. Sie war vor etwas mehr als zehn Jahren von Émile-
Maurice Hermès persönlich eingestellt worden, zunächst
in der damals ungewöhnlichen Rolle einer »Anwältin der

Farbe«. In ihrer späteren Funktion als »modéliste«, entwarf sie 1929 die erste Damenkollektion für das Modehaus, kurz darauf die ersten Seidenschals für Frauen und in den frühen Dreißigern Handtaschen mit geometrischen Intarsien, inspiriert von dem niederländischen Maler Piet Mondrian. Zwei Jahre zuvor, 1936, dem Geburtsjahr von Yves Saint-Laurent, dem späteren Schöpfer der Mondriankleider, hatte sie ihre eigene Modeboutique in der rue Faubourg St. Honoré eröffnet.

»Hast du Hunger? Komm, wir gehen erst mal ins Deux Magots, um uns zu stärken. Bist du nicht … épuisée? Wie sagt man, mein Gott, mein Deutsch ist katastrophal geworden, je cherche mes mots, ich suche meine Worte, c'est pas possible. Wie ist dein Französisch? T'en fais pas, du wirst es lernen.«

Sala wäre am liebsten in die Luft gesprungen. Diese Frau gefiel ihr. Wie wenig glich sie ihrer Mutter! Alles perlte aus ihr heraus wie frischer Champagner.

»Na, lachen kannst du also, dann wird's mit dem Reden auch bald klappen. Du kannst doch inzwischen sprechen, oder? Mon Dieu, wie war deine Mutter schockiert, weil du als kleines Mädchen kein Wort hervorgebracht hast. Pas un mot, nicht einmal Mama, telegrafierte sie mir entsetzt aus der Schweiz. Wie geht es ihr? Ich habe ewig nichts von ihr gehört.«

»Ganz gut, glaube ich«, sagte Sala. Sie wollte nicht gleich von ihrem Zerwürfnis in Madrid erzählen, sie war froh, dass sie diese Etappe hinter sich hatte. Jetzt war sie hier. Paris.

»Du klangst gerade so wie sie. Zum Piepen. So sagt man doch in Berlin, n'est-ce pas? Zum Piiiepen.«

Sala zuckte innerlich bei dem Vergleich, beinahe hätte sie dem livrierten Herren auf die Finger gehauen, der ihr jetzt vor dem Gare de Lyon behutsam den Koffer aus der Hand nahm, um ihn im Gepäckraum eines pompösen Fahrzeugs verschwinden zu lassen.

»Merci, Charles«, sagte Lola, als sie durch die geöffnete Tür in das mit bordeauxfarbenem Leder ausgeschlagene Wageninnere schlüpfte. In Berlin kannte Sala niemanden, der einen eigenen Wagen fuhr, noch weniger einen mit Chauffeur.

»Gehört der dir?«

»Ja«, sagte Lola.

»Ich habe noch nie in so einem Wagen gesessen. Furchtbar schön«, sagte sie und juchzte vor Freude bei dem Gedanken, wie dekadent ihre Mutter diesen Auftritt wohl finden würde.

»Du wirst noch viel furchtbarere Dinge in Paris erleben, mein Kind, das verspreche ich dir. Wir werden eine waschechte Französin aus dir machen, tu verras.«

Allein die Autofahrt zum Deux Magots wurde zum Erlebnis. Salas Gesicht klebte an der Fensterscheibe, sie saugte im Vorbeifahren die kreuz und quer über die Straßen laufenden Menschen auf, die Häuser mit ihren unterschiedlichen Baustilen vom Mittelalter über die Renaissance bis zu den weiten Haussmannschen Boulevards des 19. Jahrhunderts. Das war keine Stadt, es war eine Welt. Alle bewegten sich anders, als sie es aus Deutschland kannte, Menschen küssten sich auf der Straße, lachten, sie wirkten auf natürliche Weise elegant, weniger theatralisch als die Spanier, spielerischer, aber zugleich ernst, nicht seriös, nein, sie waren sérieux. Selbst in diesem Wort lag noch ein Lächeln. Sala versuchte still »seriös« zu sagen und dabei zu lächeln, nein, es war unmöglich. Das ö zog die Lippen zu weit nach vorne, während ihr der accent aigu über dem französischen e bereits ein Lächeln ins Gesicht zauberte.

»Arrête ton cinéma, mon p'tit.« Lola schoss in das Café an der Place Saint-Germain, vorbei an dem pikierten Garçon, der ihr die Garderobe abnehmen wollte und verstohlen »Sie wünschen, Madame?« murmelte, während sie auf der Suche nach einem freien Tisch ein paar Gästen zuzwinkerte, die sie respektvoll grüßten. Sie nahmen am Fenster Platz. Gegenüber thronten zwei nahezu lebensgroße, aufwendig geschnitzte Holzfiguren über Eck unter der Decke. Lola folgte dem überraschten Blick ihrer Nichte.

»Les patrons«, sagte sie trocken.

Sala sah sie fragend an.

»Das sind die Chefs? Wirklich?«

Lola lachte leise.

»Merk dir eins, ma chère, Naivität wird hier nur goutiert, wenn sie echt ist, nein, das sind die Namensgeber, zwei chinesische Händler, früher war das hier eine Handelsniederlassung für fernöstliches, meist chinesisches Kunstgewerbe, auch die beiden Sitzfiguren stammen aus dieser Zeit.«

»Wieso heißt es auf Französisch ›arrête ton cinéma‹, das heißt doch so viel wie ›Mach kein Kino‹?«

»Wieso nicht?«

»Auf Deutsch sagt man: Hör auf mit dem Theater.«

»Hier war man schon immer etwas weiter.« Lola lachte. »Und seit die Juden das Land verlassen, dümpelt der deutsche Film kläglich vor sich hin«, fügte sie hinzu.

Der Kellner, den Lola beim Hereinkommen hatte abblitzen lassen, servierte den beiden Damen ein paar Austern. Sala gluckste begeistert.

»Wir haben doch gar nichts bestellt.«

Der Kellner schien ihre Verwunderung verstanden zu haben.

»Madame beginnt immer mit Austern«, sagte er, während er eine halbe Flasche Sancerre entkorkte.

»Der Mensch ist ein Gewohnheitstier, und ein Glas Sancerre belebt den Geist. Der Rest ist eine Mischung aus Sünde und Alibi.«

Sie prostete Sala zu, nahm einen kräftigen Schluck und schlürfte mit eleganter Gier eine Auster nach der anderen.

»Das reinste Aphrodisiakum, ma p'tite, und Robert schwelgt bei jedem Bissen in unanständigen Analogien.«

Sala sah sie fragend an.

»Muss ich deutlicher werden, oder brauchst du Nachhilfe in weiblicher Anatomie?«

Sala stürzte errötend ihr Glas Sancerre herunter und machte sich wortlos über die Austern her.

Nach dem casse croute, wie Lola das üppige Mittagessen nannte – sie hatten zu der auf einem Gemüsebett gedämpften Dorade eine weitere halbe Flasche Sancerre getrunken –, ließ Lola sich in der rue Faubourg St. Honoré, Hausnummer 93, direkt vor ihrem Modegeschäft absetzen.

»Allez, viens, komm auf einen Sprung mit rein, ich zeige dir meine neue Kollektion. In einer halben Stunde kommt Wallis, dann fährt dich Charles nach Hause, und Célestine zeigt dir dein Zimmer.«

»Wer ist Wallis?«, fragte Sala. Hatte die Türglocke ihre Frage übertönt, oder ignorierte ihre Tante indiskrete Fragen?

Beim Eintreten konnte Sala zunächst ihre Enttäuschung nicht verbergen. Was immer sie erwartet hatte, dieser kleine Raum in gebrochenem Weiß war es sicherlich nicht gewesen. Die karge Sachlichkeit schien in der Familie zu liegen, auch hier baumelte eine nackte Glühbirne von der Decke. Lola blitzte sie herausfordernd an.

»Wer was im Laden hat, kann es sich leisten, nicht alles im Schaufenster zu zeigen, ma p'tite.«

Aus dem hinteren Teil der Boutique, wo sich vielleicht die Umkleidekabinen befanden, wie Sala mutmaßte, waren zwei zurückhaltend gekleidete Assistentinnen herbeigeeilt, um die Chefin und ihren Gast zu empfangen.

Auf einen Wink folgte Sala ihrer Tante in einen schmalen Gang, der in ein nur wenig größeres Hinterzimmer führte. Vor der Wand stand ein einfacher Spiegel auf einem rollbaren Metallgerüst, die anderen Wände waren durch Schranktüren unterteilt, in der Ecke stand eine mit flaschengrünem Samt bespannte Recamière, daneben ein feiner runder Tisch aus hellbraunem Holz. Sala bemerkte, wie sich ihre Silhouette sanft von der Umgebung abhob. Gerade wollte sie etwas sagen, da öffneten sich wie von unsichtbarer Hand die Türen, und was sie preisgaben, verschlug Sala den Atem. Vor ihren ungläubigen Augen tat sich eine fremde Welt auf, Farben, wie sie sie noch nie gesehen hatte. Gelb, Grün, Rot, Blau, aber nicht Gelb, Blau, Grün oder Rot, wie man es allerorten sah und kannte, jeder Ton lebte auf seine Weise, als wäre er durch Lolas Hand zu neuer oder zu seiner eigentlichen Bestimmung erweckt worden. Die Frische lud zum Herantreten ein, näherte man sich jedoch, stellte sich einem der Stoff entgegen, als wollte er rufen: Schau mich an, bevor du mich berührst! Sala fühlte, wie ihr ein leiser Schauer über den Rücken jagte.

»Wallis.«

»Hello, dear.«

Die Stimmen rissen sie aus ihrer kontemplativen Ruhe Sie sah sich um. Sie stand allein in dem kleinen Raum. Die Schränke waren wieder verschlossen. Durch die halb offene Tür entdeckte sie im Flur Lola mit einer aufrechten, energischen Frau, deren Schönheit Sala erschrocken zurückweichen ließ. Die Tür flog auf, die schlanke Dunkelhaarige streckte ihr burschikos die Hand entgegen.

»Bonjour, mon petit.« Die amerikanische Färbung war unverkennbar. Ma petite, dachte Sala, stammelte ihren Namen und machte zum ersten Mal in ihrem Leben einen Knicks. Der Ton ihrer Tante klang kühl in ihren Ohren nach.

»La duchesse de Windsor.«

18

Robert war charmant. Einen Professor für Biologie hatte Sala sich ganz anders vorgestellt. Célestine führte Sala vorbei am beeindruckend großen Entree, vorbei an der salle à manger, dem salon und der bibliothèque, durch einen schier endlosen Korridor, von dem verschiedene Schlafgemächer mit ihren eigenen Bädern abgingen, bis zu dem großzügigen Gästezimmer, ihrem neuen zu Hause. Sala freute sich auf das erste gemeinsame Abendessen, als ihr Blick verzückt an einem viereckigen Tuch hängen blieb, das Lola, wie Célestine in höflicher Zurückhaltung anmerkte, extra für ihre Nichte bereitgelegt hatte. Als Sala es abwechselnd um Hals und Schultern legte, um damit vor dem Spiegel zu paradieren, vernahm sie ein diskretes Klopfen an ihrer Tür.

»Sala?« Die weiche, dunkle Stimme sprach ihren Namen mit dem scharfen französischen S, Sala, genau wie le sang, das Blut, dachte sie. Das klang zupackender als im Deutschen. Und während sie beim Öffnen der Tür noch sinnierte, warum man der deutschen Sprache jeden Wohllaut absprach und ob ihr Name im Französischen nicht härter klang, schaute sie überrascht in das schmale Gesicht eines kleinen, fast grazilen Mannes, der fünfzig Jahre alt sein mochte, vielleicht auch jünger. Er trug eine graue Flanellhose, dazu ein mauvefarbenes Hemd unter einer dunkelblauen Weste, beides aus doppelt gewebter Cashmerewolle, an den Füßen Hausschuhe aus rotem Samt und auf der Nase eine runde Hornbrille, hinter deren vom fortwährenden Putzen abgestumpften Gläsern seine Augen wissbegierig funkelten.

»Robert.« Er streckte ihr seine große Hand entgegen, die so kräftig wirkte, als würde er damit eher Bäume fällen, als dünne Glasplättchen unter ein Mikroskop zu schieben. »Wie war die Reise?«

Sala fiel ihm um den Hals. Alles, was sie seit ihrer Ankunft gesehen hatte, schien ihr so vertraut, wie die Landschaften aus früher Kindheit, die man nach langer Abwesenheit wieder aufsucht. War sie wirklich zum ersten Mal in dieser wundervollen Stadt? Sie konnte es nicht glauben.

»Beeindruckend.«

»Ihr Französisch klingt fast perfekt, ma chère, die Sprachbegabung muss von den Prusacs kommen, wir Franzosen, sind ja immer noch überrascht, dass nicht die ganze Welt so spricht wie wir. Selbst die Juden, die allerorten multilingual sind, sprechen hier bestenfalls ein recht mediokres Englisch. Grauenhaft.« Er lachte schallend. Auch seine Stimme war sehr viel tiefer, als Sala es seinem schlanken Körper zugetraut hätte.

»Mein Deutsch ist miserabel, si vous avez besoin de quoique ce soit, wenn Sie irgendetwas brauchen, ich bin in der bibliothèque.« Er legte ihr sanft die große Hand auf die Schulter und küsste sie links und rechts auf die Wange. Noch nie war ihr jemand in so respektvoller Distanz nahegekommen, und diese Mischung aus Deutsch und Französisch klang wirklich charmant, als würde sich das Beste aus beiden Welten zu einem neuen Klang vermählen.

»Robert, würden Sie mir bitte die Butter reichen?«

Sala versuchte sich ihre Überraschung nicht anmerken zu lassen. Hatte sie sich verhört, oder hatte ihre Tante ihren Mann gerade gesiezt?

»Voilà, ma chère. Haben Ihre Kundinnen Ihnen heute etwas Luft zum Atmen gelassen?«

Tatsächlich. Blieb das vertrauliche Du nur ihr oder ganz allgemein der Herkunftsfamilie vorbehalten?

»Ich habe den ganzen Nachmittag mit Wallis verbracht. Sie wird immer anspruchsvoller und fordernder. Andererseits, zwei Tage im Monat mit ihr, und ich könnte auf alle anderen Kundinnen verzichten.«

»Ihr Freund Charlus hat eine Nachricht hinterlassen …«

»Lieber Freund, bitte nennen Sie ihn nicht so.«

»Immer auf der Suche, der Baron.«

»Robert, Eifersucht steht Ihnen nicht.«

Sie lächelten einander flüchtig zu. Was für eine Vertrautheit, dachte Sala. Noch in der Eifersucht gewährte Robert seiner Frau so viel Raum, dass dieses beschämende Gefühl eher ironisches Zitat als besitzergreifende Geste zu sein schien. Aber wer war Charlus? Und warum sollte Robert ihn nicht bei diesem Namen nennen?

Nach dem frugalen Mahl wurde von Célestine ein prächtiger Obstteller serviert.

Sala war noch hungrig, das bisschen foie gras und die wenigen Scheiben geräucherten Fischs waren ihr wie ein vorzügliches Nichts erschienen, ein amuse-gueule vielleicht, oder eine Vorspeise. Die französische Prusac war wohl ebenso spartanisch wie die mütterliche Prussak in Madrid, eleganter, gewiss, aber satt wurde man davon auch nicht. Sala griff nach dem zweiten Apfel, als Lola sie sanft bremste.

»Non, non, du kannst so viel Obst nehmen, wie du magst, aber nie zweimal von dergleichen Frucht, ma p'tite, man könnte sonst annehmen, du seist gierig.«

Erschrocken legte Sala den verbotenen Apfel zurück auf den Teller.

An den nächsten Tagen erlief sie sich ohne rechtes Ziel

ihre neue Heimat. Pflichtbewusst und in Gedanken an ihren Vater verbrachte sie jeden Vormittag zwei Stunden im Musée du Louvre, schlenderte am Seineufer vorbei an den Bouquinisten, durchstöberte den Marché aux Puces, schrieb sich voller Ehrfurcht als Gasthörerin in Lettres und Histoire de l'Art an der Université Paris Sorbonne ein.

»Warum siezt du dich mit Robert?«

Sala und Lola saßen in der Mittagssonne auf der Terrasse des Bistro Chez Laurent. Das erste Glas Sancerre versetzte sie in prächtige Laune. Salas Augen flogen hungrig über die Speisekarte. Die Lebensmittelrationierung schien hier nicht zu gelten. Sala entschied sich für Jakobsmuscheln in Anissoße, Lola nahm einen plat de crudités.

»Seine Eltern würden es nicht verstehen, wenn wir uns duzten, Robert kommt aus einer sehr alten französischen Familie. Am Anfang habe ich mich ein wenig schwer damit getan, mais on s'y fait très vite, man gewöhnt sich dran. Es ist ein Schutz vor der Vulgarität, in der die meisten Ehen enden. En plus, man hat immer das Gefühl, den anderen gerade erst kennenzulernen. Ein nicht zu unterschätzender Vorteil, das wirst du noch sehen. Heute trennen sich die Leute doch, weil sie glauben, einander zu gut zu kennen. Et bien, im Gegenteil. Eines Tages wirst du es verstehen und an mich denken.«

Während des Essens fasste sich Sala ein Herz und fragte nach Charlus, dem Mann, nach dessen Befinden sich Robert beim ersten Abendessen etwas spitz erkundigt hatte.

»Iza war auch immer so neugierig.« Lola lachte mit erhobenem Zeigefinger.

»Ist er wirklich ein Baron?«

Lola winkte ab.

»Nein, Robert will mich damit necken. Der Baron de

Charlus ist eine Figur von Marcel Proust, in der er seine eigenen perversen oder auch lustvollen Anteile nachgezeichnet hat. Das ist ihm so gut gelungen, dass man seither in Frankreich von einem Charlus spricht, wenn es jemand mit Männern auf besonders bunte Art treibt. Ist dein Vater nicht auch ein Charlus?«

Sala errötete.

»Lies Proust, ma p'tite, dann verstehst du vieles besser. Alain ist Bildhauer, er arbeitet auch für die Maison de la Monnaie. Ich habe ihn vor ein paar Jahren bei Hermès untergebracht, damit ich ihn regelmäßig sehen konnte. Und ich sehe ihn immer noch. Zwei Männer so verschieden wie Feuer und Wasser.«

»Und was ist Robert?«

»Wasser.«

Beide schütteten sich aus vor Lachen.

»Ist Robert nicht eifersüchtig?«

»Er ist vor allem großzügig und wahrscheinlich auch ein kleines bisschen eifersüchtig.« Sie lachte wieder. »Was wäre das Leben ohne ein Fünkchen Eifersucht? Liebe braucht auch immer wieder einen kleinen stechenden Schmerz, sonst schmeckt sie zu sehr nach Bratkartoffeln.«

Was Otto jetzt wohl machte? Warum hatte sie sich das bisher nicht gefragt? Er sah gut aus, wenn auch etwas klein geraten. Dafür könnte er jede Frau zum Lachen bringen. In seinen Armen flog man zu jeder Musik über jedes Parkett, und im Bett war es auch nicht anders. Frauen erkannten so etwas schnell.

»Das würde ich auf Dauer nicht aushalten.«

Lola musterte sie spöttisch.

»Ich doch auch nicht.«

19

Die ersten drei Monate waren verflogen. Schon November, dachte Sala, als erwachte sie aus einem kurzen Traum. Sie schob den Vorhang beiseite. Draußen verdampfte der Morgentau, als wollte der Sommer zurückkehren, um ein letztes Mal elegante Frauen in Lolas neuen Farben auf die Straßen zu locken.

Als wenig später der siebzehnjährige Herschel Grynszpan an diesem Morgen des 7. November an dem gemächlich seinen Morgenspaziergang antretenden Botschafter Johannes von Welczeck vorbeieilte, rasch die Stufen unter dem Portikus der deutschen Botschaft im Palais Beauharnais hinauflief, aufgeregt einen Botschaftssekretär zu sprechen verlangte und von der Frau des Portiers an den Sekretär Ernst vom Rath verwiesen wurde, dann aber vom Amtsgehilfen Nagorka ohne weitere Formalitäten ins Arbeitszimmer vom Raths geleitet wurde, wo Grynszpan sofort mit einem »sale boche« und dem Hinweis, dass er im Namen von zwölftausend verfolgten Juden handle, aus seinem am Tag zuvor für 235 Francs erworbenen Revolver fünf Schüsse abfeuerte, von denen einer das Brustbein des Botschaftssekretärs traf und ein zweiter dessen Unterleib, schlenderte Sala, Lolas carré d'hermès über den Schultern und eine, wie sie dachte, herrlich extravagante Sonnenbrille auf der Nase, vom französischen Parlament kommend Richtung Osten, vorbei an der Residenz des Botschafters, zur Gare d'Orsay, dem berühmten Bahnhof, der im Jahr 1900 zur Weltausstellung gebaut und eröffnet worden war. Während sie ihren Erinnerungen nachhing und die ein- und ausfahrenden Züge beobachtete, wurde Herschel Grynszpan festgenommen. In der Manteltasche hatte er eine Postkarte, auf der ihm seine Schwester in großer Angst von einer Zwangsdeportation Tausender polnischer Juden aus dem Reich berichtete, zunächst in das Niemandsland zwischen Deutschland und Polen, wenige Tage später in ein Lager in der Nähe von Bentschen, westlich von Posen. Sie flehte ihren Bruder in panisch dahingekritzelten Zeilen an, möglichst umgehend Geld über den Onkel Abraham von Paris nach Lodz zu schicken, um schnelle Hilfe zu ermöglichen.

Sala liebte Bahnhöfe. Das Quietschen der Züge wirbelte Bilder vom Monte Verità, Berlin und Madrid durch ihren Kopf. Iza, Otto, Sala, Jean. Merkwürdige Menschen, dachte sie. Vertrieben von ihren Vätern, von der Mutter verlassen, den gefallenen, unbekannten Vater im Herzen. Wie wohl ihre Großeltern in Lodz aussehen mochten? Sie beschloss, Lola noch diesen Abend nach Fotos zu fragen.

Das Aufheulen einer Polizeisirene mischte sich in die Gleismusik. Der minderjährige Herschel Grynszpan wurde in das Jugendgefängnis Fresnes in der Nähe von Paris überstellt. Der Untersuchungsrichter Tesniere setzte noch am selben Tag eine Klage wegen versuchten Mordes auf, die, zwei Tage später, nach dem Tod vom Raths, in Mord mit Vorsatz umgewandelt wurde. Zuvor hatte Adolf Hitler seinen Leibarzt Karl Brandt sowie den Chirurgen Georg Magnus nach Paris geschickt. Sie allein übernahmen die Behandlung und Versorgung des Patienten, der überraschend schnell verstarb.

Am Abend des 10. November servierte Célestine Lola und ihrem Mann Robert in der Bibliothek ihren täglichen Dry

Martini, den sie auf Lolas Weisung wie immer aus 5 cl feinstem London Dry Gin und 1/2 cl Vermouth mixte, als Sala mit frisch geröteten Wangen hereinstürmte.

»Une menthe pour Mademoiselle?«

Sala nickte. Die Betroffenheit in den Gesichtern war ihr nicht entgangen. Mit gesenktem Kopf verschwand Célestine. Jetzt erst bemerkte Sala die Zeitungen, die über den Boden verstreut lagen. In den Schlagzeilen tauchten immer wieder der Name Grynszpan, die Kristallnacht sowie Hitler, Goebbels, Göring und Himmler auf.

Sala kniete sich neben ihre Tante und begann zu lesen. Joseph Goebbels hatte bereits am 8. November den Juristen Friedrich Grimm nach Paris entsandt, um die Interessen des Deutschen Reiches im Prozess gegen Grynszpan zu vertreten. Gemeinsam mit französischen Anwälten übernahm Grimm die Nebenklage im Namen der Eltern und des Bruders vom Raths. Auf diesem Weg, mutmaßte ein Kommentator, wollte Goebbels nachweisen, dass die jüdische Weltverschwörung hinter dem Mord stecke und mit diesem Attentat Deutschland in den Krieg treiben wolle. Die Verwüstungen und Schändungen von Synagogen, jüdischen Betstuben, Versammlungsräumen, Geschäften, Wohnungen und Friedhöfen, die ihren Höhepunkt in der Nacht vom 9. auf den 10. November als Reichspogromnacht erfuhren, hatten bereits am 7. November in Kurhessen und Magdeburg-Anhalt begonnen. Sie erstreckten sich über das gesamte Deutsche Reich. Sala griff nach der nächsten Zeitung. Empört beschrieb der Journalist die Perfidie, mit der SA, SS, aber auch Mitglieder der Gestapo und der Hitlerjugend, verkleidet als scheinbar normale Bürger, in Windeseile den Virus des Volkszornes verbreitet hatten. In einem anderen Blatt wurde ein hoher Funktionär des Propagandaministeriums aus dem Völkischen Beobachter zitiert:

»Die Schüsse in der deutschen Botschaft in Paris werden nicht nur den Beginn einer neuen deutschen Haltung in der Judenfrage bedeuten, sondern hoffentlich auch ein Signal für diejenigen Ausländer sein, die bisher nicht erkannten, dass zwischen der Verständigung der Völker letztlich nur der internationale Jude steht.« An anderer Stelle hieß es, »Hunderte Juden ermordet oder in den Suizid getrieben«. Die Buchstaben verschwammen vor Salas Augen. Sie müsste jetzt weinen, dachte sie, aber sie fühlte nichts. Dumpf starrte sie auf das Muster des Art-déco-Teppichs, auf dem sie saß. Wenig später saßen sie bei Tisch. Es gab Seezunge.

»Bravo, Célestine, man schmeckt das Meer«, sagte Robert. »Ein großes Essen«, fügte er in sachlichem Ton hinzu. Seine Stimme verhallte einsam im eleganten Esszimmer, bis man nur noch das Kratzen des Bestecks auf den Tellern hörte. Sala bekam keinen Bissen hinunter. Nach dem Essen gingen sie wortlos zu Bett.

Sala lag noch wach. Seit wann starrte sie an die Decke? Sie wusste es nicht. In ihrer Linken hielt sie einen Brief von Otto. Er schrieb von Berlin, von den letzten Ereignissen und wie sehr sie ihm fehle. Woran hatte sie bei seinen Zeilen gedacht? Was auch immer es gewesen sein mochte, es war verschwunden, als wäre es nie da gewesen. Hin und wieder hatte sie wohl mit dem Gedanken an eine Rückkehr gespielt. Vorbei. Ab morgen würde hier in Paris ihr neues Leben beginnen. Sie hatte über Nacht ihre Heimat verloren.

20

Sala studierte an der Sorbonne Französisch und Spanisch. Sie beherrschte bald beide Sprachen akzentfrei und wurde weder als Deutsche noch als Jüdin erkannt. Paris war ihre neue Heimat geworden. Mit Lola ging sie ins Français, das Theater von Molière, wie man hier die Comédie Française nannte. Sie besuchte Ausstellungen und Konzerte, half ab und zu im Laden aus, lernte Lolas Künstlerfreunde kennen, Colette, Cocteau und Jean Marais.

Zwei Jahre vergingen. Die Welt geriet aus den Fugen, aber die Sonne scherte sich nicht darum. Die deutschen Truppen marschierten unter blauem Himmel in Paris ein. Die Regierung verabschiedete sich nach Vichy, Marschall Pétain unterzeichnete den Waffenstillstand. Auch in Frankreich gab es nun Lebensmittelkarten, auch hier wurde Freiheit ein knappes Gut.

»Der deutsche Wegbegleiter – Wohin in Paris?«, las Sala auf dem Titelblatt des Hefts, das ein Soldat auf dem Nachbartisch liegen gelassen hatte. Sie begann neugierig darin zu blättern. »Für die meisten unter uns ist Paris unbekanntes Land. Wir nähern uns mit den gemischten Gefühlen der Überlegenheit, der Neugierde und fiebrigen Erwartung. Allein der Name ruft Besonderes hervor. Paris – unsere Großväter haben es in dem Krieg gesehen, der den deutschen Königen die kaiserliche Krone sicherte. Paris – das Wort aus ihrem Mund klang geheimnisvoll und außergewöhnlich. Jetzt sind wir dort und durchwandern es in unseren freien Stunden. Fußgänger und Automobile werden ohne Unterlass von der rue Royale verschlungen und wieder ausgespuckt, die Champs-Élysées, der Arc de Triomphe, die Concorde, die Madeleine, die großen Boulevards und die herrlichen Vitrinen der luxuriösen grands magasins, der parc Monceau, die Place de la République, der Friedhof Père Lachaise. Alles ist möglich für uns Soldaten, in die Oper gehen, in die Theater auf den großen Boulevards oder die Folies-Bergère. Wir brauchen keinen Baedeker, wir erkennen die Schönheit dieser Stadt auch so. Und inmitten des zarten und einfachen Lebens dieser Stadt der Lichter erwacht in unserem deutschen Wesen nur eine Devise: Verfalle nicht in Sentimentalitäten. Dies ist das Zeitalter des Stahls. Richte dein Auge auf klare und sichere Ziele. Und sei bereit für den Kampf.« Während Sala über derartige Plattitüden verärgert den Kopf schüttelte, flog die Tür auf. Zwei angetrunkene deutsche Soldaten stolperten herein und ließen in breitbeiniger Manier ihre Augen durch das Bistro schweifen, als gehörte ihnen das Lokal bereits. Ihr Blick blieb an zwei jungen Frauen hängen, auf deren Tisch sie zusteuerten. Sie bauten sich grinsend davor auf.

»La place ici ... c'est libre ... chez vous, Madame?«, fragte der eine leicht vorgebeugt, um äußerste Höflichkeit bemüht, und erklärte seinem Kameraden, dass er gerade gefragt habe, ob der Platz neben den Damen frei sei. Die Französinnen rührten sich nicht. Während die Jüngere auf die Tischplatte starrte, schaute die Ältere ihnen unvermittelt ins Gesicht, was der Dicke als Einladung deutete.

»Merci.«

Er winkte einen Kellner herbei und machte, ganz Mann von Welt, eine kleine kreisende Handbewegung.

»Champagne, s'il vous plait.« Dabei musterte er die beiden Damen aufmunternd.

Ein paar Minuten später hielt sein Kamerad, ein zu schnell hochgeschossenes, flachsblondes Klappergestell, den Moment für gekommen, zur Tat zu schreiten. Er trommelte mit unschuldigem Blick auf dem Tisch herum. Kurz, lang, lang – kurz, lang – kurz, kurz, kurz – …

»Morsezeichen«, flüsterte eine fremde Stimme Sala ins Ohr. Sie drehte sich ertappt um. Am Nebentisch saß ein gut aussehender Mann. In seinem eleganten hellgrauen Zweireiher erinnerte er sie an Cary Grant. Wie er trug er das dichte Haar mit ein wenig Pomade nach hinten frisiert. Unverschämt weiße Zähne strahlten sie aus einem breit grinsenden Gesicht an. Bevor sie fragen konnte, begann er zu übersetzen.

»Was denkste von den zwei Schaluppen? Lohnt sich ein Angriff?«

Sala wusste nicht, ob sie fluchen oder losprusten sollte.

Kurz, kurz, kurz – lang, kurz, lang, kurz – lang, lang, kurz – lang …

»Und?«, flüsterte Sala.

»Sind zwei rechte Schnepfen, was?«

Sala unterdrückte beim Anblick der Mädchen mühsam ein Kichern. Der Spargel klapperte munter weiter, was Cary Grant mit »Ran an die Buletten« übersetzte, derweil der Dicke wieder sein Glück auf Französisch versuchte, indem er fragte, ob die Damen etwas zu essen wollten.

»Voulez-vous quelque chose manger?« Seinem Akzent nach schien er aus Bayern zu kommen. Offenbar traute er seinem Schulfranzösisch nicht ganz und untermalte das Gesagte mit umständlichen Gesten.

»Irgendwie kann man sich gar nicht vorstellen, dass das eine Siegermacht sein soll«, flüsterte Cary Grant.

Sala rutschte unruhig hin und her. Sie musste plötzlich auf die Toilette, wollte sich aber das Spektakel nicht entgehen lassen. Als die beiden Schönen nicht bereit schienen, auf die Avancen zu reagieren, räusperte sich der dünne Lange, füllte seine schmale Brust mit Luft, um zum Angriff überzugehen, als er plötzlich und zu seiner großen Verblüffung die Hände der jüngeren Frau, die so schüchtern dreingeschaut hatte, auf den Tisch trommeln hörte: lang, kurz, kurz, kurz – kurz, lang, kurz, kurz – lang, lang, lang, kurz – …

»Die Dummheit ist auch eine Gabe Gottes«, übersetzte Cary Grant trocken, während die beiden jungen Frauen aufstanden und sich, ohne eine Miene zu verziehen, fordernden Schrittes an den errötenden Soldaten vorbei zum Ausgang bewegten.

»Dämliche Schnepfen«, fluchte der Dünne.

Cary Grant lachte ungeniert drauflos. Die beiden Soldaten fuhren erschrocken herum.

»Die einen verstehen das Morsealphabet, die andern die deutsche Sprache. Das feindliche Ausland ist voller Gefahren«, sagte er.

Die Soldaten murmelten etwas vor sich hin und beeilten sich, anschließend, den Ort ihrer Niederlage zu verlassen.

»Verzeihen Sie meinen Überfall, mein Name ist Hannes Reinhard, von der Deutschen Presseagentur. Darf ich Sie zum Abendessen einladen?« Er verneigte sich leicht.

»Und wenn ich verabredet bin, Herr DPA?«

»Dann wären Sie nicht neben mir sitzen geblieben.«

»Das ist ja wohl eine Unverschämtheit.« Sala stand auf, packte ihre Sachen zusammen und lief zur Tür. Hannes holte sie draußen ein. Es regnete in Strömen. Schnell spannte er einen Schirm auf, den er sich im Herausgehen gegriffen hatte.

»Ist das ein ›Vielleicht‹?«

»Das ist ein Nein.«

»Sie kennen das französische bonmot?«

»Sie werden es mir bestimmt nicht vorenthalten.«

»Wenn eine Frau ›Nein‹ sagt, meint sie ›Vielleicht‹; sagt sie ›Vielleicht‹, heißt das ›Ja‹…«

»Und wenn sie ›Ja‹ sagt?«

»Dann ist sie eine Schlampe.«

Sala starrte ihn mit offenem Mund an, dann brach sie in schallendes Gelächter aus.

»Wir könnten auch ins Theater gehen und danach eine Kleinigkeit essen. Haben Sie Jouvet in der *Schule der Frauen* schon gesehen? Er soll hinreißend sein.«

»Ich liebe Jouvet.«

»Ich habe Zugang zur Presseloge.«

Er bot ihr seinen Arm. Als sie gemächlich durch den Regen schlenderten wie unter strahlendem Sonnenschein, parlierte Hannes fröhlich drauflos.

»Vorgestern traf ich meinen guten Freund Pierre Renoir, der mag den Jouvet gar nicht und erzählte mir diese Geschichte: Im Conservatoire gibt Jouvet regelmäßig Schauspielunterricht. Seine beißende Kritik ist gefürchtet. Neulich soll er einem seiner Eleven mitten in einer Szene beim Vorsprechen zugerufen haben: ›Hören Sie um Gottes willen auf, der arme Molière würde sich im Grabe umdrehen, wenn er hören könnte, was Sie aus seinen Texten machen.‹«

Sala hielt sich erschrocken die Hand vor den Mund.

»Oh nein, der Ärmste.«

»Der Ärmste war nicht auf den Mund gefallen, er trat an die Rampe und erwiderte: ›Na, wenn er Sie gestern Abend in *Die Schule der Frauen* gesehen hat, dann liegt er ja jetzt wieder richtig.‹«

Prustend gingen sie weiter, bis sie in die rue Boudreau im 9. Arrondissement einbogen und vor dem Théâtre de L'Athénée standen.

Hannes drehte sich zu Sala.

»Und?«

»Ja – und wehe, Sie sagen jetzt Schlampe.«

Nach der Vorstellung saßen sie in einem kleinen Bistrot, nicht weit von der Place Pigalle. Le Garde Temps. Der Kellner servierte unaufgefordert zwei Gläser Kir Royal, als entrée eine Tarte mit rotem Zwiebelkompott, danach kurz gebratenes Kabeljaufilet mit einem Teller »carottes oubliés« und golden gerösteten Ofenkartoffeln, dazu einen Puligny-Montrachet. Sala wagte nicht zu fragen, was um Himmels willen vergessene Karotten sein mochten, aber sie schmeckten nach verlorenem Paradies und vergessener Kindheit. Den krönenden Abschluss gab eine »chantilly caramel«, begleitet von einem Glas tiefgoldenem Sauternes. Allein dafür verzieh sie Hannes den langen Fußweg, auf dem er ihr den mühsamen Werdegang Jouvets durch die französische Provinz ebenso plastisch schilderte wie die früh gescheiterten Versuche im Tragischen eines bis heute berühmten Komödianten aus dem 17. Jahrhundert. Immer wieder blieb er stehen, um ihr vorzuspielen, wie jener Tropf bei seinen redlichen Versuchen, die Verse Corneilles oder Racines zu deklamieren, ins Stottern geriet, bis er erkannte, dass er geboren war, die Menschen zum Lachen zu bringen.

»Jean-Babbbaptiste Popopoquelin«, sagte er und mit einer tiefen Verbeugung, ohne zu stottern, »oder einfach Molière.«

In den nächsten Tagen zeigte er ihr die andere Seite von Paris. Die kleinen Lokale der Arbeiter, in denen man ausgelassen zum Valse Musette tanzte, die Stände, an denen man morgens um vier bei Schweinsfuß und Sauerkraut neben Huren und Zuhältern einen Weißwein schlürfte, während Paris langsam erwachte. Sie lasen gemeinsam Gedichte von Apollinaire, er erzählte ihr von Breton, Buñuel und Salvador Dalí, und dass die Surrealisten seinen Namen spottend zu »avida Dollars«, dem Geldgierigen, verdrehten. Wie ihr Vater konnte er Stunden vor einem Bild sitzen oder stehen, redend, lachend, ebenso frei wie brillant assoziierend. Er nahm einen Gedanken, warf ihn in die Luft, schaute ihm versonnen nach, neugierig, wohin er fallen mochte, falls er ihn nicht im nächsten Augenblick, wie ein Taschenspieler, aus dem fragenden Blick seiner begeisterten Zuhörerin wieder hervorzauberte, gleich einem blinden Passagier, der in sehnsüchtiger Ungeduld darauf wartete, entdeckt zu werden.

Dann war er plötzlich verschwunden.

Kein Wort des Abschieds, keine Erklärung, kein Brief. Er fehlte ihr so sehr, dass sie es morgens kaum schaffte, aufzustehen, einen Tag zu beginnen, den er nicht mit seinem schallenden Lachen begrüßte. Wohin sie sah, trugen die Menschen das gleiche Gesicht stumpf durch die Stadt. Das Blau des Himmels wirkte kraftlos, die Sonne kalt, die Straßen verloren. Sie sah den Krieg. Aber er rührte sie nicht. Warum hatte er sie so plötzlich verlassen? Was hatte sie falsch gemacht?

In der dritten Woche klopfte sie zaghaft an seine Tür. Er öffnete, stand vor ihr, in einem abgetragenen Morgenmantel, die Augen verschattet, das Gesicht eingefallen. Sie erkannte ihn kaum. Schweigend trat sie ein. Er brühte ihr einen Tee. Beide ließen sich an einem kleinen runden Tisch nieder, jede Geste, jeder Blick sparsam bemessen, als gelte es, die Kostbarkeit des Augenblicks vor jedem Überfluss zu schützen. Sie sah ihn an, erschrak über die Schwermut in seinen Augen, seine Hände glitten durch ihr Haar, ihre Körper prallten aufeinander, gingen zu Boden, wälzten sich, wie Tiere im Schlamm, ohne Rettung, verloren. Sie schrien, weinten, sie schlugen sich, fremdes Blut auf immer fremder werdenden Lippen, die nie mit, nie ohne den anderen sein könnten, ewig suchend, ohne je zu finden, ohne Halt, das Ende dem Anfang schon eingeschrieben, lachend, wie nur Verzweifelte es tun. Sala rannte barfuß durch die Nacht. Wenn das Liebe war, wollte sie ihr nie wieder begegnen, nie wieder ohne sie sein.

Drei Wochen später klopfte Célestine an ihre Tür.

»Ein junger Herr wartet im Entree.«

»Hat er sich nicht vorgestellt?« Was sollte sie tun, wenn sie im nächsten Moment vor Hannes stehen würde? Sie wussten doch beide, dass ihre Liebe ganz und gar unmöglich war. Wenn man das, was sie miteinander erlebt hatten, überhaupt so nennen konnte. Konnte man das? Sie wusste es nicht. Sie strich sich unschlüssig durch die Haare. Eine merkwürdige Lethargie, eine Müdigkeit kroch in ihr hoch. Am liebsten würde sie sich wieder hinlegen. Sie fühlte sich erschöpft.

»Hat er seinen Namen genannt, Célestine?«

Célestine nickte knapp.

»Otto.«

Sala griff sich unwillkürlich an die Brust. Für einen Moment dachte sie, ihr Herz würde aufhören zu schlagen. Im nächsten Augenblick pochte es so wild in ihrem Hals, dass sie fürchtete, daran zu ersticken.

»Aus Berlin. Sie wüssten schon.«

Unangekündigte Herrenbesuche schien Célestine nicht zu schätzen. Sala sprang auf.

»Sagen Sie ihm, ich komme sofort. Nein, sagen Sie ihm … ich … es dauert, ich bin gleich da. Ach, Sagen Sie nichts.«

Célestine schüttelte missbilligend den Kopf. Kaum hatte sie die Tür geschlossen, rannte Sala zu ihrem Schrank. Ihre Hände flogen über die Kleider. Das grüne musste es sein, ja das grüne würde ihm gefallen. Wie kam er so überraschend nach Paris? Ohne jede Ankündigung. Sie schlüpfte in das knielange, eng taillierte Kleid aus Lolas neuester Kollektion. Das hätte er doch wenigstens telegrafieren können, nein müssen. Wo war er überhaupt die letzte Zeit gewesen? Sie wusste ja nichts. Rein gar nichts. Was war sie auch für eine blöde Kuh. Eiskalt hatte sie ihn abserviert, wenn sie es recht bedachte. In seinen Briefen kein Vorwurf, keine Fragen. Wie sah sie überhaupt aus? Sie hatte doch nicht etwa zugenommen? Sie warf im Vorbeigehen einen prüfenden Blick in den Spiegel. Nein. Oder? Wovon denn? Erschrocken blieb sie stehen. Mein Gott, ihre Haare. Wann war sie denn das letzte Mal beim Friseur gewesen?

Sie flog durch den Korridor. Was würde sie ihm sagen, wenn er nach ihrem Leben fragte? Nein, Hannes würde sie nicht erwähnen. Auf keinen Fall. Wozu auch? Einmal ist keinmal. Außerdem waren Otto und sie kein Paar mehr. Er würde es wissen. Er wusste alles. Er war so klug, so großzügig, so fantasievoll.

Kurz bevor sie das Entree betrat, hielt sie inne. Hatte sie sich verändert? Sie würde es an seinem Blick erkennen. Mit beiden Händen fächelte sie sich Luft zu. Ihr wurde schwarz vor Augen, als müsste sie im nächsten Moment umfallen. Nicht aufregen. Einfach auf ihn zugehen. Nichts übereilen. Am besten würde sie ihm die Hand geben. Sich ihm sofort an den Hals zu werfen, wäre nun wirklich unpassend. Zitternd setzte sie einen Fuß vor den anderen.

Er saß auf dem Louis-Seize-Stuhl neben der großen Flügeltür, die ins Wohnzimmer führte. Gott sei Dank waren Lola und Robert nicht da. Jetzt sah sie auch, warum Célestine den Kopf geschüttelt hatte. Otto trug seine Wehrmachtsuniform. Ein deutscher Soldat in einem jüdischen Haushalt. Er war aufgestanden, als sie hereingekommen

war. Sie flog in seine Arme. Sie würde ihn nie wieder los-
lassen, egal was Gott, egal was Hitler, egal was Célestine
dazu sagen mochten.

21

»Er blieb nur einen Tag und eine Nacht. ›Ein Augenblick gelebt im Paradies, wird nicht zu teuer mit dem Tod gebüßt‹. Schiller, oder? – Jedenfalls musste er am nächsten Morgen schon wieder zurück.«

»Wohin?«, fragte ich.

»Na wohin, wahrscheinlich an die Front, so genau weiß ich das nicht mehr, ja? Er war inzwischen Arzt beim Roten Kreuz. Hat niemanden im Krieg getötet. Immerhin. Er war dann jedenfalls weg. Ich dachte ja, ich würde ihn in ein paar Tagen wiedersehen. Tja, falsch gedacht.« Sie schwieg. »Und dann, na jaaa, dann gab es diesen Befehl, jaa? – Alle Juden oder auch Deutsche, die aus Deutschland geflohen waren, mussten sich beim Vélodrome d'Hiver einfinden. Le Vel d'hiv. – Ich kann dir sagen … mein lieber Freund und Kupferstecher …«

Auf dem Band folgte eine lange, schier endlose Pause.

»Was hast du gemacht?«, hörte ich meine eigene Stimme in einem fremden, um Sachlichkeit bemühten Ton die Stille zerschlagen. Meine Mutter ließ sich nicht beirren. Sie folgte ihrem eigenen Weg, in ihrem eigenen Rhythmus. Zehn Minuten Schweigen. Es stand mir frei, sie für meine eigenen Bilder zu nutzen.

Hannes Reinhard tauchte auf. Ein einziges Mal bin ich ihm begegnet. In Frohnau. Ich war vielleicht fünf Jahre alt. Ich holte ihn ab, mit meinem Fahrrad preschte ich zu dem kleinen Hotel, in dem er mit seiner Frau für eine Nacht

Quartier bezogen hatte. Ich wusste nichts. Nur: »Übermorgen kommt Hannes mit seiner Frau. Eine Heldin.« Das war's. Nicht mehr, nicht weniger. Er war mir vom ersten Augenblick an suspekt. Die Mikrosignale waren angekommen, auch wenn ich sie nicht deuten konnte. Sie kamen zur Tür herein. Hannes breitete die Arme aus. Er lachte laut den Namen meiner Mutter. Dann küsste er sie auf den Mund. Meine Augen flogen zu meinem Vater. Ich verstand sein Gesicht nicht. Meine Mutter hatte wohl auch noch »Hör auf!« gerufen, aber sie hatte dabei gelacht. Ihre Stimme holte mich jetzt wieder zurück.

»Lola hat mir abgeraten, dorthin zu gehen. Aber in Paris bleiben konnte ich auch nicht. Grand malheur de Caque. Aaaber, Lola hatte ihre Beziehungen und so bekam ich eine Adresse in Marseille. Dort würde man mir weiterhelfen.«

»Wie?«

»Na, du stellst Fragen. Ausreisepapiere oder so, was weiß ich denn? Ein Visum und ab nach Amerika. Freiheit und Abenteuer. Also habe ich meine Sachen in eine Tasche gepackt und bin zum Bahnhof. Ach ja, und mit mir kam Arlette. Die musste eigentlich gar nicht mit, sie war ja Französin, also nicht direkt ›Indésirable‹, aber eben Jüdin, auch nicht mehr ganz so wohlgelitten. Eigentlich haben die Franzosen die Juden ja nie gemocht, aber sie waren immerhin tolerant. Arlette kam also mit. Und was soll ich dir sagen? Irgendwann ging das mit den Zügen nicht mehr so … was weiß ich, jedenfalls haben wir uns dann … wir … also auf der Landstraße haben wir dann … hat uns dann so ein Lastwagenheini mitgenommen. Der war eigentlich ganz nett. Also ich hab Schlimmere gesehen, wenn du weißt, was ich meine.«

Ich wusste es nicht, beschloss aber, nun nicht mehr mit Fragen zu unterbrechen.

»Ja. Und irgendwann muss der dann aber doch Lunte

gerochen haben und kam uns komisch. Nein, nein, nein, Bürschchen, habe ich mir gedacht, ich such mir meine Männer immer noch selber aus, und beim nächsten Bahnhof habe ich ihn höflich gebeten, uns wieder rauszulassen. Das war in … in … ach, ich weiß es nicht mehr. Und dort ist es dann passiert.«

»Was?«

»Was?«

Hatte ich zu unbedacht nachgefragt?

»Nein, nichts.«

»Nichts? Na, da bist du aber auf dem Holzweg. Ich sage dir, was passiert ist. Alles war gut, ja? Wir sind los, per pedes, versteht sich, der Zug war ja nur Ausrede und dann, nach einer geschlagenen Stunde, sagt Arlette plötzlich … na, was sagt sie? – Sagt, sie habe ihre Tasche am Bahnhof stehen gelassen. Ja gibt es denn so was? Lässt die einfach ihre Sachen stehen und liegen? Mitten im Krieg! Na ja, nun wollte sie unbedingt zurück, ihr Schmuck, ihr Geld, ein Bild ihrer Eltern, was weiß ich. Gehen wir eben zurück, habe ich gesagt. Du kennst mich. Ich lasse niemanden im Stich. Mitgefangen, mitgehangen. Ja. Und so kam's dann auch. Kaum waren wir am Bahnhof, wurden wir festgenommen und getrennt verhört und … tja, ich habe sie nie wiedergesehen. Der Lastwagenheini muss uns verraten haben.«

Ich saß vergraben in die hinterste Ecke unseres Sofas. Neben mir das große Bogenfenster. Draußen fiel Schnee. Dicke, sechsarmige Kristalle legten sich auf den gefrorenen Rasen. Ich versuchte, sie mir hundertfach vergrößert vorzustellen, wie sie bei hohem Aufwind durch die Erdatmosphäre taumelten, aufschmolzen, um neue, weniger symmetrische, vielleicht auch komplexere Mischformen zu bilden. Auf meinem Schoß lag mein Mobiltelefon. Ich vergrub mich in die Aufnahmen und hörte die Stimme meiner Mutter über den Kopfhörer.

»Allez, vite, vite.«

Aus ihrer Erzählung wehte mir der wilde Duft von Olivenhainen entgegen, das tröstende Gefühl einer über jedes Leid erhabenen Natur.

Hinter ihr lag Paris, lagen zerstörte Hoffnungen, während sie mit anderen Frauen, eingepfercht wie bei einem Viehtransport, auf der offenen Fläche eines Lastwagens aus dem Rhônetal gebracht wurde. Vorbei an Äckern, Wiesen, und lachenden Häusern im Morgennebel, hinein in die dunkle Trostlosigkeit eines drei Kilometer langen Lagers, Baracke dicht an Baracke, Brett fest an Brett genagelt, keine einzige Pflanze, nur Regen, Schlamm und die fragenden Gesichter ausgehungerter Frauen hinter Stacheldraht, die ihnen zuriefen: »Woher kommt ihr?«

Hinter der Regenwand glitzerten die Pyrenäen.

Andere hatten über Sala entschieden, auch ihre neue Heimat hatte sich ergeben. Wieder hatte sie die Herrschaft über ihr Schicksal verloren. Während sich ein düsterer Schleier über sie und die anderen Frauen legte, fühlte sie sich, nicht von den Franzosen, nein, wohl aber von ihrem neuen Staat verraten. Indésirable. Unerwünscht, heißt es auf Deutsch, aber in dem französischen Wort désir klingt das Begehren an. Der Mensch mag es ertragen, nicht erwünscht zu sein, aber nicht begehrt zu werden, bedeutet verdammt zu sein. Wie konnte man ohne begangenes Unrecht in die Hölle geworfen werden?

Herausgerissen aus ihrer schützenden Gemeinschaft, wurden die Frauen von der Ladefläche des Lastwagens in eine ungewisse Zukunft abkommandiert. Die Sprache des Lichts und der Freiheit klang hier ebenso kalt wie auf einem deutschen Kasernenhof.

»Suivez-moi.«

Die Frauen packten ihre Taschen, Koffer und Säcke, um einer drahtigen kleinen Frau durch den aufgeweichten Matsch zu folgen. Mit ihren antreibenden Befehlen peitschte Madame Frévet sie zu Baracke 17.

Die Baracke befand sich inmitten eines mit Stacheldraht umzäunten Blocks, dem Ilot. In jeder Baracke lebten sechzig Frauen, tausend in jedem Ilot, neunzehn bis zwanzigtausend im gesamten Lager. Jede dieser Baracken war etwa fünfundzwanzig Meter lang und fünf Meter breit. Ein mit alter Dachpappe gedecktes Satteldach, alle vier Meter eine kleine Luke mit aufstellbaren Holzklappen, keine Fenster.

Die Tür wurde aufgestoßen. Erschöpft stolperten die Frauen hinein. Auf jeder Seite lagen dreißig Strohsäcke. Keine Decken, kein Tisch, keine Bank, kein Stuhl, kein Geschirr, nicht einmal ein Nagel, um seine Habseligkeiten aufzuhängen.

Eine rundliche, groß gewachsene Frau kam ihnen entgegen. Sie begrüßte Madame Frévet, die ihr eine Liste in die Hand drückte.

»Demain matin.«

Die Surveillante machte leicht schwankend auf dem Absatz kehrt und verließ die Baracke.

»Soyez les bienvenues, ich bin die Sabine.«

Sie war die Verantwortliche in der Baracke, wirkte aber recht umgänglich. Sie wies jeder ihren Strohsack zu, auf den sich die Frauen fallen ließen, froh, für einen Augenblick die müden Glieder auszustrecken.

»Le diner est à six heures.«

Sala kuschelte sich in den Cashmeremantel von Lola. Sie hörte die Stimme ihres Vaters. Ihre Augen fielen zu.

Fliegen krabbelten gierig über Salas Gesicht. Ihre verklebten Augen öffneten sich zuckend zu Schlitzen. Mit den ersten Sonnenstrahlen breitete sich eine stinkende Hitze in der Baracke aus. Zu den Fliegenschwärmen gesellten sich jetzt die Stechmücken auf der Suche nach ihrem Frühstück. Die Frauen hingen matt herum, streckten ihre blutarmen Glieder. Es wurde geflüstert, um den Neuankömmlingen noch etwas Ruhe zu gönnen. Sala blickte zum ersten Mal in das Gesicht ihrer Nachbarin. Ein hübsches Gesicht, ein bisschen verloren, dachte sie, aber nicht verkehrt.

»Comment tu t'appelles?«

»Sala. Et toi?«

»Solange. Mais tout le monde m'appelle Mimi.«

»Mimi?« Sala sah sie überrascht an.

»Nom de guerre, erklär ich dir später. Hast du Hunger?«

Und ob Sala Hunger hatte. Ihr Magen meldete sich krampfartig, während sie noch darüber nachdachte, was Mimi wohl mit »nom de guerre« gemeint haben könnte und wie beruhigend ihr südfranzösischer Akzent klang. Mimi kam aus Marseille. In Paris hatte sie sich anfänglich ihren Lebensunterhalt im corps de ballet der Folies Bergère verdient.

»Eine schöne Karriere«, sagte sie lachend, aber dann kam die Liebe und mit ihr das Verhängnis.

»Ich habe mich immer in Schufte verliebt. Je gemeiner sie zu mir waren, desto mehr habe ich sie geliebt.«

Ihr Lachen war von entwaffnender Offenheit. Dieses Mädchen wirkte trotz allem, was Sala in den nächsten Minuten staunend erfuhr, wie eine engelsgleiche Unschuld. Von den Folies Bergère war sie durch Antoine in einen Nachtklub geraten. Dort verdiente sie besser, musste aber auch lernen, den unterschiedlichsten Kunden, die Antoine ihr zunächst als gute alte Bekannte vorstellte, zu Diensten zu sein.

Als sie merkte, dass er noch andere Pferdchen in seinem Stall hatte, gab sie ihm einen Tritt, schnürte ihren Rucksack, den ihr ein alter Seemann in Marseille nur für ihre schönen Augen geschenkt hatte, und suchte ihr Glück auf der Straße.

»Und dann wurde aus dem tanzenden Schwan eine Bordsteinschwalbe.«

Sie ging auf den Strich und war stolz darauf. Die anständigen Frauen, von deren Unzulänglichkeiten sie allzu regelmäßig hörte, ahnten ja nicht, wie viele Ehen durch ihren Berufsstand gerettet wurden. Sie unterteilte die Frauen in zwei Kategorien: Die einen wollten einen braven Mann, der sich bald als langweilig und glitschig entpuppte, die anderen warfen sich einem Filou an den Hals, beide in der stolzen Gewissheit, sie und nur sie würden diese missratenen Hurensöhne im Handumdrehen in tapfere, treue Ehemänner verwandeln. Und so küssten und küssten sie, aber Frösche blieben Frösche, Frauen wurden Kröten, und Prinzen und Prinzessinnen gab es nur im Märchenland.

»Männer sind eine Katastrophe«, sagte sie ernst und schickte noch ein schelmisches »immer« hinterher. Aber sie könne beim besten Willen nicht verstehen, warum Frauen, die ja bekanntlich ein Faible für Katastrophen und Tragödien hätten, immer wieder ihrer eigenen Doppelmoral zum Opfer fielen. Nähme man die Männer in ihrer ganzen Unzulänglichkeit an, dann lebe es sich bedeutend besser.

»Was muss, das muss.«

Und bloß keine Illusionen, damit teere man nur den Weg zur Hölle. Das Thema war für sie beendet. Mit einem knappen »viens« nahm sie die verdutzte Sala bei der Hand. Ja, sie sei zu allem Unglück auch noch Jüdin, versicherte sie ihrer neuen Freundin, als sie über den von der Sonne getrockneten Schlamm kraxelten, unter dem die Feuchtigkeit immer wieder hochsuppte.

Erst kein Glück, und dann kommt auch noch Pech dazu, dachte Sala, als sie vor den Latrinen standen. Mimi hielt die Reihenfolge »erst scheißen, dann waschen« für lebenswichtig. Sala würde spätestens beim ersten Regenguss begreifen, warum.

»Im Schlamm!«, sagte sie in indigniertem Ton und geriet über den leider Gottes schwulen Schauspieler Louis Jouvet ins Schwärmen, der diesen Satz in seiner Rolle als Pfarrer zum geflügelten Wort gemacht hatte. »Dans la boue!« Mit großer Geschicklichkeit ahmte sie den Tonfall Jouvets und das Waten im Schlamm nach. Bei Regen galt es, alle unnötigen Gänge zu vermeiden. Eine ältere Dame, die, aus Scham, sich vor den anderen zu entblößen, immer als Erste am Waschtrog stand, sei durch das ständige Hin und Her zwischen Waschtrog und Latrine eines Tages im Schlamm stecken geblieben und unbemerkt verreckt. Der morastige Boden im Lager sei einer der Kreise der Hölle, die der gute Dante vergessen habe zu erwähnen. Nein, sie habe Dante nicht gelesen, aber ein Kunde aus besseren Zeiten, ein ganz entzückender, vornehmer Herr, der immer nach Rosenblättern roch, konnte so schön davon erzählen. Dass sie dabei seinen Hintern mit einem Rohrstock traktieren musste, habe den Geschichten keinen Abbruch getan. Je mehr es schmerzte, desto leidenschaftlicher erzählte er. Wer den Schmerz nicht kenne, würde die Schönheit nie verstehen. Diese und viele andere Weisheiten verdanke sie ihm.

»Er war ein richtiger Papa.«

Er entstammte einer alten, sehr ehrwürdigen Familie, deren Stammbaum bis vor die Französische Revolution zurückreichte, manche seien sogar geköpft worden. Sie lächelte stolz. Sala strahlte sie an. So müsste man die Seeräuber-Jenny aus der *Dreigroschenoper* spielen, dachte sie. »Bärchen«, wie Mimi ihn nannte, war nicht nur vornehm und wohlhabend, er verkehrte auch in den höchsten Regierungskreisen, er kannte sie alle, sogar den Maréchal Pétain, nickte sie ehrfürchtig, deswegen habe er sie ja auch gewarnt, aber sie sei leider zu dumm gewesen oder zu selbstsicher, was ja wohl keinen großen Unterschied mache, jedenfalls nicht in diesen Zeiten.

»Wer hat Papier?«, schrie plötzlich eine Stimme neben Sala.

»Mein Arsch«, schallte es rau zurück.

»Schlampe«, lachte die erste mit deutschem Akzent.

»Selber«, lachte Mimi zurück.

Die Geschichten ihrer neuen Freundin halfen Sala, die Peinlichkeit der öffentlichen Latrine zu ertragen. Die baufällige Holzkonstruktion verdeckte vorne nur bis zur Hälfte die acht Aborte. Meter für Meter ein kreisförmiges Loch in den Holzplanken, darunter eine Tonne. Den Hintern frei in der Luft, stand oder hockte man, ohne Rückwand, die vor neugierigen Blicken schützte. Sechs Stufen führten auf den Laufsteg des Palastes, wie Mimi den Pfahlbau nannte, zwei Gespenster auf dünnen Stelzen, jeweils an den Außenseiten der Ilots errichtet und nicht zum Verweilen einladend.

»Warum bist du nicht geflohen?«

»Ich hatte meinen Gerd.«

Und dieser Gerd sei sehr anständig gewesen. Außerdem ein Bild von einem Mann, der im Gehen immer kleine Geschenke hinter ihrem Schminkspiegel versteckte. Gepflegt und diskret und vor allem sehr schnell bei der Sache. Zur Tür herein, ausziehen, anziehen und dazwischen »zack-zack«, ein Küsschen links, ein Küsschen rechts, und weg war er. Alles in allem nie länger als eine schnell gepaffte Zigarette. Und immer waschen, vorher und hinterher. Da würde man bei den Franzosen ganz andere Sachen erleben.

»Beim Waschen?«, fragte Sala.

»Bei allem.« Und er habe ihr sein Ehrenwort als Offizier gegeben, dass ihr in Paris nichts passieren könne. Sie war zwar Jüdin, aber doch Französin und den französischen Juden, hieß es, würde nichts passieren. Das war nämlich, als sie ihre Siebensachen schon gepackt und das Schäferstündchen abgesagt hatte, und ein deutscher Offizier, der musste es ja wissen, besser als ein französischer Graf jedenfalls. Na ja, am Ende alles dieselbe Mischpoke, wenn es darum ging, die Ladung loszuwerden. Kaum war er zur Tür heraus, klingelte es. Wahrscheinlich hat er etwas vergessen, habe sie gedacht und halb nackt die Tür geöffnet, aber da stand kein schmucker Gerd, da platzte die Sûreté herein, »allez hop«. Eine jüdische Hure und Französin, die sich dazu mit einem deutschen Offizier eingelassen hatte. Wahrscheinlich obendrein noch Kollaborateurin. Was die ihr nicht alles an den Kopf warfen. Sie sei eine Schande für ihr Vaterland. Sie kannte ihren Vater zwar nicht, wusste aber genau, dass er, genau wie die auch, nur einen Schwanz in der Hose hatte, und mehr als ein Lächeln würde es nicht brauchen, um diese Knaben um den Finger zu wickeln. Aber da kannte sie nichts: Wer sie in ihrer Ehre als Französin beleidigte, der bekam ihren ganzen Stolz zu spüren. Dann lieber gleich den Kopf unter die Guillotine. Auf dem Kommissariat sei es dann noch viel schlimmer gekommen.

»Sie sind deutschstämmig.« Der Kerl habe sie angebellt wie ein boche, wie eine deutsche Holzkugel. Sie sei Französin, habe immer in Frankreich gelebt, und nur weil sie auf den Strich gehe, ließe sie sich nicht beleidigen. Dann habe er ihr ihren Pass unter die Nase gehalten.

»Geburtsort: Aix-la-Chapelle. Sie sind in Deutschland geboren, in Aix-la-Chapelle.«

Natürlich sei sie in Aix-la-Chapelle geboren, deswegen müsse er sie noch lange nicht anschreien. Sie verstand nicht, was er von ihr wollte. Mimi sah sie traurig an. Woher sollte sie wissen, dass Aix-la-Chapelle der französische Name für die deutsche Stadt Aachen war? Möglicherweise war ihr Vater Deutscher gewesen oder auch nicht, in ihren Papieren stand »père iconnu«, Vater unbekannt. Jedenfalls war sie jetzt für die Franzosen eine deutsche Jüdin.

Mit etwas flauem Magen stiegen sie die Stufen vom Abort hinunter. Genau wie ich, dachte Sala: von einem Tag auf den andern plötzlich eine jüdische Deutsche. Ihre Lippen zitterten.

»Gott sei Dank bin ich nur halbjüdisch«, erklärte sie Mimi, »so komme ich hier wahrscheinlich in ein paar Tagen wieder raus.«

Inzwischen war das Ilot zum Leben erwacht. Überall wimmelte es von Frauen und Kindern, die johlend um die Baracken tobten. Tropfnasse Wäsche wurde am Stacheldraht aufgehängt, es wurde genäht, gestrickt, auf offenen Feuerstellen kochte der Kaffee, ein Gebräu, das nach bitterem Wasser schmeckte. Vögel zwitscherten fröhlich aus ihren Käfigen, sogar Hunde und Katzen streunten durch die Gegend. Sala beobachtete, dass manche Frauen sich für ihre Tiere das Essen vom Mund absparten. Wollten sie mit den Hunden, Vögeln und Katzen auch die Erinnerung an bessere Zeiten retten? Die Zärtlichkeit, mit der sie ihre Lieblinge umsorgten, erinnerte Sala an die alten Menschen, die sie an langen Vormittagen im Jardin du Luxembourg beobachtet hatte, während sie bedacht ihre Runden drehten, ein »petit chérie« an der Leine, im Schlepptau den Tod. Aber hier in Gurs waren viele Frauen kaum älter als Sala. Es wurde gesungen und gelacht. Man schubste und neckte sich. Im Hintergrund schob sich die Sonne über den Rand der Pyrenäen. Ein gelbes Feuer. Und für einen Moment dachte Sala, ob es wohl besser wäre, wenn sie alles verbrennen würde.

Die allgemeine Waschstelle erinnerte an eine Viehtränke. Auch hier gab es nur Platz für acht Frauen, hinter jeder warteten ungeduldig acht bis zehn weitere. Sie tauschten Neuigkeiten aus. Was war in der letzten Nacht vorgefallen? Wer hatte Nachricht von der Front? Was war der neueste Schrei in Paris? War ein Liebesbrief vom verschollenen Mann eingetroffen, ein Päckchen mit Essen oder Dingen, die man auf dem Schwarzmarkt tauschen konnte? Was war mit Zigaretten? Damit ließen sich die Surveillantes, die Aufseherinnen, bestechen, und man konnte einen Spaziergang in die Männerîlots, zu den Spaniern, wagen. Mit ein paar Brettern notdürftig überdacht, standen die Frauen nackt, halb nackt oder umständlich in Tücher gewickelt am Trog und schrubbten um die Wette. Manche stolz und barbusig, andere mit verschämt vorgeschobenen Schultern. Jede wollte ihrer Nachbarin beweisen, dass sie reinlicher, eleganter, wohlriechender war als sie. Sala staunte, wie verbissen selbst hier um jeden Zentimeter Weiblichkeit gekämpft wurde. Zum ersten Mal beschlich sie das Gefühl, viele Frauen würden sich nicht herausputzen, um die Männer zu beeindrucken. Vielmehr schien ihnen daran gelegen, ihr eigenes Geschlecht zu übertrumpfen. Der neidische Blick einer anderen Frau schien ihr Selbstwertgefühl mehr zu stärken als jedes männliche Begehren. Oder war auch das nichts als Erinnerung an vergangene Zeiten und ihren lieblichen Glanz? Jenseits des Stacheldrahts genossen die französischen Aufseher das Spektakel.

Fließend Wasser gab es dreimal am Tag, von sechs bis neun, von zwölf bis drei Uhr nachmittags, und noch einmal abends von sechs bis neun Uhr.

Mehr gab der Wasserturm am Ende des Lagers nicht her. In dieser Zeit mussten Tausende Frauen sich selbst, ihre Wäsche und ihr Geschirr waschen. Mit dem restlichen

Wasser wurden ab und an die Baracken gewischt. Das war mühsam und dauerte die Hälfte des Tages.

Es gab pro Tag und Frau einen Viertelliter Kaffee. Wer weder Tassen noch Gläser mitgebracht hatte, behalf sich mit leeren Konservendosen. Zu essen gab es zwei Scheiben Brot und mittags eine wässrige Suppe mit etwas Reis und schwer verdaulichen Kichererbsen, selten ein winziges Stück Fleisch, das häufig grau oder grün angelaufen und ungenießbar war. Kein Gemüse und erst recht kein Obst. In seltenen Fällen eine Kartoffel oder eine Tomate zum Abendessen.

Am späten Nachmittag musste Sabine wieder ihrer Aufgabe als Barackenchefin nachkommen. Die Listen. »Jeden Tag wollen die wat anderes«, stöhnte sie in rheinischem Singsang. Diesmal wurden die Personaldaten neu erfasst, Name, Vorname, Geburtsort und -datum, Familienstand, Beruf, letzter Wohnort in Frankreich. Für sechzig Frauen gewährte die Lagerleitung heute dreißig Minuten. Andere Listen sollten folgen. Altersklassen wurden erfragt, war man Katholikin, Protestantin, Jüdin. Listen der Frauen, die französische Verwandte hatten oder die aus eigenen Mitteln leben konnten, Listen der Frauen, die zurück nach Deutschland wollten, der Arbeitsfähigen, der Kranken, der Gebrechlichen, der Geistesgestörten, der an Tuberkulose Erkrankten. Gingen Listen verloren, begann alles von Neuem.

Am Abend kam der Regen. Seit sie erwischt worden war, litt Sala an einer hartnäckigen Verstopfung. Ein dumpf drückender Schmerz strahlte von der Darmgegend bis unter den Brustkorb. Sie öffnete die Barackentür, um endlich die kühle, feuchte Luft zu atmen. Tagsüber waren die Temperaturen über 50 Grad gestiegen. Der rissige Lehmboden war jetzt aufgeweicht. Als sie ihren rechten Fuß über die Schwelle setzte, rutschte sie aus und fiel in den Schlamm.

»Dans la boue.« Sala lachte kurz auf, als sie Mimis Stimme hinter sich vernahm.

»Pass auf!«, rief die neue Freundin und hielt sich die Nase zu.

Sala versuchte, sich aufzurichten. Ihre Arme versanken schnell bis zu den Ellenbogen in der aufgeweichten Pampe. Sie musste erneut lachen. Eierpampe, hatten sie das in Berlin als Kinder genannt. Die Kuhfladen auf den Schweizer Wiesen von Ascona tauchten vor ihr auf. Als sie in den Zwanzigerjahren noch mal mit ihrem Vater dort zu Besuch gewesen war, liebte sie es, nach dem Aufstehen barfuß in die nach Kuh und Gras duftenden Haufen zu springen, um die wohlige Wärme zu spüren. Aber was ihr der nasse Wind jetzt zuwehte, war nicht der Duft der Schweizer Bergwelt. Beißender Gestank. Überall war der Schlamm mit Kot und Urin vermischt. Ihr wurde übel. Ausgerechnet jetzt musste sie zu den Latrinen. Sie verzog das Gesicht zu einer Grimasse, zwinkerte Mimi fröhlich zu und stakste in der hereinbrechenden Dunkelheit davon. Nach der Hälfte des Weges versank die Gebirgskette in schwarzer Nacht. Das bunte Treiben des Tages wich dem Rauschen der Stille, die Baracken verschwanden im Nichts. Eine Geisterstadt. Einsam. Verlassen. Trostlos. Der aufbrausende Wind peitschte ihr den Regen ins Gesicht. Sala versuchte, sich zu erinnern. Alles sah gleich aus. Hatte sie überhaupt die richtige Richtung eingeschlagen? Ihr Darm zog sich zusammen, sie fürchtete dem Druck nicht mehr lange standhalten zu können. Wieder rutschte sie aus. Wieder lag sie am Boden. Und wenn sie jetzt einfach nachgeben würde? Sie war sowieso schon beschmutzt und durchnässt. Was für einen Unterschied machte das noch? Vor ihr lagen Fäkalien. Die aufsteigende Ohnmacht schnürte ihr die Kehle zu, aber sie konnte nicht weinen. Sie begann zu hecheln und zu flüstern.

»Mama.« Immer wieder. »Mama, Mama.«

Sie krümmte sich vor Schmerzen in dem kalten Dreck. Sie sah Otto, der von seinen Gasteltern mit seiner vollgeschissenen Windel ins Gesicht geschlagen wurde. Ein kleiner Junge. Dünn und hilflos. Wie eine warme Welle brauste die Wut über sie hinweg, riss sie mit einem Ruck hoch aus dem Schlamm. Jetzt stand sie zitternd da. In der Ferne schwankte ein schwaches Licht in der Dunkelheit. Vielleicht die Lampe vom Latrinenhaus.

»Los! Vorwärts! Deine Würde können sie dir nicht nehmen.«

Zurück in der Baracke ließ sie sich auf ihren Strohsack fallen und starrte an die Holzdecke. Durch die Dachpappe tropfte Regenwasser. Worauf wartete sie? Auf Tränen? Auf Erlösung? Morgen würde sie ihr Kleid waschen, das sie seit vier Tagen nicht ausgezogen hatte.

Erste Sonnenstrahlen drangen durch die Ritzen ihrer neuen Behausung. Sala sprang auf und öffnete die Luke über ihrem Strohsack. Wie spät mochte es sein? Halb fünf? Halb sechs? Ein paar Stunden Schlaf, die ersten in den letzten zwei Tagen. Sie wunderte sich, dass sie noch stand. Trotzdem!, triumphierte sie mit dem Zwitschern der erwachenden Vögel, Ich lebe noch. Sie dachte an Otto und stellte sich vor, wie er in Berlin in der kleinen Bäckerei neben dem Café Kranzler in eine mit Erdbeermarmelade überquellende Schrippe biss und der Verkäuferin frech zuzwinkerte, als sie ihm eine Tüte Kuchenkrümel über den Tresen reichte. »Du kannst mir mal für'n Sechser, weil wir uns beede kennen, bei Kranzler um de Ecke nach Kuchenkrümel rennen«, hörte sie ihn sagen. Leise nahm sie ihr Kleid, einen Rock und eine Bluse, frische Unterwäsche zum Wechseln und stahl sich aus der Baracke. Sie wollte die Erste im Latrinenhaus sein, die Erste am Waschtrog. So würde sie es ab jetzt jeden Tag halten, um sich das Gerangel mit den anderen Frauen um die besseren Plätze zu ersparen. Das unaufhörliche Geschnatter ging ihr entsetzlich auf die Nerven. Am schlimmsten waren die Schnorrerinnen. Sie wurden nicht müde, allen ihr Leid zu klagen, bis sich eine erbarmte und das wenige, das sie besaß, mit ihnen teilte.

Eine Surveillante bog um die Ecke. Sie kam ihr auf dem langen, schmalen Weg zwischen den Baracken entgegen. Hoffentlich war es nicht verboten, um die Zeit im Lager spazieren zu gehen. Ganz ruhig weitergehen, sagte sich Sala, nicht den Blick senken, schau ihr gerade in die Augen. Sie kam näher. Noch ein paar Meter. Salas Herz wollte ihr aus der Brust springen. Sie war bereit. Sollte die Frau es doch versuchen, sie würde sich schon zu verteidigen wissen. Zwei Schritte trennten sie voneinander. Jetzt.

»Bonjour, Mademoiselle.«

Die Surveillante hatte gelächelt. Es war ein kurzes, aber durchaus freundliches, beinahe aufmunterndes Lächeln gewesen. Sala war erstarrt. Oder hatte sie zurückgelächelt? Ja, aber was wie ein Lächeln aussehen sollte, war ihr zu einer Grimasse verrutscht. Sie war genauso blöd, genauso selbstbezogen wie alle Frauen hier. In kürzester Zeit waren ihr die einfachsten Zeichen der Zugehörigkeit zur menschlichen Zivilisation verloren gegangen. Sie fühlte sich jetzt wie ein deutscher Panzer, der durch fremdes Gebiet walzte. Hatte sie geantwortet? Wohl nicht, bestenfalls ein knappes, verstocktes Nicken. Sie wollte sich umdrehen, der jungen Frau nachlaufen. Sie war jung und hübsch, ihr federnder Gang erinnerte an die anmutigen Schritte einer typischen Pariserin, die an Boutiquen vorbeiflanierte, ohne sich von den schreienden Schaufensterauslagen beeindrucken zu lassen. Wie gerne wollte sie sie jetzt umarmen. In den Augen dieser jungen Französin war sie für einen kurzen Augenblick weder halbe Deutsche, noch halbe Jüdin gewesen, kein geteiltes Etwas, einfach nur ein Mensch.

Auf dem Rückweg waren ihr mit einem Mal alle Frauen, die jetzt langsam das Lager belebten, hübsch und freundlich erschienen. Hier und da wurde sie angehalten und in ein kurzes Gespräch verwickelt. Sie erfuhr auf wenigen Metern alles Wissenswerte über das Lager. Ein paar Baracken weiter war die Autorin Thea Sternheim untergebracht gewesen, die Frau des berühmten Dramatikers. Einige bekannte Schauspielerinnen hatte es auch hierher verschlagen, Tänzerinnen, Musikerinnen, eine Soubrette, irgendwo stand auch eine Kunstbaracke. Dort wurden Kabarettaufführungen gegeben, Theaterstücke, Konzerte und Ausstellungen wurden geplant. Eine Weile würde es sich hier schon aushalten lassen. Und dann ... ach, etwas Besseres als den Tod würde sie schon finden, dachte sie, als sie einen zerrupften Hahn in das benachbarte Ilot stolzieren sah, vorbei an dem Aufseher, ganz ohne Passierschein.

Mimi bewegte sich ungehindert zwischen den verschiedenen Ilots. Eines Tages beobachtete Sala, wie sie mit einem freundlichen Nicken an dem Posten zum Männerîlot vorbei in einer der Baracken verschwand. Sie hatte auch immer genügend zu essen, hier eine Pastete, dort ein Glas Konfitüre, frisches Baguette, Käse. Sie teilte alles großzügig mit Sala, die versuchte, nicht daran zu denken, wie ihre Freundin an dieses Essen gekommen war.

»Nächste Woche wird in der Baracke G ein Konzert gegeben«, sagte Mimi fröhlich kauend.

Ausgebildete Musiker würden klassische Musik spielen, alles Deutsche, vielleicht würde Sala ja die Namen kennen. Sie zeigte ihr einen Zettel, eine Art Programmheft. Das

Ganze würde zu Ehren einer deutschen Delegation stattfinden, die am Nachmittag das Lager besichtigen würde.

Am Nachmittag machte Mimi sie mit Alfred Nathan
bekannt. Es war ihr gelungen, Sala ohne weitere Schwierigkeiten in das Männerîlot zu lotsen. Ihre Freundin sei Schauspielerin, nicht das, was er wieder denke, erklärte sie dem
etwas dümmlich grinsenden Posten, als sie Sala kess an ihm
vorbeischob.

»Hast du Kabaretterfahrung?« Nathan duzte sie ohne
Umschweife, während er vor seiner Baracke genüsslich eine
Selbstgedrehte paffte.

»Nein«, gestand Sala, »aber ich möchte Schauspielerin
werden, seit ich ein Kind bin.«

»Was möchtest du denn spielen?«

»Alles. Die Luise, die Eboli, die Amalia, die Johanna …«

»Mein Gott, nur die hysterischen Weiber von Schiller?«

»Nein, auch das Gretchen.«

»Ach ja? Und wie hältst du's mit der Religion?«

»Ich versteh nicht …«

»Na, Jüdin oder nicht?«

»Nicht ganz …«

»Nicht ganz was?«

»Weder noch …«

»Ach je, so richtig zwischen den Stühlen, mein Beileid,
hübsches Kind.«

Sala wusste nicht, was sie sagen sollte. Sie lachte verlegen.

»Ich frag mal den Ernst. Der will sich tatsächlich den ganzen *Wallenstein* aufbrummen, klingt nach 'ner echten Ver-
zweiflungstat, aber besser als Fliegen jagen ist es allemal.«

Überraschend flog Sala ihm um den Hals.

»Oh ja, ich könnte die Thekla spielen«, sagte sie und fügte begeistert hinzu: »Das Spiel des Lebens sieht sich heiter
an, wenn man den sichern Schatz im Herzen trägt.«

Alfred lächelte traurig.

»Das Motto von Ernsts Inszenierung lautet eher: ›Es geht ein finstrer Geist durch unser Haus, und schleunig will das Schicksal mit uns enden.‹ Ich guck mal, was sich machen lässt, aber ich glaube, alle Rollen sind schon mit Profis besetzt. Würdest du zur Not auch was anderes machen?«

»Alles«, antwortete Sala ohne Zögern.

»Das dürfte erst mal reichen.« Er gab ihr lächelnd die Hand.

Alfred hatte recht gehabt, die Rolle der Thekla war, wie alle anderen Rollen, schon besetzt. Unter der Bedingung, dass sie sich an den Ausstattungsarbeiten beteiligte, durfte Sala hin und wieder bei den Proben zuschauen, die in der Kulturbaracke stattfanden. Mit leuchtenden Augen beobachtete sie an den nun dahinfliegenden Tagen, wie die von ihr bewunderten Schauspieler Kälte und Hunger, Krankheit und Schwäche trotzten und ihre ganze Kraft in den Dienst eines unbedingten schöpferischen Willens stellten, der ihnen selbst, aber auch den Zuschauern beim Überleben helfen sollte. So wie die Kabarettisten an ihren selbst verfassten Texten, feilten andere an Dekorationen und Requisiten, stellten Musiker vom Schlager bis zum Streichquartett mal berührende, mal unterhaltsame Soireen zusammen. Sala lernte, wie man aus Stoffresten Kostüme fertigte oder aufgelöste Pullover zu Kettenhemden oder ritterlichen Beinkleidern verarbeitete.

Am nächsten Abend gab Alfred Nathan in der Kulturbaracke eine Kabarettvorstellung. Sala beschloss, mit Mimi hinzugehen, um auf andere Gedanken zu kommen. Zu ihrer Überraschung waren nicht nur Lagerinsassen unter den Zuschauern. Sie hörte neben den spanischen auch französische Stimmen. Neben den Verwaltungsbeamten des Lagers waren auch Menschen aus der Umgebung gekommen. Waren sie mit den Leuten, die hier arbeiteten, verwandt oder befreundet? Auch bei den Passierscheinen war Commandant Lavergne großzügig gewesen. Zum ersten Mal seit Salas Ankunft wurden Männer und Frauen nicht streng getrennt. Bisher hatten die im benachbarten Ilot beherbergten Spanier nur zu Reparaturarbeiten für ein paar Stunden ins Frauenlager gedurft, an gemeinsame Abende war gar nicht zu denken gewesen. Mimi war ganz aufgeregt.

»Wir Frauen sind wie Sterne, wir leuchten nicht von selbst, wir müssen angestrahlt werden.«

Sala lachte schallend. Mimi sah sie pikiert an, sie müsse gar nicht die Nase rümpfen, es würde im Leben immer nur um das Eine gehen und eine Frau sei schön blöde, wenn sie das nicht begreife, und noch mehr zu bedauern, wenn sie es nicht zu nutzen wisse. Sie sei zu gebildet, hielt sie Sala vor. Die ganzen Geschichten über ihre Eltern würden doch nur beweisen, dass es bei den verkopften Kreaturen nicht anders sei. Oder warum habe ihre Mutter ihren Vater für einen anderen Mann verlassen, nur weil der jünger war? Nein! Ganz gewiss nicht! Er habe eben mit seinen Blicken einen leuchtenden Stern aus ihr gemacht. Mimi zwinkerte einem jungen Offizier zu, der die beiden schon eine Weile beobachtete. Sein Blick schwenkte zu Sala, die sofort errötete. Mimi sah ihre These zu ihrer äußersten Zufriedenheit bestätigt und klopfte Sala aufmunternd auf die Schulter.

Der Abend war kurzweilig. Immer wieder lachte Sala über die bissigen Couplets von Alfred Nathan und versuchte, Mimi die Verse zu übersetzen. Ein Gedicht ließ alle verstummen. Es war die Geschichte eines feinen Mannes, der im Lager alles verlor. Bei den letzten zwei Strophen fasste sie zitternd nach Mimis Hand.

»Inzwischen weiß ich nun um fremde Not,
um fremde Tränen grenzenlos Bescheid;
wenn einer einsam ist und hilflos steht,
und wenn ein andrer hungrig schlafen geht
und aus dem Traum nach seinen Kindern schreit …

Ich hab auf einmal Millionen Brüder –
Und dieser Heereszug der Elendshorden,
jetzt weiß ich es, er geht mich etwas an,
und so ist schließlich aus dem feinen Mann
doch noch so etwas wie ein Mensch geworden.«

In der Pause stellte sich der Herr, der sie zu Beginn der Vorstellung so eingehend beobachtet hatte, zu ihnen. Er hielt
zwei Gläser Wein bereit.

»Erlauben Sie? Mein Name ist Hans-Peter Ehrenberg.« Er
reichte ihnen die Getränke.

»Sala Nohl, und das ist meine Freundin Mimi Lafalaise.«

»Wie lange sind Sie schon hier, Fräulein Nohl?«

»Lange genug.« Was bildete sich dieser freche Kerl überhaupt ein? Als Internierte waren sie noch lange kein Frei-
wild. Mimi grinste leise vor sich hin. Unter dem Vorwand,
sich kurz auffrischen zu müssen, verschwand sie mit einem
aufmunternden Zwinkern und mischte sich unter die Leute.

»Bitte missverstehen Sie mich nicht, und verzeihen Sie,
wenn mein Auftritt distanzlos erscheint, es war keineswegs
meine Absicht, Sie zu brüskieren, Fräulein Nohl. Sie erinnern mich nur sehr an eine Frau, deren Foto mein Vor-
gesetzter mir unlängst zeigte. Da diese Frau ebenfalls Sala
hieß, kann es sich eigentlich nicht um eine Verwechslung
handeln. Wenn Sie also vor ungefähr drei Monaten hier
angekommen sein sollten, erlauben Sie mir die Frage, ob
Ihnen der Name Hannes Reinhard etwas sagt.«

Sala sah ihn an. Ihr war für einen kurzen Augenblick, als würde das Blut in ihren Adern aufhören zu fließen.

»Hannes?«

Ehrenberg nickte.

»Er ist für ein paar Tage in Bordeaux, wenn Sie wollen, kann ich gerne eine Nachricht übermitteln. Weiß er, dass Sie hier sind?«

»Nein.«

Salas bisherige Versuche, an Lola, Otto, oder ihren Vater zu schreiben, waren von der Zensurbaracke abgelehnt worden. An Hannes hatte sie gar nicht gedacht.

»Das würden Sie tun?«

»Selbstverständlich. – Und sehr gerne«, beeilte er sich hinzuzufügen.

»Dann … dann gehe ich schnell in meiner Baracke nach Stift und Zettel suchen.«

»Genießen Sie ruhig die Vorstellung, ich laufe Ihnen nicht weg. Sie haben mein Ehrenwort.«

Sala schüttelte aufgeregt den Kopf. Sie wollte gerade davonspringen, als sie Mimis überraschend festen Griff spürte.

»Ihr werdet beobachtet, chérie.«

Sala tat, als würde sie sich unbedarft umschauen. Wenige Meter entfernt entdeckte sie eine Surveillante, die schnell den Blick senkte, als ihre Augen sich trafen. Sala umarmte Mimi laut lachend, während sie sich zu Ehrenberg drehte.

Während der Vorstellung drangen nicht einmal die besten Witze an Salas Ohr. Stattdessen dachte sie daran, dass Hannes ihr möglicherweise zur Flucht verhelfen könnte.

Nach der Vorstellung stahl sie sich vorsichtig in ihre Baracke. Mit fliegenden Händen warf sie ein paar Zeilen für Hannes auf Toilettenpapier. Sie flehte ihn an, ihr aus dem Lager zu helfen, und drückte ihre mit geklautem Stift rot bemalten Lippen zum Kuss auf das Ende der Rolle.

Es folgten Tage des Wartens, die ihr fürchterlicher als alles bisher Erlebte, schlimmer als jeder Hunger und jede Erschöpfung schienen, bis Ehrenberg wieder zu einem der offiziellen Konzerte im Lager auftauchte. Die Begegnung in der Pause war flüchtig. Ihren erwartungsvollen Blick quittierte er mit einem bedauernden Kopfschütteln. Nach der Vorstellung drückte ihr Mimi einen Zettel in die Hand. Darauf stand: »Habe Hannes nicht mehr angetroffen.«

Es musste etwas vorgefallen sein, darüber gab es für Sala keinen Zweifel, sonst wäre er auf sie zugegangen, hätte wenigstens versucht, ihr ein paar tröstende Worte zu schenken. Was sie in seinen Augen gesehen hatte, kannte sie nur zu gut. Es entstellte die besten Gesichter bis zur Unkenntlichkeit, es war kalt und erbarmungslos, das Gegenteil von Liebe, es war Gleichgültigkeit. Sprach Hannes durch diesen Blick?

Die deutsche Delegation bewegte sich zügig durch das Lager. Die Insassen arischer Herkunft sollten in ihre rechtmäßige Heimat zurückgeführt werden. Listen waren im Auftrag der Lagerleitung von den Barackenverantwortlichen erstellt worden. Die Arierinnen fieberten auf gepackten Koffern ihrer Befreiung entgegen, während sich auf den Gesichtern ihrer jüdischen Mitgefangenen nackt und kalt die Frage abzeichnete, was dieser Auftritt für ihre Zukunft bedeuten mochte. In den grauen Morgenstunden hatte Sala eine junge Frau mit ihrem kleinen Sohn zum Lager von Sabine pirschen sehen. Vorsichtig flüsternd hatte sie die füllige Sabine geweckt. Nur ein paar Satzfetzen waren an Salas Ohr gedrungen.

»... aber du kannst doch schreiben, dass wir Arier sind, wer soll das überprüfen?«

Es folgte ein längeres Gezischel von Sabine, dem Sala

entnahm, dass der Schwindel spätestens in Deutschland auffliegen würde. Die junge Frau wollte nichts unversucht lassen. Immer wieder schob sie ihren kleinen Sohn dicht an Sabines Strohsack.

»Dein Sohn heißt nicht Moritz, er heißt Moshe, Moshe Silberstein. Das wissen alle hier.« Mit diesen lauten Worten hatte Sabine die Dachluke über ihrem Kopf aufgestoßen. Die junge Frau war unter dem fahl hereinfallenden Licht zusammengefahren. Unter Tränen verkroch sie sich mit ihrem verstörten Kind in eine Ecke.

Andere Frauen waren von dem plötzlichen Lärm hochgeschreckt. Fluchend versuchten sie, sich wieder in den Schlaf zu flüchten. Alle ahnten, dass mit dem heutigen Tag ein neues Kapitel ihres Schicksals aufgeschlagen wurde.

Als die Lastwagen abfuhren, wirkten die Baracken verwaist. In manchen saßen nur noch acht bis zehn Frauen, andere waren halb leer. In Salas Baracke blieben fünfundvierzig Frauen. Eine alte Kommunistin hatte sich geweigert einzusteigen.

»Aber Sie sind doch Arierin«, hatte der deutsche Offizier gesagt.

»Ich sterbe lieber hinter französischem Stacheldraht, als hinter deutschem«, war ihre trockene Antwort gewesen.

»Seien Sie nicht dumm, gnädige Frau, in Deutschland wird es Ihnen gut gehen.«

»Das glaube ich weniger. Ich habe immer mein Maul aufgerissen, ich werde in meinem Alter nicht damit aufhören.«

Sala war eine Rückkehr in das Reich zu gefährlich erschienen. Die Gerüchte, die im Lager über den Krieg kursierten, waren so unterschiedlich wie verwirrend. Einen Tag hörte man, dem deutschen Heer würde die Munition ausgehen, dann wurde von der Eroberung Moskaus berichtet, bis es wieder hieß, der Russlandfeldzug sei rettungslos verloren und Hitler stünde ganz gewiss kurz vor der Kapitulation. Niemand wusste, woher die Gerüchte kamen, noch, welchen Weg sie genommen hatten. Auf absurde Weise fühlte Sala sich in ihrer von Stacheldraht umzäunten Baracke zum ersten Mal seit ihrer Ankunft geborgen.

In den nächsten Tagen wurde Gurs von einer Hitzewelle erfasst. Der mit Urin durchtränkte Lehmboden stank erbärmlich. In der Baracke klagten mehrere Frauen über blutigen Durchfall, es folgten Fieber und Krämpfe, Appetitlosigkeit, über die Witze gerissen wurden. Die Ruhr.

Der Bazillus breitete sich über das gesamte Ilot aus. Schnell wurden die betroffenen Frauen isoliert. Ein junges Mädchen, das gerade noch mit einem Spanier Bilder und Erinnerungen geteilt hatte, starb nach einer Woche. Ebenso die junge Frau, die Sabine angefleht hatte, ihren Namen und den ihres Sohnes auf die Arierliste zu setzen. Sie wurde mit anderen Toten aus dem Lager gebracht. Wie Tierkadaver wurden sie auf die Ladefläche eines Lastwagens geworfen. Der kleine Moshe stand schreiend am Stacheldraht. Niemand durfte sich nähern, um Abschied zu nehmen. Die Gesunden starrten aus der Ferne dem Lastwagen nach. In den Baracken saßen die Frauen eng zusammen. Sie sprachen in den kommenden Tagen immer wieder das Kaddisch für die Toten.

22

»Na jaaa ... und zu derselben Zeit saß meine Mutter in einer Zelle in Francos Staatsgefängnis und wartete bei Vollpension auf ihre Hinrichtung.«

Wir saßen an dem kleinen Esstisch in Spandau und löffelten eine Hühnersuppe.

»Wusstest du davon?«

»Woher denn? Post aus dem Todestrakt gab's ja wohl nicht.«

Sie sah schweigend aus dem Fenster. Es schneite seit Tagen. Draußen tobten Kinder um einen Schneemann herum, bewarfen sich mit Schneebällen, einer zog einen Schlitten hinter sich her. Er schrie wütend nach seiner Mutter, kassierte einen Klaps auf den Hintern, heulte wild auf, warf sich zu Boden und trommelte mit seinen Fäustlingen auf den schneebedeckten Boden, bis er von seiner Mutter hochgerissen wurde.

»Großmutter war zum Tode verurteilt?«

»Ja.«

»Warum?«

»Weiß ich nicht mehr.«

»Und Tomás?«

»Na, der auch. Die waren doch Anarchisten. Haben ja gegen diesen Kerl gekämpft.«

»Bei den Internationalen Brigaden.«

»Ja.« Sie machte eine Pause. »Sie war schon mutig. Das muss man ihr lassen.«

Ich beobachtete meine Mutter von der Seite. Demnächst würde ich zu Dokumentarfilmarbeiten nach Lodz fahren, auf den Spuren ihrer und meiner Vorfahren. Ich dachte vage an meine Urgroßeltern.

»Was weißt du von deiner Großmutter?«

»Nichts.«

»Auch nicht den Namen?«

»Nichts.«

»Bist du sicher? Vielleicht kannst du dich nur nicht mehr so genau erinnern.«

»Ich kann mich sehr genau erinnern, mein lieber Freund und Kupferstecher. Was bildest du dir eigentlich ein?«

»An was denn?«

»An nichts.« Sie betonte jedes Wort nachdrücklich und sah mich dabei wütend an. »Wohl schwer von Kapee, was?«

Sie wollte aufstehen, um den Tisch abzuräumen.

»Lass mal, ich mach das schon.«

»Aber mach mir keine Unordnung in der Küche. Das schätze ich nicht.« Sie legte den Kopf etwas herrisch zurück. »Hier macht ja jeder, was er will. Die Trulla vom Pflegedienst ist ja auch etwas minderbemittelt. Alles räumt sie woandershin. Da findet man sich nicht mehr zurecht. Eine Frechheit. Wirklich unverschämt.«

Ich war bereits in der Küche, als sie mir hinterherrief, ich solle alles stehen lassen, sie würde es später wegräumen.

Wieder zu Hause, durchblätterte ich verschiedene Bücher über Gurs. Bilder von damals und von heute. Ich sah einen Dokumentarfilm über zwei Brüder, die 1941 als Kinder mit ihren Eltern aus Hoffenheim bei Heidelberg nach Gurs abtransportiert worden waren. Zusammen mit sechsundvierzig anderen Kindern wurden sie nach wenigen Wochen in ein nahe gelegenes französisches Heim verlegt. Sie haben überlebt. Der ältere, Eberhard M a y e r, wanderte nach Amerika aus, ins Land der unbegrenzten Möglichkeiten, und wurde dort zu Frederic R a y m e s; den jüngeren, Manfred, zog es nach Palästina, ins gelobte Land, wo er nur den Vornamen wechselte, um sich fortan Menachem zu nennen. Menachem und Fred. Ihre Eltern hatten sie aus Liebe weggeschickt. Den meisten Eltern in Gurs fehlte die Kraft dazu oder die Weitsicht. Gemeinsam mit ihren Kindern wurden sie in den Gaskammern von Auschwitz-Birkenau ermordet.

Fred konnte schon nach wenigen Sätzen vor der Kamera die Tränen nicht zurückhalten. Mit erstickter Stimme wiederholte er stockend die letzten Worte seiner Mutter.

»Gib acht auf deinen kleinen Bruder!«

Ich hörte den Satz, sah zwei alte Männer, fast siebzig Jahre später, äußerlich entfernt, innerlich entfremdet, voller Angst und Zweifel, auf den Spuren ihrer Kindheit von Jerusalem und Florida über Hoffenheim nach Gurs reisen. Sah sie, um Fassung ringend, auf dem Boden des ehemaligen Lagers stehen, dessen Erinnerung ein nach dem Krieg eilig gepflanzter Wald schamlos erstickte, sah ihre Tränen, die vielleicht ebenso ihrem Schmerz wie ihren Versäumnissen galten – und weinte mit. Etwas an Fred und Menachem erinnerte mich daran, wie ich als Kind oft über das trennende Feld zwischen meiner Mutter und mir erschrak, bewachsen von demselben Gras, gedüngt mit derselben Scheiße, desselben Lagers, dessen Erinnerung die, die es überlebten, ein Leben lang vergessen wollten.

»Irgendwann muss doch mal Schluss sein.«

Das von rücksichtslosem Verdrängungswillen gestählte Gesicht der Bäuerin des Hofes, auf dem Menachem und Fred in Hoffenheim bis zu ihrer Deportation gelebt hatten und den sie auf den Spuren ihrer Vergangenheit wieder besuchten, wollte mir nicht aus dem Sinn.

»Was wollen Sie hier?«

»Wir sind Juden. Wir haben früher hier gewohnt.«

»Irgendwann muss doch mal Schluss sein. Wir Deutschen wurden auch vertrieben und laufen nicht in Pommern rum und machen Fotos.«

Irgendwann muss doch mal Schluss sein.

In wie vielen Gesichtern steht stumm dieser Satz? Wie viele hat er ausgehöhlt und ihrer Möglichkeiten beraubt?

Die Unfähigkeit zu trauern, der eindrückliche Titel des Buches von Alexander und Margarete Mitscherlich, das von der nachfolgenden Generation aufgesogen wurde, beklagt nicht nur die fehlende Trauerarbeit der Tätergeneration, es versteht sich als Aufforderung an nachfolgende Generationen, also auch an uns, Erinnerung zu wagen, um dem unbewussten Wiederholungszwang vorzubeugen. Es geht eben nicht, wie von vielen 68ern missverstanden, um die häufig selbstgerechte Zuschreibung und Festschreibung einer ebenso individuellen wie historischen Schuld an die Adresse ihrer Eltern. Es geht um das Wagnis der Erinnerung für jeden unter uns. Wann dieser Vorgang als abgeschlossen gelten darf, mag jeder für sich entscheiden. Aber wollen wir die Erinnerung benutzen, um uns von etwas zu befreien, das wir nicht getan haben, oder wollen wir mit ihr versuchen, das Bild unserer Identität zu schärfen, zu der auch die Vergangenheit des Zwanzigsten Jahrhunderts und des deutschen Völkermords an den europäischen Juden gehört? Erst mit der Erinnerung gewinnt unser Leben ein Gesicht. Ich will nicht wie ein Buch dastehen, aus dem einzelne Kapitel herausgerissen wurden, unverständlich für andere wie für mich selbst. Ich will versuchen, die leeren Seiten zu füllen. Für mich. Für meine Kinder. Für meine Familie.

Zuerst stirbt der Mensch, dann die Erinnerung an ihn. Für diesen zweiten Tod tragen wir Nachgeborenen die Verantwortung. Wollen wir mit dem Satz *Irgendwann muss doch mal Schluss sein* die Menschen von damals ein zweites Mal ermorden? Wie viele Namen wollen wir denn mit einem sauberen Schlussstrich eliminieren?

Ich entschloss mich, mit dem Auto nach Lodz zu fahren. Viereinhalb Stunden zeigte das Navigationsgerät an. Viereinhalb Stunden, in denen sich die Landschaft vor meinen Augen verändern, meine Gedanken in eine fremde Vergangenheit reisen würden. Immer wieder tauchte das Bild des Grabes meiner Urgroßeltern vor mir auf, ein riesiger jüdischer Hochzeitsbaldachin, der nicht gerade von der im jüdischen Glauben eingeforderten Demut im Angesicht des Todes zeugte. Emanuel Rotstein, der Regisseur und Produzent der Dokumentation, hatte es mir gemailt. Anders als auf dem jüdischen Friedhof in Prag hatten sich in Lodz wohlhabende Fabrikanten ihre eigenen Denkmäler geschaffen. Abraham Prussak und sein Bruder Dawid gehörten zu den größten Tuchfabrikanten von Lodz, dem Manchester Polens. Abraham Prussak hatte nicht nur als Erster mechanische Webstühle von Manchester nach Lodz gebracht, er gehörte auch zu den Bauherrn der Ezras-Israel-Synagoge, die in der Nacht vom 10. auf den 11. November 1939 von den Nationalsozialisten niedergebrannt wurde. Dieser Mann war mein Urgroßvater. So hatte es mir meine Mutter erzählt. Ein orthodoxer Jude, der seine Töchter zum Studium in die Schweiz und nach Frankreich schickte, der aber auch seine Tochter, meine Großmutter Iza, verstieß, als sie einen Goij, einen Nicht-Juden, heiratete. Pädagogische Offenheit, Liebe und Modernität paarten sich mit alttestamentarischer, unnachgiebiger Härte.

Gegen neun Uhr abends kam ich an. Das Hotel befand sich in einem Teil der ehemaligen Fabrik von Izrael Kalmonowicz Poznański, dem berühmten polnischen Unternehmer. Nach den Berichten meiner Mutter musste die »Weiße Fabrik«, die Baumwollspinnerei meiner Vorfahren, ähnlich imposant gewesen sein. Die Industrielle Revolution, die Weberaufstände hatten hier Fahrt genommen. Die anarchistische Grundeinstellung meiner Großmutter Iza, ihr lebenslanger Kampf gegen Ungerechtigkeit und Diktatur, wurden mir beim Anblick der meterdicken Mauern nicht nur verständlich, sie erfüllten mich mit einem gewissen Stolz. Wahrscheinlich erlebte sie die Ausbeutung der Arbeiter damals hautnah mit, wusste, dass jeder Mann neben einem sehr niedrigen Lohn für vierzehn Stunden harter körperlicher Arbeit wöchentlich nur einen Laib Brot bekam, um seine Familie zu ernähren. Der Begriff Hungerlohn war keineswegs eine Metapher, beschrieb vielmehr eine grausame Wirklichkeit, in der die Menschen zum Leben zu wenig und zum Sterben zu viel hatten.

Am nächsten Morgen lief ich um sieben Uhr in den Frühstücksraum des Hotels, ich hatte eine Verabredung mit Emanuel Rotstein und der Historikerin und Ahnenforscherin Milena Wicepolska.

»Es gibt ein paar Ungereimtheiten.« Emanuel machte mich mit Milena bekannt. Sie sprudelte gleich drauflos.

»Deine Großmutter ist eine geborene Prussak, aber ihr Vater war nicht Abraham Prussak. Wie er hieß und ob er mit Abraham verwandt war, konnte ich bisher nicht rausfinden, aber der Name Prussak war damals in Polen recht verbreitet ...«

War ich einer der vielen erzählerischen Eigenwilligkeiten meiner Mutter aufgesessen? Aber wie sollte sie von Abraham Prussak erfahren haben? Sie wusste nichts über Lodz, nichts oder nur sehr wenig über ihre Vorfahren, sie war nie in Polen gewesen. Ich gab vor, etwas in meinem Zimmer vergessen zu haben. Ich wollte allein sein. Was würde jetzt auf mich zukommen?

Für einen Moment zweifelte ich an allem, was ich bisher für wirklich gehalten hatte.

Ich erinnerte mich mit Schrecken an einen Dokumentarfilm, in dem sich ein alter Mann als unehelicher Sohn von Ernst Lubitsch ausgab und behauptete, im Besitz eines bisher unveröffentlichten Drehbuchs des jüdischen Filmregisseurs zu sein. Die Geschichte dieses Mannes führte die Dokumentaristen gegen Ende der Dreharbeiten nach Polen, wo sie die Arbeit an dem Film abbrachen, als sich herausstellte, dass der »uneheliche Sohn« Lubitschs in Wahrheit wohl ein polnischer Kollaborateur gewesen war, der sich mit dieser abstrusen Geschichte zu einem Verfolgten stilisieren wollte, zum Sohn eines der bedeutendsten jüdischen Regisseure der Zwanziger-, Dreißiger- und Vierzigerjahre. Ich werde nie das starre Gesicht vergessen, das kalte Schweigen, als sie ihn vor laufender Kamera mit der Wahrheit konfrontierten. Wirklichkeit ist eine auf die vorgefundenen Tatsachen bezogene Interpretation, schoss es mir durch den Kopf, ein Konstrukt. Und wenn die Wirklichkeit nur vorgetäuscht wurde? In meinem Kopf begann sich alles zu drehen. Was, wenn meine Vorfahren stramme Nationalsozialisten waren, die sich mit einer erfundenen Geschichte reinwaschen wollten? Und wie war es um mein Bedürfnis, auf der richtigen Seite der Geschichte geboren zu sein, bestellt? Ich bekam weiche Knie. Was würde mich in den kommenden Stunden erwarten? Ich erinnerte mich an den Film über Menachem und Fred. Auf der Fahrt nach Gurs waren bei beiden Brüdern Zweifel gewachsen. Plötzlich verspürten sie eine diffuse Angst vor der Konfrontation, die sie gesucht hatten. Dann sagte der eine: »Wir wussten, als wir diesen Weg einschlugen, dass er uns in die Hölle führen würde.«

Ich ging ins Bad, wusch mir die Hände und schlug mir etwas Wasser ins Gesicht. Ich wagte es nicht, in den Spiegel zu schauen. Eilig trocknete ich mich ab. Von ferne hörte ich die höhnische Stimme eines alten Lehrers, an dessen Gesicht ich mich nur verschwommen erinnern konnte. Er rief mir zu: »Nur keine jüdische Hast.«

Was wollte ich hier? Wonach suchte ich wirklich? Während ich Stufe für Stufe von der siebten Etage die Treppen hinunterstieg, wurde es mir immer klarer. Als ich erneut den Frühstücksraum betrat, wusste ich es. Ich war keinen Deut besser oder schlechter, schuldiger oder unschuldiger als all die anderen, zu denen ich nie gehören wollte. Ob meine Vorfahren nun Juden waren oder nicht, Deutscher war ich gewiss, das konnte ich nicht abschütteln, das hatte ich schon damals in Paris gefühlt, als mir ein Mitschüler auf dem Schulhof lachend zurief: »On reconnaît l'allemand à ses tatanes«, man erkennt den Deutschen an seinen Schuhen. Ich war ein Deutscher, mit oder ohne jüdische Wurzeln. Einer, der damals nicht gelebt hatte, der weder schuldig noch unschuldig war, einfach nur deutsch, mit einer deutschen Geschichte – der deutschen Geschichte, die alle Verbrechen der Menschheitsgeschichte in den Schatten stellte. Damals fragten sie mich auf dem Schulhof in Paris, wie es sich denn anfühle, ein Deutscher zu sein? Später in Amerika wiederholte ein Freund die Frage in etwas anderer Form. Es müsse doch sicher schlimm sein, wenn die Filmindustrie, in der ich ja auch noch selber arbeitete, den Deutschen immer nur als das Ungeheuer aus dem Zweiten Weltkrieg darstellen würde. Was würde das für das eigene Selbstwertgefühl bedeuten? Beiden entgegnete ich damals, ich sei ja gar kein Deutscher, jedenfalls nicht so einer. Meine Mutter sei Jüdin. Den Franzosen verschwieg ich natürlich, dass sie in ihrem Land in einem von Franzosen errichteten und von Franzosen geleiteten Lager gewesen war, aus dem ab 1942 regelmäßig die Transporte in die Gaskammern von Auschwitz fuhren. Ich sagte auch nicht, dass die Franzosen den Deutschen für ihre Bemühungen einen Unkostenbeitrag von etwa 700 Reichsmark für jeden Juden bezahlten, von dem sie die deutschen Besatzer befreiten. Das stand mir nicht zu, denn, so furchtbar es war, es war nichts, verglichen mit dem, was das Land meiner Väter getan hatte. Am verblüffendsten, am genauesten und am ahnungslosesten war damals die Antwort eines französischen Schulfreundes, die mich verstörte wie ein tragischer Justizirrtum: »Du bist aber trotzdem ein Deutscher.« Ja, das bin ich. Trotzdem.

Ich betrat schnellen Schrittes den Frühstücksraum. Alles war unverändert. Niemand guckte merkwürdig. Milena war verschwunden. Sie sei noch mal ins Archiv gefahren und würde später wieder zu uns stoßen. Wir würden jetzt erst einmal ins Marek Edelmann Dialogue Center fahren, um dort eine Historikerin zu treffen, die gerade eine Ausstellung über polnisch-jüdische Geschichte kuratierte. Der Titel dieser Ausstellung passte zu mir: »Mischmasch«.

Am Nachmittag besuchten wir den jüdischen Friedhof. Ich stand vor dem Grab der Familie Prussak. Inzwischen wusste Milena, dass mein Urgroßvater Leib oder Leijb Prussak hieß und seine Frau Alta. Meine Mutter stammte also aus einer jüdischen Familie, die aber wahrscheinlich nicht direkt mit Abraham Prussak verwandt war. Enttäuschung? Ein wenig, ja. Demut hin oder her, das Grab war wirklich beeindruckend. Erleichtert? Und wie! Doch kein fürchterlicher Deutscher, doch auf der richtigen Seite geboren. Alle Erkenntnisse der letzten Stunden in den Wind geschlagen. Ich war Deutscher, ja, aber auch Jude, von einer jüdischen Mutter geboren. Katholisch erzogen, gut, aber aus dem Verein war ich ja schon mit zwanzig Jahren ausgetreten. Und mein protestantischer Vater? Na, der war zeit seines Lebens Atheist.

Wir spazierten über den Friedhof, machten Aufnahmen von den imposanten Gräbern großer Fabrikanten, Poznanski, Scheibler, Prussak. Von Alta und Leijb fehlte jede Spur. Hier waren sie jedenfalls nicht begraben. Wir gingen schweigend weiter. Unter jedem Grab lag eine Geschichte verborgen. Sie alle hatten gelebt, geliebt, gelitten und gehofft, und die meisten unter ihnen waren gläubige Juden gewesen. Es war die Geschichte einer vergangenen Zeit, die kurze Blüte einer Gesellschaft, in der Juden neben Christen einen Platz gefunden hatten, an dem sie bleiben durften.

Am nächsten Morgen betrat ich vor laufender Kamera das Archiv der Stadt Lodz. Milena begrüßte mich und führte mich in den Hauptsaal. Auf einem Tisch lag, bereits aufgeschlagen, ein fünfhundert Jahre altes Buch. Hier war alles per Hand eingetragen. Wer wann wohin gezogen war, wie lange er dort mit wem gelebt hatte. Jeder Umzug war dokumentiert, sofern er innerhalb von Lodz stattgefunden hatte.

»Die Geburtsdaten sind nicht unbedingt präzise«, sagte Milena. »Wurde ein Kind zu Hause geboren und war es noch dazu ein Mädchen, was für die Familie von geringerer Bedeutung war als die Geburt eines Stammhalters, benachrichtigte der Vater den Rabbi oder das Amt oft erst Monate später. Dann kam es schon mal vor, dass er sich nicht mehr so genau erinnerte, in welchem Monat sein Kind geboren war, geschweige denn an welchem Tag, zumal er ja als Vater damals bei der Geburt nicht anwesend war.«

Dann nahmen wir vor einem kleinen Bildschirm Platz. Hier konnte man Mikrofilme sichten. Mit der Linken drehte Milena an einem kleinen Rädchen, als wäre es das Rad des Schicksals. Der Name meiner Großmutter tauchte auf. Mit einem schelmischen Grinsen wandte sie sich zu mir.

»Und hier ist deine Großmutter Iza, aber hier, schau, eigentlich hieß sie Scheindla, oder Schejndla, die Schöne, oder eben Isa…bella.«

Bald fand sie auch Lola und Zecha oder Cesja, die früh nach Buenos Aires emigriert war, und dann tauchte plötzlich noch ein Bruder auf, von dem ich nie gehört hatte, den wohl auch meine Mutter nicht kannte.

»Hier, Menachem Prussak, Bruder von Schejndla, Lola und Cesja.«

»Gibt es weitere Spuren von ihm?«, fragte ich.

»Nein, wahrscheinlich ist er aus Lodz weggezogen. Es wurden damals nur Wohnungswechsel innerhalb der Stadt dokumentiert. Aber er hatte zwei Söhne, Vaclav und Stepan.«

»Was ist aus ihnen geworden? Und aus Leijb und Alta?«

Meine Hände zitterten. Nie hätte ich gedacht, dass der Besuch eines Stadtarchivs so aufwühlend sein könnte.

»Vaclav und Stepan wurden in Chelmno vergast.«

Der Satz stand still im Raum.

»Leijb ist 1921 gestorben.«

Damals war meine Mutter bereits geboren. Er starb, ohne von seiner Enkeltochter zu erfahren.

»Und Alta?«

»Die letzte Spur findet sich 1940 im Ghetto in Kutno. Damals muss sie zum letzten Mal umgezogen sein. Deine Urgroßeltern stammten aus Kutno, etwa fünfzig Kilometer von Lodz entfernt.«

Wir rechneten nach. Damals war Alta achtzig Jahre alt.

»Wenn sie noch bis 1941 gelebt hat, wurde sie mit Sicherheit auch nach Chelmno gebracht.«

Das heutige Chelmno wurde damals in Kulmhof umbenannt, so wie die Nationalsozialisten aus Lodz Litzmannstadt gemacht hatten, das sie in eine deutsche Musterstadt verwandeln wollten, mit einem Hermann-Göring-Platz und einer Adolf-Hitler-Straße. Deswegen wurde Lodz auch während des Krieges nicht zerstört.

Das war bei Chelmno anders. Chelmno war das erste Todeslager, das die Nationalsozialisten in Polen errichteten. Eine nicht ganz ausgereifte Vernichtungsstätte, eine Vorstufe zu dem, was noch kommen sollte. Es wurde von den Nationalsozialisten zerstört, als die ersten Berichte in der Weltpresse erschienen.

In den Ghettos lebte man unter menschenunwürdigen Verhältnissen, der Zugang zur Kanalisation war abgesperrt, lebensbedrohliche Seuchen breiteten sich aus. So war es nicht verwunderlich, dass die Juden sich freuten, wenn ein Lastwagen sie einsammelte und es hieß, sie würden nun woanders untergebracht. Es gab auch frische Kleidung und etwas zu essen. Man war darauf bedacht, die Menschen bei Laune zu halten. Niemand sollte Verdacht schöpfen. Nach der Ankunft wurden die Gefangenen in einen Innenhof geführt. Dort wurde ihnen erklärt, dass sie geduscht und entlaust und anschließend zum Arbeitsdienst nach Deutschland geschickt würden. Alles ging still und freundlich vonstatten, um eine Panik zu vermeiden. Niemand konnte beim Eintreten in den neuen Raum, in den sie über eine Rampe gebracht wurden, erkennen, dass er sich im Innern eines Lastwagens befand, der zu einer Gemeinschaftsdusche umgebaut worden war. Die Tür wurde verschlossen. Der Fahrer kroch unter das Fahrzeug, stellte über einen Schlauch die Verbindung zwischen Auspuff und Wageninnerem her und warf den Motor an. Der Todeskampf dauerte acht bis zehn Minuten. Um sicherzugehen, ließ er den Motor fünfzehn Minuten laufen. In Sichtweite stand eine katholische Kirche. Der Fahrer montierte den Verbindungsschlauch wieder ab, fuhr die Leichen in den Wald, wo sie von der Ladefläche in Massengräber gekippt wurden. Da man die Erde nicht tief genug ausgehoben hatte, entstanden Probleme während der Fäulnisprozesse. Die Leichen mussten wieder ausgegraben werden. Dafür holte man Juden aus den nahe gelegenen Ghettos, die anschließend per Genickschuss getötet wurden. Mit einer Knochenmühle wurden nun die Leichen zerkleinert und etwas effektiver entsorgt. Man erkannte jedoch bald, dass dieses Verfahren alles in allem umständlich und zeitaufwendig war. Vor allem ließen sich mit den vorhandenen drei Lastwagen keine vernünftigen Zahlen erzielen.

Immerhin wurden in Kulmhof von 1941 bis 1945 zwischen 150.000 und 200.000 Menschen vergast, vorwiegend Juden, aber auch Roma. Nur zwei Menschen haben Kulmhof überlebt.

In der angrenzenden Scheune, die heute Teil des Museums von Chelmno nad Nerem ist, sind die letzten Besitztümer ausgestellt, die nach dem Krieg gefunden wurden. Spielzeug, Brillen, ein Feuerzeug. Ein paar Kilometer weiter, im Wald, befindet sich heute die Gedenkstätte.

Schweigend stand ich zwischen Massengräbern. Während meine Urgroßmutter Alta Prussak im Ghetto verhungerte, an einer Seuche starb oder hier mit ihren Neffen Vaclav und Stepan, den Cousins meiner Mutter, vergast wurde, saß ihre Tochter in einer Todeszelle in Madrid, und ihre Enkeltochter kämpfte in Gurs ums Überleben. Alta, Iza, Sala. Drei Generationen, ein Schicksal. Sie wussten nicht voneinander.

Iza und Sala überlebten. Von Altas Leben, von ihrem Sterben, erfuhren sie nie.

Irgendwann muss doch mal Schluss sein?

Eines Tages fiel mir bei meinen Recherchen ein altes Comicheft in die Hände. Der Autor und Zeichner Horst Rosenthal war zur selben Zeit wie meine Mutter in Gurs inhaftiert gewesen. Auf dem rötlichen Einband ist eine einfache Baracke gezeichnet, in der Mitte ein kreisrundes Loch, in dem der Kopf von Walt Disneys Mickey Mouse zu sehen ist. Hinter der Baracke ein einfacher Zaun, unterhalb der Titel, *Mickey im Lager von Gurs*, veröffentlicht ohne die Genehmigung von Walt Disney. Mickey wird nach kurzer Befragung von einem französischen Polizisten nach Gurs gebracht. Dort führt man ihn in eine Baracke und stellt ihn vor einen riesigen Papierstapel. Nach ein paar Minuten taucht ein Kopf aus dem Berg hervor.

»Ihre Papiere?«

»Papiere? So etwas habe ich nie gehabt.«

»Ihr Name?«

»Mickey.«

»Der Name Ihres Vaters?«

»Walt Disney.«

»Der Name Ihrer Mutter?«

»Meine Mutter? Ich habe keine Mutter.«

»Wie bitte? Sie haben keine Mutter? Wollen Sie mich verar...?«

»Nein, wirklich, ich habe keine Mutter.«

»Sie machen Witze! Ich habe Typen gekannt, die keinen Vater hatten, aber keine Mutter … Nun gut, sei's drum. – Sind Sie Jude?«

»Wie meinen Sie?«

»Ich frage Sie, ob Sie Jude sind!!«

Beschämt gestand Mickey seine völlige Ignoranz bei diesem Thema.

»Waren Sie auf dem Schwarzmarkt tätig? Haben Sie ein Komplott gegen die Sicherheit des Staates geschmiedet? Haben Sie subversive Reden gehalten?«

»!!!???!!!???????????!!«

»Staatsangehörigkeit?«

»Ähhh ... Ich bin in Amerika geboren, aber ich bin international!«

»International! INTERNATIONAL!! Dann sind Sie Kommu.................«

Und mit einer fürchterlichen Grimasse verschwindet sein Kopf wieder in dem Papierstapel.

Auf den folgenden Seiten durchläuft Mickey die verschiedenen Stationen des Lagers, versucht einen Brief abzuschicken, scheitert aber unter den strengen Blicken des Zensors, passiert auf dem Weg zur Poststelle einen einsamen Mann, der hoch konzentriert eine kümmerliche Pflanze im Lehmboden wässert, wird bei dem Versuch, das Frauenlager zu besuchen, von einem Aufseher nicht durchgelassen, weil er keinen Passierschein vorweisen kann. In seiner Baracke entdeckt Mickey entsetzt eine winzige Lebensmittelration auf seinem Tisch. Kurz darauf führt ihn sein Latrinengang vorbei an einem als Internierten verkleideten Herrn, der angeblich für die Sûreté arbeitet. Wütend sucht er nach dem Tabak, den man ihm ein paar Tage zuvor völlig überteuert verkauft hat. Er pafft nervös eine Zigarette, während seine Augen krötengleich mit einem einzigen Blick das gesamte Lager erfassen.

Im Lager kursierten immer neue Blättchen des Künstlers, der damit nicht nur die Kinderherzen erfreute. Wie die Zeichnungen ungehindert von Hand zu Hand gelangten, obwohl der Verfasser auch die Verwaltung der Vichy-Regierung nicht verschonte, bei der sich Mickey höflich für die luxuriöse Unterkunft und für die fantasievolle Bewirtung bedankte, bleibt ein Rätsel. Die Darstellungen zähnefletschender Baracken oder der feinen Küche, mit denen man betuchte Touristinnen zur Schlankheitskur nach Gurs einlud, schenkten den Gefangenen ein Lachen, eine vorübergehende Anästhesie ihrer geschundenen Herzen.

Mickey Mouse, als dessen Geburtsstunde die Uraufführung des Zeichentrickfilms *Steamboat Willie* am 18. November 1928 im New Yorker Colony Theatre gilt, war schnell weltberühmt geworden. Horst Rosenthal schien 1942 noch auf seine Freilassung zu hoffen, deswegen wollte er offenbar keinen Urheberstreit mit Walt Disney und schrieb unter den Titel »Ohne Genehmigung von Walt Disney«.

In dem letzten erhaltenen Heft gefällt Mickey seine neue Heimat nicht. Erleichtert stellt er fest, dass er nur eine Comicfigur ist. Also beschließt er, sich auszuradieren. Mit ein paar weiteren Strichen träumt er sich nach Amerika, ins Land der unbegrenzten Möglichkeiten, mitten auf die hoch bebaute Insel Manhattan. Dort sollen die Gendarmen mal versuchen, ihn zu finden. Sie finden ihn nicht, dafür aber seinen Zeichner Horst Rosenthal, der nie nach Amerika gelangte.

Ich kam aufgeregt von der Grundschule nach Hause.

»Mama! Papa! Vor der Schule steht ein Mann mit einem Auto und verkauft für die Kinder Micky-Maus-Hefte. Kann ich eins? Bitte!!!«

»Comics?« Mein Vater sah mich etwas unwirsch an. »Für so einen Quatsch geb' ich kein Geld aus, lies lieber was Anständiges.«

Meine Mutter nickte abwesend.

»Guck, Mama hat's erlaubt.«

Mein Vater sah sie schweigend an. Sie nickte wieder. Sein ganzer Körper verdrehte sich ungläubig zu einem Fragezeichen.

»Micky Maus?«

»Die sind doch zum Piepen.«

»Zum Piepen?«

»Nun gib ihm schon das Geld.«

Ich fiel meiner Mutter um den Hals, stahl mich schnell davon, bevor mein Vater es sich noch anders überlegte, sprang draußen auf meinen Drahtesel und trat in die Pedale, bis ich außer Sichtweite war. Schnell, schneller, noch schneller, peitschte ich mich an. Ich musste die verlorene Zeit einholen, sonst war der Mann mit den kostbaren Heftchen vielleicht schon verschwunden.

»Eine halbe Stunde«, hatte er mich gewarnt, »dann breche ich meine Zelte hier ab.« Er war groß und kräftig, mit roten, zurückgekämmten Haaren und überall Sommersprossen, auf den Händen, den Armen, sogar im Gesicht. Ich kannte sonst nur einen Menschen mit Sommersprossen, Sabrina, und die hatte vor ein paar Tagen meinen Heiratsantrag kategorisch abgelehnt, mit der fadenscheinigen Begründung, dass wir noch zu jung seien, dabei hatte sie mir noch vor Kurzem ewige Treue und Liebe geschworen. Menschen mit Sommersprossen durfte man nicht zu viel Zeit zum Nachdenken geben.

Ich presste meinen Oberkörper flach über das Lenkrad, schneller, schneller, schneller! Mein Atem flatterte, ich fühlte das Blut durch meine Adern sausen, konnte in meinem Ohreninnern sein Rauschen deutlich hören. Jetzt war ich gleich da. Dort vorne blitzte der beigefarbene VW Käfer in der Sonne, ein paar Meter noch, vielleicht zehn, höchstens fünfzehn. Meine zitternden Beine strampelten mit letzter

Kraft dem Ziel entgegen, ich hielt das ersehnte Heft schon fast in den Händen und sah noch einmal das überraschte Gesicht meines Vaters vor mir, als er schweigend ein Fünfzigpfennigstück in meine Hand fallen ließ. Um Worte verlegen, hatte er zu meiner großen Überraschung, entgegen all seinen Prinzipien, zugestimmt. Meine Mutter hatte mich verstanden, sie hatte erkannt, wie wichtig mir dieses Heft war. Ich legte meinen Kopf nach unten, ihr Gesicht lächelte mir über den dahinfliegenden Asphalt entgegen. »Mama«, dachte ich noch, als ich mit dem Vorderreifen in die Stoßstange des nagelneuen Käfers krachte, unendlich langsam die Kühlerhaube hinaufrutschte und rutschte und rutschte – bis ich zu Boden fiel. Es war meine zweite Gehirnerschütterung in einem Jahr. Meine Eltern waren zutiefst besorgt.

Sie brachten mir das schwer erkämpfte Heft an mein Krankenbett. Ich spürte etwas über meinen Kopf streichen. Es waren die Zauberhände meines Vaters: Jeder, den er damit berührte, wurde auf der Stelle gesund. Ich hielt die Augen geschlossen, um den Heilungsprozess nicht zu stören.

»Mickey au Camp de Gurs«, flüsterte meine Mutter. »Die Kinder haben sich immer so gefreut, wenn neue Hefte von Horst kamen. Sie wuschen sich sogar ihre Händchen, um keine Flecken zu machen. Die Maus hat uns alle zum Lachen gebracht.«

»Was ist aus dem Mann geworden?«, fragte ich.

Meine Mutter saß auf ihrem Sessel, in ihrer kleinen Wohnung in Spandau. Draußen schneite es immer noch. Sie schaute zu der gelben Baskenmütze meines Vaters am Türhaken, wischte eine weiße Haarsträhne aus ihrem Gesicht und starrte vor sich hin. Dann zuckte sie kurz mit den Schultern. Nach den Kindern wagte ich nicht zu fragen.

Schwerer Weihrauch kroch duftend in meine Nase, als ich siebenjährig vor dem Tannenbaum zu den Worten der Weihnachtsgeschichte neben meiner Mutter kniend darauf wartete, wann ihre Lesestimme dieses Jahr zittern, wann sie brechen würde, wann sie dieses fürchterlich trockene Schluchzen aus sich herauspressen würde, so wie sie es jedes Jahr unter dem Christbaum tat, bis sie weinte, bis sich ihr ganzer Körper unter Krämpfen schüttelte, während mein Vater ihr beruhigend den Rücken streichelte oder einfach nur seine Hand darauf legte, bis ihre Tränen langsam wieder versiegten. Dieses Jahr jedoch beschloss ich, ihr zuvorzukommen. Noch las sie mit fester Stimme, da begann ich mit den Knien zu zittern, wie ich es jahrein, jahraus bei ihr beobachtet hatte, anschließend in immer kürzeren Abständen zu hecheln, immer stärker zu hecheln, bis ich die ersten besorgten Seitenblicke spürte, aber ... was war das, gottverdammt, die Tränen wollten nicht kommen. Hecheln, dachte ich, hecheln, hecheln ... Ich hatte noch kurz die Dunkelheit aufsteigen sehen, erst grau und dann schwarz, als würde jemand eine riesige Decke über mich werfen, dann war ich umgekippt.

Wenig später saß ich, bei einer Tasse süßlich dampfendem Tee, halb aufgestützt vor meinem Geschenk. Das Christkind hatte mir eine Eisenbahn der Firma Märklin unter den Baum gelegt. Ein besonders großes Geschenk, weil ich in diesem Jahr zweimal im Krankenhaus gewesen war. Auf einer Spanholzplatte rauschte der Zug friedlich über seine Schienen durch eine grün blühende Waldlandschaft, vorbei an Hütten und Häusern, gezogen von einer schwarz glänzenden Lokomotive, der ich mit halb geschlossenen Augen folgte, bis sie dampfend in den kleinen Bahnhof tuckerte.

23

Oloron stand auf dem Bahnhofsschild bei Gurs. In abblätternden Lettern. Der von den Pyrenäen herabfallende Wind schlug einem die Kälte ins Gesicht.

Den ersten Wagen hörten sie nicht. Langsam rollte er bis zur Mitte des Lagers. Die schwarz uniformierten Beamten der Police nationale stiegen schweigend aus. Kurz darauf rollte der zweite Wagen heran. Insgesamt waren es vier. Madame Frévet trat mit einer Trillerpfeife an das Ende des mittleren Barackengangs. Auf ihr Signal traten alle internierten Jüdinnen aus ihren Baracken. Wer nicht Jude war, wurde aufgefordert, in seine Baracke zurückzukehren. Manche brachen in Tränen aus, andere schritten mit stoischer Miene zu den Lastwagen. Die Schwarzen halfen ihnen, wie bei ihrer Ankunft, auf die offene Ladefläche. Sala kam von der Latrine zurück. Schnell versteckte sie sich hinter einer Baracke. Unter dem hereinbrechenden Regen rollte der Konvoi ebenso geräuschlos davon, wie er gekommen war.

Eine Aufseherin ging stumm zählend durch die Reihen. Mit spitzem Bleistift strich sie einen Namen nach dem anderen aus. Sara, Rachel, Deborah, Lana, Bescha, Mindel, Mirjam, Bihri, Dorothea, Nacha, Chawa, Jezabel, Rebekka, Tikvah, Ursula, Ruth, Judith, Nachme, Hannah, Jedidja, Mimi, Baschewa, Daniela, Doris, Heinke, Margalit, Nurit, Schoschanah, Dina, Jyttel, Pesse, Inge, Telze, Simche, Tal, Maria,

Milkele. Die verwaisten Strohsäcke wurden zum Eingang geschleift. In Salas Baracke saßen nur noch 23 Frauen.

Drei Tage und drei Nächte durchwachte Sala in Angst. Es gab noch Juden im Lager. Männer, Frauen, Kinder. Die Schwarzen würden so oft wiederkommen, bis der letzte Jude verschwunden war. Niemand wusste, was mit ihnen geschah. Es gab Gerüchte, dass sie zurückgeführt würden. Man flüsterte auch von polnischen Lagern, in denen es noch schlimmer zugehe als hier. Sala dachte an all die Menschen, die sie im Lager lieb gewonnen hatte. Sie schrieb mehrere Briefe. An ihren Vater, an Lola, an Hannes, den letzten an Otto. Sie vernichtete sie alle. Keiner würde seinen Adressaten erreichen. Die Zensur, das wusste Sala, war unbestechlich. Etwas war mit den Menschen geschehen. Es war ein unmerklicher Prozess, hier im Lager, wie damals in Deutschland. Ihre Gesichter waren zu einer seelenlosen Masse verschmolzen. Einheitlich ergoss sich das über Straßen und Plätze, über Berge und Täler. Das Gefühl schien nahezu aufgebraucht, gespalten in einen ängstlichen Rest und aufschäumende Sachlichkeit.

Am vierten Tag brach Sala zusammen. Sie wurde in die Krankenbaracke getragen. Dort überlebte sie, von Durchfall und Erbrechen geschwächt, den nächsten Transport. Sie hörte die Trillerpfeife von Madame Frévet, vernahm die Schreie, das Stöhnen, das Jammern. In dumpfe Angst gekleidet, roch sie den Gestank des Todes.

Sala stand vor ihrem Strohsack. Ihr Blick huschte über die wenigen Dinge, die sie an ihre Zeit im Lager erinnern würden. Sie wusste nicht, was sie mitnehmen sollte, ob sie überhaupt etwas mitnehmen wollte. Am Abend zuvor war die Nachricht wie ein Blitz eingeschlagen.

»Morgen kannst du gehen.«

Keine Erklärung. Nur dieser einfache Satz. Als würde man sie rauswerfen. Raus in die Freiheit? Mit den anderen Frauen kletterte Sala auf die Ladefläche.

»Vous prendrez le train pour Leipzig et Berlin.«

Zurück nach Deutschland? Warum? Und warum Leipzig und Berlin? Es blieb keine Zeit zu fragen, der Lastwagen rollte aus dem Lager hinaus. Der Mond stieg über Gurs auf. Die Sonne stürzte sich von den schamrot glühenden Spitzen der Pyrenäen.

Wohin?

Auf der Fahrt zum Bahnhof redete niemand. Alle hockten in sich gekehrt auf ihren Siebensachen, den Blick in eine ungewisse Zukunft gerichtet. Eines wusste Sala sofort: Sie durfte sich mit keiner der Frauen in ein Abteil setzen. Niemand sollte von ihrer Vergangenheit erfahren, niemand sollte in Deutschland wissen, dass sie Halbjüdin war. Nach der Ankunft, hatte man ihnen gesagt, seien sie verpflichtet, sich umgehend bei der örtlichen Polizeidienststelle zu melden. Sie besaß keine Papiere, nur einen Zettel mit einem Stempel, der ihren Aufenthalt in Gurs bestätigte. Mit ruhigen Händen zerriss sie dieses lebensbedrohliche Empfehlungsschreiben. Die Papierschnipsel wirbelten in die dunkelnde Nacht. Ein Jahr, acht Monate, neunzehn Stunden, siebenunddreißig Minuten und einige Sekunden. Jetzt war sie frei. Es war verwirrend. Es tat weh.

Sie stieg in den Zug, lief durch die Waggons, als läge vor ihr ein klares Ziel. Als sie niemanden mehr hinter sich wähnte, blieb sie atemlos stehen. Die stickige Luft trieb ihr den Schweiß auf die Stirn. Sie schloss sich in der Zugtoilette ein. Beißender Gestank kroch ihr in die Nase. Roch so die Freiheit? Zum ersten Mal seit Tagen wagte sie einen Blick in den Spiegel. Ein heftiges Zittern erfasste ihren Körper.

Ihr Gesicht zuckte, die Lippen klafften wund auseinander, ihr Kopf sackte leblos auf ihre Brust. So schlimm hatte sie es sich nicht vorgestellt. Sie wusste, dass sie abgenommen hatte. Nacht für Nacht, Bewegung für Bewegung hatte sie auf dem Strohsack gefühlt, wie ihre durchscheinende Haut mehr und mehr die Konturen ihrer Knochen freigab, ein anhaltender Schmerz. Das war nicht schlimm. Ihr matter Blick, die hoffnungsleeren Augen, die schlaffen Gesichtszüge, nicht einmal der vorschnelle Alterungsprozess kümmerte sie. All das hatte sie erwartet. Ihre Hände tasteten verzweifelt über ihren Kopf. Zwischen ihren Fingern klebten feuchte Strähnen. Tränen liefen über ihr Gesicht. Ihr Haar. Ihr schönes, schwarzes, dickes Haar fiel ihr in Büscheln aus.

Sie richtete sich wieder auf und zwang sich, in den Spiegel zu schauen. Dann schlang sie diesem fremden Gesicht ein hellblaues Tuch um den Kopf und trat zurück auf den Gang. Im nächsten Waggon öffnete sie die Tür eines Abteils. An den Fensterplätzen saßen sich ein älterer Mann und seine Frau gegenüber. Von ihren Gesichtern strahlte ihr innige Verbundenheit entgegen. So konnten keine schlechten Menschen schauen, dachte Sala. Sie setzte sich auf den Platz neben der Tür, auf der Seite der Frau.

»Bonsoir«, murmelte sie.

»Bonsoir«, klang es mit deutschem Akzent wie aus einem Mund zurück.

»Vous allez jusqu'où, mademoiselle?« Die Dame trug ihr dünnes Haar zu einem Dutt gebunden. Über dem dunkelgrauen Rock schimmerte aus einer eleganten blauen Wolljacke zartgelb eine Bluse hervor. Der oberste Knopf stand offen. Auf der Nase trug sie eine goldene Halbbrille. Der Mann hatte sein schütteres Haar zurückgekämmt. Hinter seiner kräftigen runden Hornbrille blitzen kleine hellblaue

Augen etwas spitzbübisch und neugierig hin und her. Sala überlegte, ob sie sich als Französin ausgeben sollte. Spätestens an der Grenze würde der Schwindel auffliegen, wenn sie keine Papiere vorweisen könnte.

»Ich fahre nach Leipzig«, sagte sie.

Die beiden lächelten sie an.

»Mögen Sie ein Stück Schokolade?« Die Dame kramte etwas umständlich eine kleine Schachtel hervor. Als sie den Deckel hob, starrte Sala verzückt auf die hell- und dunkelbraun schimmernden Pralinen.

»Aus Montellimar«, ergänzte der Mann.

»Au nougat«, fügte die Dame mit einem Lächeln über ihren Brillenrand hinzu.

»Wir wohnen auch in Leipzig.«

Sala wagte einen Griff in die Schachtel. Sie hielt es für ratsam, so wenig wie möglich zu sagen. Als sie vorsichtig in die erste Praline biss, fühlte sie eine Geborgenheit, wie aus den Tagen ihrer frühesten Kindheit, als ihre Eltern noch Hand in Hand über die Wiesen des Monte Verità rannten und der Vater ihr abends vor dem Schlafengehen eine warme Schokolade brachte. Damals hatte sie auch geschwiegen. Es war ihre glücklichste Zeit.

Der Zug ratterte gemütlich durch die Nacht. Anfangs zuckte Sala jedes Mal zusammen, wenn ein Schatten an ihrem Abteilfenster vorbeihuschte. Das Ehepaar war in seine Lektüre vertieft. Die beiden schienen nicht weiter Notiz von ihr zu nehmen. Das eintönige Rattern des Zuges wiegte Sala in den Schlaf. Als sie aufwachte, hatte sie jedes Zeitgefühl verloren. Im ersten Schreck meinte sie, ihre Mutter auf dem Fensterplatz zu erkennen. Aus ihren scharfen Zügen blickten sie ihre Augen eisblau an. Sala wollte sich aufrichten, zu ihr gehen, aber ihre Beine waren wie festgenagelt, die kaum drei Meter zwischen ihnen unüberbrückbar. Sie wollte etwas sagen. Ihr Mund war staubtrocken, die Zunge geschwollen, als müsste sie an sich selbst ersticken. Es war das andere Schweigen aus ihrer Kindheit, das unheilkündende, kurz bevor ihre Welt in Dunkelheit versank. Widerwillig schüttelte sie die alten Schatten ab und schlief unruhig weiter.

Ein schrilles Quietschen durchschnitt ihren Traum. Der Zug hielt auf freier Strecke. Die Maschinen atmeten aus. Schwere Schritte schlugen in die Stille. Sie kamen näher. Sie war allein, das Ehepaar verschwunden. Salas Magen zog sich zusammen. Wo war das Ehepaar aus ihrem Abteil? Warum waren sie verschwunden? Noch war sie in Frankreich, aber auf besetztem Gebiet. Eine falsche Bemerkung konnte sie ins Gefängnis bringen oder nach Polen, wohin die anderen Juden transportiert worden waren. Warum zum Teufel hatte sie den Zettel aus Gurs zerrissen? Es war ihr einziges rechtmäßiges Papier gewesen. Solche Dummheiten konnte sie sich nicht leisten.

Eine Abteiltür wurde aufgerissen. Laute Stimmen drangen an ihr Ohr. Sprachen sie Deutsch? Salas Körper spannte sich, sie hielt den Atem an. Ihr Herzschlag übertönte das Stimmengewirr. Vorsichtig rückte sie so dicht wie möglich an das Gangfenster. Zwei Abteile weiter erkannte sie deutsche Soldaten. Zwei von ihnen standen auf dem Gang, ein dritter war halb zwischen die Sitzreihen gebeugt. Sie steuerten auf das nächste Abteil zu. Hatte der Zug bereits die Grenze erreicht? Sie konnte unmöglich so lange geschlafen haben.

Im Hintergrund tauchte das Ehepaar auf. Umständlich zwängten sie sich an den Soldaten vorbei. Ohne Sala eines Blickes zu würdigen, betraten sie schweigend das Abteil und nahmen ihre Plätze ein. Hatten sie sie verraten? Sala wollte sich gerade zu ihnen wenden, da wurde die Tür aufgerissen.

»Ihre Ausweise.«

Sala zuckte bei dem bellenden Ton zusammen. Unwillkürlich griff sie nach ihrem Rucksack, sie musste Zeit gewinnen, auch wenn sie nicht wusste, wofür. Der Soldat
schrie sie laut an.

»Na wird's bald!«

Salas Hände begannen zu zittern.

»Un moment, s'il vous plaît.«

»Was haben denn diese ganzen Franzosen jetzt auf einmal im Reich zu suchen?«

»Pardon, monsieur?«

»Die Papiere, aber dalli«, herrschte er sie an.

Jetzt reckte sich die Dame aus ihrem Sitz empor.
»Mäßigen Sie sich gefälligst. Mein Mann ist schwer herz-
krank und kann solche Aufregungen nicht vertragen.«

Der Soldat sah sie verdattert an. Seine Kollegen waren
dicht herangetreten. Sie starrten unsicher auf ihren Vor-
gesetzten. Ein Ruck ging durch seinen schweren Körper.
Sein Hals schwoll rot an.

»Das ist eine Grenzkontrolle. Und Sie reden nur, wenn
Sie gefragt werden, verstanden?«, donnerte es aus ihm hervor.

Die Dame sprang auf.

»Was bilden Sie sich ein? Ich verbitte mir diesen flegel-
haften Ton.«

Sala wurde ruhig. Ihr ganzer Körper fühlte sich kalt an.
Für einen Moment war ihr, als würde sie aus sich heraustreten, um die Situation besser beobachten zu können. Sie sah
die Arme des Dicken durch die Luft rudern. Seine Kameraden waren jetzt so dicht an ihn herangerückt, dass man
nicht wusste, ob sie eine Stellung verteidigten oder sich
zum Sturmangriff wappneten. Der alte Mann war hinter
seinen runden Brillengläsern ganz fahl geworden. Zitternd

suchte seine Hand nach dem obersten Kragenknopf. Ein schwaches Röcheln drang aus seiner Brust. Er schnappte nach Luft.

Die Dame begann laut zu schreien.

»Ernst! Ernst! Um Gottes willen, deine Tabletten, schnell. Einen Arzt. Mein Mann braucht einen Arzt. So helfen Sie doch, verdammt noch mal.«

Die Soldaten standen steif da.

»Rühren!« Die überraschend scharfe Stimme der Dame fuhr durch Mark und Bein.

Der Lämmerhaufen geriet in Unruhe.

»Je suis médecin.« Sala war ruhig aufgestanden. Sie winkte dem Anführer zu. »Aidez-moi.«

Die Soldaten sahen sie ungerührt an. Wenn sie jetzt Deutsch spräche, fürchtete Sala, würden sie sie womöglich verhaften.

»Die junge Frau ist Ärztin«, warf die Dame schnell ein, »helfen Sie ihr.«

Etwas benommen gehorchte der Dicke. Gemeinsam legten sie den Mann auf den Rücken. Sala öffnete sein Hemd bis zur Brust und begann eine fachgerechte Herzmassage. Alle fünf Stöße bedeutete sie der Dame, ihren Mann von Mund zu Mund zu beatmen. Die Soldaten standen jetzt mit offenem Mund starrend in der Gegend herum. Schließlich rang sich der Dicke durch. Zögerlich trat er hervor.

»Ich bitte meinen Ton zu entschuldigen, gnädige Frau. In diesem Krieg liegen auch unsere Nerven blank. Können wir noch etwas für Sie tun?«

Die Dame würdigte ihn keines Blickes. Ihr Mann öffnete langsam die Augen. Als er den Dicken erblickte, begann er sofort wieder hektisch zu röcheln. Der Dicke wich reflexartig zurück.

»Verzeihen Sie, gnädige Frau, aber wir möchten Ihren

Gatten nicht weiter aufregen. Wenn Sie keine weitere Hilfe benötigen, würden wir jetzt unserer Pflicht nachgehen.«

Die Soldaten traten vorsichtig den Rückzug an. Als sie den Mann noch einmal aufstöhnen hörten, beeilten sie sich, ungeordnet das Abteil zu verlassen. Die Dame hob den Kopf.

»Name, Dienstgrad! Ich werde mich direkt nach unserer Ankunft bei Ihrer Dienststelle beschweren.«

Die Dame stand auf und streckte den Kopf aus dem Abteil. Die Gruppe eilte davon. Sie wartete noch einen Augenblick, dann drehte sie sich zurück ins Abteil und nickte ihrem Mann lächelnd zu. Ernst richtete sich auf und klopfte sich lässig den Staub von den Kleidern. Sie reichten Sala die Hand.

»Ingrid Kerber, und das ist mein Mann Ernst.«

»Sala Nohl. Danke.« Sie wusste nicht weiter.

»Ihr Französisch klingt wirklich perfekt. Haben Sie schon eine Bleibe in Leipzig?«

Sala schüttelte den Kopf.

»Sind Sie wirklich Ärztin, oder studieren Sie noch Medizin?«

»Weder noch. Ich komme aus dem Lager in Gurs.«

»Das haben wir uns schon gedacht. Und nun?«

»Ich weiß es nicht. Ich soll mich direkt nach meiner Ankunft bei der Polizei melden.«

»Hier.« Die Dame reichte Sala eine Visitenkarte. »Wenn Sie Hilfe brauchen, zögern Sie nicht.«

Sala nahm die Karte mit zitternden Händen, als würde sie gerade jetzt aller Mut verlassen. Ihr Hals schnürte sich zu. Nur mit Mühe las sie: »Ingrid Kerber, Rosenstraße 5, Leipzig«. Unter Tränen verschwamm die Schrift vor ihren Augen. Stumm fiel sie der Frau um den Hals.

24

Allein auf dem Bahnsteig. Wieder Herbst. Bahnhöfe. Schicksale, die sich kreuzend in der Ferne verloren. Berlin, Madrid, Paris, Gurs und jetzt Leipzig. Durch das Glasdach fiel trübes Licht, so grau wie die Gesichter, die sich aneinander vorbeischoben. Die Augen starr auf den Boden geheftet, sahen diese Menschen einander nicht an. Sala dachte an die Baracken, denen sie gerade entkommen war. Von einem Lager ins nächste. Dort Dachpappe über dem Kopf, hier Glas. Dort waren die Gesichter von Angst, Kummer oder Sehnsucht gezeichnet, hier wirkte alles verzerrt und reglos. In Gurs lachte man auch. Und wie. Wo waren die Menschen?

Es war kalt, Frankreich weit weg, Gurs nur noch ein ziehender Schmerz. Konnte man die Juden wirklich an ihren Gesichtern erkennen? Sie sah sich um. Sah den Gang der Menschen, hörte ihre Stimmen. Leblos und hohl, als seien sie aus Ton. Die Bewegungen schienen genau bemessen. Alles lief nach Plan. Hier gab es nicht einmal die Freiheit unterzugehen. Das war ihr Volk gewesen? Hatte sie nicht geweint, als sie damals in Berlin in den Zug gestiegen war? Was war aus diesem Land geworden? Was um alles in der Welt war mit diesen Menschen geschehen? Klong, klong, klong, klong, klong, klong, klong. Sie stapften davon. Pappkameraden. Abziehbilder. Entmutigte. Kriecher. Selbstgerecht und feige. Eng. Mies. Kleinmütig. Falsch. Verhöhnt und missbraucht. Verräter, Seelenkrüppel, Mörder. Lautlos, geruchlos, gefühllos. Vertraut.

Ihre Füße steuerten auf den Ausgang zu. Ein kleiner Junge schoss mit weit aufgerissenen Augen an ihr vorbei, rempelte eine rundliche Dame an, stolperte. Sala sah den gelben Stern auf seiner linken vorderen Jackenseite aufblitzen, der Junge schlug sich das Knie auf, sprang lachend wieder hoch und verschwand in der Menge.

»Verdammter Judenlümmel«, fauchte die Frau aus schmalen, spitzen Lippen. Ihre Augen blitzten, dann klappte sie das Visier wieder herunter und wackelte mechanisch weiter wie alle anderen.

Vor dem Bahnhof blieb Sala stehen. Ihr Herz flatterte. Bleib ruhig, verdammt noch mal. Es kann doch nicht sein, dass du dich nach wenigen Metern genauso bewegst wie die. Wehr dich. Geh deinen eigenen Weg. Du gibst den Takt an, nicht sie. Die Bahnhofsuhr holte Sala mit zwölf Schlägen aus ihrer Erstarrung. Ihr wurde schwindelig. Sie hörte den Schlag nicht, mit dem ihr Kopf auf den Boden prallte.

»Verstehen Sie, was ich sage?«

Woher kam diese Stimme? Was war mit ihren Augen? Warum konnte sie sie nicht offen halten? Etwas drückte von innen gegen ihre Schädelwand. Ihre Lippen klebten aufeinander. Als sie sie öffnete, spürte sie, wie die oberste Hautschicht aufriss. Alles brannte.

»Wo bin ich?«

»In der Frauenklinik, in Leipzig, ich bin Dr. Wolffhardt. Sie wurden heute Mittag bewusstlos und mit ungeklärtem Befund notaufgenommen.«

Notaufgenommen? Was war geschehen?

»Können Sie sich an etwas erinnern? Sind Sie gestürzt?«

Wenn sie jetzt mit »Ja« antwortete, würde er nach ihren Papieren fragen. Sie verneinte.

»Haben Sie Schmerzen?«

Was sollte sie antworten? Sie musste so schnell wie möglich hier raus. Als sie den Kopf schüttelte, glaubte sie zu spüren, wie ihr Gehirn von einer Schädelwand zur anderen schwappte. Sie schloss die Augen.

»Leben Sie in Leipzig? Wir konnten keine Ausweispapiere finden.«

Die Visitenkarte, die ihr die Dame im Zug gegeben hatte, tauchte vor ihr auf.

»Kerber.«

»Ist das Ihr Name?«

Sie nickte.

»Sind Sie sicher?«

Sie nickte.

Es war ihre einzige Chance, sie musste es versuchen. Warum sah er sie so durchdringend an?

»Fräulein Kerber, Sie haben eine Gehirnerschütterung. Wir werden Sie noch ein paar Tage zur Beobachtung hier behalten, dann können Sie nach Hause gehen.«

»Danke.« Sie lächelte. Etwas stimmte nicht. Sie konnte es fühlen.

»Wir würden gerne Ihre Familie benachrichtigen. Leben Ihre Eltern auch in Leipzig?«

Vielleicht kannte er die Kerbers. Vielleicht wusste er, dass sie nicht ihre Tochter sein konnte. Hatten sie überhaupt Kinder? Würden sie ihr noch einmal helfen? Würden sie sich ein weiteres Mal in Gefahr bringen? Wofür? Nur weil sie in ihrer Not an das Gute in ihnen glaubte oder glauben wollte? Und wenn sie sich irrte? Wenn sie zu viel von ihnen erwartete?

»Ja.«

Der Arzt nahm ihre Hand. Sie spürte seine Wärme. Am liebsten würde sie ihn festhalten, aber sie lächelte nur scheu. Am nächsten Morgen saßen Ingrid und Ernst Kerber an ihrem Bett.

Obwohl sie noch etwas geschwächt war, als sie die Station verließ, glaubte sie bei der Verabschiedung von Dr. Wolffhardt eine Vertrautheit zwischen ihm und den Kerbers zu erkennen.

Als sie die Wohnung der Kerbers betrat, überfiel sie ein wohliger Schauer. Der nach Süden ausgerichtete Wohnbereich war hell und aufgeräumt. Alles stand an seinem Platz. Nichts wirkte aufdringlich oder schwer. Im Eingang hüpfte ein Kuckuck aus der Uhr. Sala lachte erschrocken. So etwas wäre bei ihren Eltern, ob in Berlin oder Madrid, unvorstellbar gewesen. Diese Ordnung war beruhigend. Die Ehe der Kerbers war kinderlos geblieben.

In den folgenden Tagen begann Sala zu erzählen. In einem Monolog, der aus ihr herausfloss, nur hier und da durch kurze, mitfühlende Fragen unterbrochen, berichtete sie von ihrem Weg vom Monte Verità über Berlin nach Madrid, erzählte von ihrem Vater, ihrer Mutter, von Tomás, der Begegnung mit Otto, von Paris, von Lola und Robert, verschwieg auch Hannes nicht, erzählte von der Flucht und dem Lager in Gurs, sie sprach von Mimi, Madame Frévet und Mickey Mouse, den spanischen Anarchisten, ihren Träumen vom Theater, den Juden, die schweigend auf den Ladeflächen der Lastwagen aus dem Lager rollten, von den Sonnenuntergängen hinter den Pyrenäen. Ohne es zu merken, legte sie ihr ganzes Leben vor ihnen aus, als wäre sie nach einer langen Reise endlich heimgekehrt. Ihr Blick gewährte ihr einen Halt, den sie nicht einmal von Otto erfahren hatte. So konnte Deutschland auch sein. Sie wusste, dass hier ihre Heimat war. Sie würde nie wieder weggehen.

Die ersten Wochen vergingen wie ein Tag in einer Kette von Jahren.

»Sala?«

Sie sah in Ingrids Augen, das graue Haar fiel in Wellen offen über ihre Schultern.

»Ja?«

»Hast du je darüber nachgedacht, nach Palästina zu gehen?«

Nein, das hatte sie nicht. Warum auch? Sie war keine Jüdin. Sie verstand dieses Leben nicht. Es war eines Tages wie ein Fluch über sie hereingebrochen, hatte sie aller Rechte beraubt. Sie durfte nicht leben, wo sie wollte, nicht studieren, nicht lieben, wen oder wie sie wollte. Das Erbe ihrer Mutter hatte sie von allem abgeschnitten, was ihr teuer war. Was half es ihr, dass das Judentum nichts dafür konnte? Welche Schuld hatte sie denn auf sich geladen?

Als sie am Bahnhof ausgestiegen war, hatte ihr das Land, das sie verstoßen hatte, so wie ihr Vater und ihre Mutter von ihren Eltern verstoßen worden waren, kalt ins Gesicht geschlagen, so hart, so übergangslos, dass sie einige Meter weiter zu Boden gegangen war. Und wer hatte sie wieder aufgerichtet? Wer hatte sie aufgenommen und gerettet? Dieses deutsche Ehepaar. Selbstlos, ohne Furcht. Auch das machten Menschen in diesem Land, dachte sie. Sie liebte dieses Land. Schon immer. Sie konnte nichts dafür, dass es jetzt von einer seltsamen Krankheit ausgehöhlt wurde. Niemals konnte sie nach Palästina gehen, niemals wie eine Jüdin fühlen, nie so werden wie ihre Mutter.

»Nein.«

»Warum nicht?«

Palästina. Wie kam sie darauf? War das eine Falle? Hatten sie sie aus dem Krankenhaus geholt, um sie aufzupäppeln? Woher die Vertrautheit zwischen ihnen und Dr. Wolffhardt?

»Ist dir kalt?«

»Nein. Warum?«

»Du zitterst.«

Dann zitterte sie eben. Na und?

»Ich bin müde.«

Sie hatte Angst. Sie wollte weg.

Sala erwachte mitten in der Nacht von dem Regen, der gegen ihr Fenster schlug. Als sie aufstehen wollte, spürte sie ihre Beine nicht mehr. Sie fiel zurück aufs Bett und klammerte sich an der Matratze fest. Ihr Herz raste. Langsam atmen. Ganz ruhig. Sie lauschte in die Nacht. Nichts regte sich. Sie machte einen erneuten Versuch aufzustehen. Diesmal ging es besser. Sie trat ans Fenster. Die Straße unter ihr war menschenleer. Hier bei den Kerbers konnte sie nicht bleiben. Deutschen konnte man nicht trauen. Vielleicht tat sie ihnen unrecht, aber es war zu gefährlich, das herauszufinden. Früher hatte sie immer viel auf ihre Menschenkenntnis gegeben. Aber das war früher. Jetzt war alles anders. Leise packte sie ihren Rucksack. Wohin? Wenn sie jetzt davonlaufen würde, wäre sie vogelfrei. Briefe schreiben. Vielleicht an ihren Vater? Oder war das zu gefährlich? Otto? Sie wusste ja gar nicht, wo er war. Anna. Sie würde seiner Mutter Anna schreiben. Sie könnte nach ihrem Sohn fragen. Und falls Inge davon erfuhr und ihr den Günter und seine Nazikumpanen auf den Hals hetzte? Sie würde Anna schreiben und sich als eine ehemalige Kommilitonin ihres Sohnes Otto ausgeben. Ja, und dann, was wäre dann alles möglich? Allein mit Otto in Leipzig. Oder weg von hier. Und wenn Otto nicht mehr lebte? Gefallen an irgendeiner Front, im Osten oder sonst wo? Otto. Sie sah ihn auf der Leiter stehend, in der Bibliothek ihres Vaters. Er hatte sie nicht kommen hören. Versunken starrte er auf die Bücher, griff eines heraus, roch daran, schob seine Finger zwischen die Seiten, wie unter einen Rock. Sie hatte ihn auf der Stelle geliebt. Er war in ihr Leben eingebrochen. Damals hatte sie sich nichts sehnlicher gewünscht, als von ihm entführt zu werden. Bis heute hatte sie es ihm nicht gesagt. Vielleicht jetzt? Sollte sie ihm schreiben: Bitte bring mich weg von hier? Nur diesen einen Satz. Aber wie sollte er antworten? An welche Adresse? Die Post. Nein, auch das war zu gefährlich. Und wenn sie schriebe, dass sie jeden Tag um Punkt zwölf Uhr vor der Post auf ihn wartete? Und sie würde warten. Zwei Zeilen in schneller Schrift aufs Papier geworfen. Im Morgengrauen würde sie den Brief zur Post bringen, adressiert an Otto. Anna würde es nicht wagen, einen Brief an ihren Sohn zu öffnen. Schließlich gab es ein Briefgeheimnis. Daran würde sie sich halten. Und die Schwestern auch. Sie ließ den Rucksack sinken und setzte sich an den Schreibtisch. Ihre Gastgeber waren gute Menschen. Wie konnte sie ihnen so misstrauen? Noch bevor die Kerbers aufwachten huschte sie aus der Wohnung.

In einer Gasse blieb sie stehen. Wie lange war sie schon gelaufen? Ihre Füße schmerzten. Es war kalt. Sie schlug die Arme um ihren Körper und dachte nach.

Etwas später stand sie auf dem Augustusplatz. Das Postamt lag vor ihr. Wie ein Schloss aus dem letzten Jahrhundert. Auch damals schon größenwahnsinnig, dachte sie. Was war schon dran? Einfach hineingehen, zum ersten Schalter, den Brief aufgeben und wieder raus. Menschen kreuzten ihren Weg. Keiner schien sie zu beachten. Der Schalterbeamte nahm ihren Brief, ohne aufzublicken. Schnell schob sie das Kleingeld über den hellen Marmor, dann wandte sie sich ab, um zu gehen. Ganz ruhig. Nicht auffallen. Langsam und mechanisch wie alle andern zum Ausgang streben.

»Fräulein.«

Die Stimme hämmerte durch den Raum. Sala blieb stehen. Alle Blicke waren jetzt auf sie gerichtet.

»Fräulein.«

Es hallte spitz und spöttisch nach. Die Gesichter um sie herum verschwammen zu einer dumpf grinsenden Masse. Still warteten alle auf den Beginn des Spektakels. Was wollte er? Was hatte sie falsch gemacht? Sollte sie einfach davonrennen? Hals über Kopf? Sie sah dem Beamten gerade ins Gesicht. Wie weit war es von hier bis zum Ausgang? Und dann? Der Vorplatz war riesig, ihn zu überqueren zu gefährlich, chancenlos, sie musste entweder sofort nach links oder nach rechts abbiegen. Warum hatte sie nicht vor dem Betreten des Gebäudes darüber nachgedacht? Bevor man auf einen Baum klettert, muss man sich überlegen, wie man wieder runterkommt. Das hatte sie doch schon als Kind gelernt.

»Der Absender fehlt.«

Der Beamte sah sie aus kalten Schlangenaugen an, bereit, sie bei der nächsten falschen Bewegung zu zerquetschen, dachte sie. Leicht bleiben. Den Umschlag nehmen, irgendeinen Namen draufschreiben, irgendeine Adresse, lächeln und gehen.

»Verzeihung.«

»Na bitte.«

Sie bewegte sich ruhig auf den Ausgang zu. Nur noch ein paar Meter. Die Blicke? Ach was. Keiner nahm Notiz von ihr. Warum auch? Sie bildete sich das alles nur ein. Es war Krieg. Jeder hatte seine eigenen Probleme.

Der Brief an Otto war verschickt. Hielt man sie auf der Straße für eine Jüdin? Worauf musste sie achten? An jeder Ecke konnte ein Spitzel lauern, jedes auffällige Zögern konnte das Ende dieser Irrfahrt bedeuten. Ziellos lief sie durch die Stadt.

Als sie bei hereinbrechender Dunkelheit in die Rosenstraße bog, sah sie nach wenigen Metern einen Mann in einem langen Ledermantel vor dem Haus der Kerbers stehen. Sie konnte sein Gesicht nicht erkennen, er wandte ihr den Rücken zu. Er trug einen Hut. Im Schutz eines Hauseingangs, von der gegenüberliegenden Straßenseite aus, folgte sie seinem Blick, hoch zu den Fenstern der dritten Etage. Die Wohnung von Ingrid und Ernst war hell erleuchtet. Er verschwand durch die Eingangstür. Ingrid trat ans Fenster. Sie wirkte aufgewühlt. Ihre Blicke trafen sich. Ingrid legte ihre Hand an die Fensterscheibe, als wollte sie Sala berühren. Sala erkannte ihren Blick. Wie oft hatte sie diesen Ausdruck in Gurs gesehen, wenn die Schwarzen mit ihren Lastwagen durch die Stille des Lagers rollten? Dreimal? Ja und jede weitere Nacht, wenn sie ihnen in ihren Träumen wiederbegegnete, oder tagsüber, sogar wenn eine helfende Hand nach ihr griff. Ingrid winkte ihr kurz zu. Nein, sie winkte sie weg. Sie sollte verschwinden. Vielleicht hatte der Mann gerade geklingelt. Ein schwarzer Wagen bog um die Ecke. Scheinwerfer und Motor wurden ausgeschaltet. Kurz darauf traten Ingrid und Ernst aus dem Haus, gefolgt von dem Fremden. Sala wich ein paar Schritte zurück. Der Fahrer war ausgestiegen und half jetzt, Ingrid und Ernst in den Wagen zu schieben. Ihre Gesichter leuchteten unter der Laterne. Sala begann zu zittern. Ihr wurde schwindelig. Jetzt nicht umfallen! Reiß dich zusammen! Warum rannte sie nicht hin? Warum half sie ihnen nicht? Sie hatte sie verlassen. Sie, die einzigen Menschen, die gut zu ihr gewesen waren. Der Fahrer warf den Motor an, der Wagen verschwand ohne Licht im Dunkel der Nacht. Wie in Gurs war alles schnell gegangen. Nahezu lautlos. Eine kurze Unterbrechung, von den Nachbarn keine Spur. Überall waren die Lichter erloschen, als das Auto vor der Nummer 5 gehalten hatte. Das Haus stellte sich tot.

Sie hatten ihr geholfen. Der Satz raste durch ihr Gehirn. Und sie? Sie hatte aus ihrem Versteck zugeschaut. Wie in Gurs, als die ersten Juden abtransportiert wurden.

Die Straße war wieder leer. Sala huschte hinüber. Vor der Tür entdeckte sie eine Tablettenschachtel. Sie sah sich schnell um, bückte sich und hob sie auf. Auf die Verpackung war ein einzelner Buchstabe gemalt. Ein großes W. Es waren Salas Kopfschmerztabletten. Hatte Ingrid sie beim Heraustreten aus der Tasche gleiten lassen? Sala ging hinein. Vorsichtig schlich sie die Treppe hoch. Die Tür im dritten Stock stand offen. Aufgeregtes Flüstern drang an ihr Ohr. Schatten huschten über den Korridor, von einem Zimmer ins andere. Ein Ehepaar. Die Nachbarn von der oberen Etage. Wahrscheinlich hatten sie die Gestapo alarmiert. Was warf man ihnen vor? Vielleicht, dass die Kerbers eine Jüdin bei sich versteckten? Woran sollten sie das gemerkt haben? Sala betrachtete die Tablettenschachtel in ihrer Hand. W? Die Nachbarn stopften, was sie kriegen konnten, in ihre Reisetaschen.

Sala lief durch die Straßen. Die Stadt wuchs zu einem Labyrinth. Wenn sie vor Erschöpfung stolperte, suchte sie Zuflucht in einem Hauseingang, setzte sich auf die Treppenstufen, im Nacken die Angst. Manchmal nickte sie für wenige Minuten ein, wachte nach den ersten Traumbildern im Schreck wieder auf, rannte hinaus, lief weiter, immer weiter, dem spärlichen Licht am Ende der Nacht entgegen, aus der sich die ersten Gestalten schälten.

25

Sala saß vor Dr. Wolffhardt im Ärztezimmer. Bevor sie etwas sagen konnte, legte er den Zeigefinger auf die Lippen, deutete mit knappen Gesten auf die Wände und auf seine Ohren. Sala verstand. Dann sprach er zu ihr in geschäftsmäßigem Ton, als handelte es sich um ein Einstellungsgespräch.

»Warum möchten Sie eine Ausbildung zur Krankenschwester bei uns machen?«

Dabei kritzelte er schnell etwas auf einen Zettel, den er über den Schreibtisch schob.

WIE GEHT ES INGRID UND ERNST?

Sala zuckte mit den Schultern.

»Mein Verlobter ist Arzt und versorgt unsere Soldaten an der Front.«

Sala schrieb auf den Zettel.

SIE WURDEN BEIDE VON DER GESTAPO ABGEFÜHRT.

Dr. Wolffhardt sah sie erschrocken an.

»Wie alt sind Sie?«

»Vierundzwanzig.«

Er nickte nachdenklich.

»Hat es Sie nie gereizt, selbst Medizin zu studieren?«

»Nein, ich wollte so schnell wie möglich meinem Vaterland dienen.«

»Was haben Sie bisher gemacht?«

»Ich habe mich um meine Eltern gekümmert. Beide sind schwer krank.«

»Wie lautet die Diagnose?«

»Eine angeborene Immunschwäche gegenüber einem Bazillus, den zu bekämpfen bisher nicht gelungen ist.«

Dr. Wolffhardt holte tief Luft. Sala sah, dass ihm die Tränen kamen. Er atmete tief durch, hatte sich wieder im Griff.

»Meine Frau leitet die Schwesternschule. Wir können motivierten Nachwuchs gut gebrauchen. Bitte bringen Sie Ihre Ausweispapiere mit.« Sala zuckte zusammen. Er lächelte und winkte ab, als wollte er sagen: »Machen Sie sich keine Sorgen.«

Am Nachmittag saß Sala auf dem Bett in einem Schwesternzimmer. Mopp Heinecke, eine kräftige junge Frau mit lachendem Gesicht, erklärte ihr den Tagesablauf.

»Morgens ist Chefvisite. Vorher müssen wir die Patienten waschen, wenn nötig Verbandwechsel et cetera pp. Alles halb so wild. Wirst du sehen.«

Sie half Sala, ihre wenigen Habseligkeiten im Schrank zu verstauen.

»Da rauschen sie dann mit wehenden Kitteln durch die Zimmer. Der Chef redet, die andern nicken wichtig, und wir passen auf, was zu tun ist. Immer nur reden, wenn du gefragt wirst, aber dich fragt am Anfang sowieso keiner. Und du fragst auch niemanden. Gehe nie zu deinem Fürst, wenn du nicht gerufen wirst.«

Sie lachte, wobei ihr ganzer Körper im Takt mitwackelte.

»Lass dich nicht beeindrucken, aber guck immer schön beeindruckt. Das mögen sie. Die Wahrheit ist: Den Laden schmeißen wir – und das wissen die Doctores auch, wenigstens die, die schon ein paar Jahre auf dem Buckel haben. Einen Rat noch: Wenn dir einer schöne Augen macht, womit sie bei deiner Figur nicht lange warten werden, verkauf dich nicht. Wer schnell aufsteht, wird auch schnell wieder sitzen gelassen. Und Finger weg von den Verheirateten! Das gibt nur Ärger.«

Sala konnte sich ein Lachen nur mühsam verkneifen. Mopp war das, was Otto eine Marke genannt hätte. Sie strahlte neben ihrer Lebensfreude eine Gutmütigkeit aus, die Sala verblüffte.

»Hast du schon einen Schatz?«

Sala nickte.

»An der Front oder hier?«

»Ich weiß es nicht.«

»Na, wenigstens eine, die ehrlich ist. Was ich hier schon für Märchen gehört habe, da wären die Brüder Grimm vor Neid erblasst. Wann hast du ihn denn das letzte Mal gesehen?«

»Vor drei Jahren.«

»Also gestern.«

Sie lachten.

»Und was macht der Herr, wenn er nicht Kanonenfutter ist?«

»Er ist Arzt beim Roten Kreuz.«

»Herrjemine! Und ich mach hier Witze über die Doctores. Dann bist du ja schon versorgt. Aber ihr seid nicht von hier, oder?«

Sala schüttelte den Kopf.

»Du?«

»Na klar, aus Sachsen, wo die hübschen Mädels auf den Bäumen wachsen. Nur gibt's hier bald keine Bäume mehr, und Mädels haben wir jetzt schon zu viele.«

Wieder schüttete sie sich aus vor Lachen.

»Du hast doch bestimmt an jedem Finger drei«, sagte Sala.

Wieder lachte Mopp.

»Sagen wir's mal so: Wenn ich jeden Antrag angenommen hätte, wär das Tausendjährige Reich gesichert. – Aber ich kann mich beherrschen, wenn's drauf ankommt. Nee,

nee, das hebe ich mir für bessere Zeiten auf. Weiß zwar keiner, wann die kommen, aber kommen müssen sie. Das ist Naturgesetz.«

Sala lachte.

»Ach, der Führer setzt auch noch die Natur außer Kraft.«

Mopp hielt mitten im Lachen inne.

»Pass bloß auf, vor wem du so was sagst. Auch in der Klinik haben die Wände Ohren. Hier sind fast nur Hundertprozenter unterwegs. Sei nett zu allen und vertraue niemandem.«

Sala senkte erschrocken den Blick. Warum hatte sie sich von Mopps Leichtigkeit mitreißen lassen? Noch hatte sie keine Papiere.

»Du stehst zwar unter dem Schutz von der Wolffhardt, der heiligen Maria, wie wir sie hier nennen, aber gerade deswegen musst du vorsichtig sein.«

Sala sah sie fragend an.

»Das wissen alle hier, dass die Maria ihren eigenen Kopf hat. Mehr sag ich nicht. Und mehr muss auch keiner wissen. Und besser ist, du behältst diese Freundschaft für dich. Keine schlafenden Hunde wecken.«

Als Sala zu später Stunde mit wachen Augen in die Nacht starrte, dankte sie dem Herrgott und ihrem Schicksal. Es war das erste Mal, dass sie betete, seit sie die Sankt-Ursula-Schule verlassen hatte. Ihren Glauben hatte sie damals verloren, aber schaden konnte es trotzdem nicht. Mopps rhythmisches Schnarchen wiegte sie sanft in den Schlaf. Mit halb offenen Augen schaute sie zu ihrer neu gewonnenen Freundin hinüber. Selbst im Schlaf schien sie noch zu lachen.

An ihrem zweiten Wochenende hatte sie Nachtschicht. Als sie am frühen Morgen erschöpft und zufrieden zum Schwesternheim schlurfte, sah sie ihre Chefin durch den

Türspalt ihres Büros. Schwester Maria Wolffhardt. Sie schien Tag und Nacht zu arbeiten. Wann immer Sala dort vorbeilief, Maria war da. Sie war schlank, von großer Statur, durchscheinende Haut, ein slawisches Gesicht, eingefasst von hellrot leuchtenden Haaren. Während sie redete, schien sie gleichzeitig noch über etwas anderes, Wichtigeres nachzudenken.

»Sala?«

Maria hatte sie kommen sehen. Sala trat zu ihr.

»Ja?«

Maria hielt ihr einen Umschlag hin und bedeutete ihr, ihn zu öffnen.

»Ihren schönen Namen mussten wir leider gegen etwas Handfesteres austauschen.«

Sala klappte errötend ihren neuen Pass auf und las Christa Meyerlein. Meyer hätte es auch getan, dachte sie. Zum ersten Mal gefiel ihr ihr wahrer Name.

»Es gibt schlimmere«, sagte Maria mit einem Lächeln. Sala fiel ihr um den Hals.

Sala lernte schnell. Die einfachsten Tätigkeiten verschafften ihr Genugtuung. Beim Auswechseln der Bettpfannen und Urinenten, beim Verbandwechsel oder dem Aufziehen der Spritzen sah sie die Bedürftigkeit und freute sich über die Dankbarkeit ihrer Patienten.

Wenn der Krieg vorbei wäre – und irgendwann musste er ja enden –, dann könnte sie mit Otto zusammen in einem Krankenhaus arbeiten, ihn bei seinen Forschungen unterstützen. Denn das, so vermutete Sala, war sein Lebensziel, die Wissenschaft. Er wollte verändern, er wollte gestalten. Sie hatte ihm unter ihrem neuen Namen geschrieben. Sie war zwar keine Schauspielerin geworden, dafür spielte sie aber erfolgreich eine Doppelrolle. Tagsüber, auf den Fluren der Klinik, unter den Augen der Ärzteschaft, der Schwestern und Patienten, war sie Christa Meyerlein, unermüdlich, patent und zuverlässig; nachts, in ihrem Zimmer, wenn das Licht erloschen war und sich ihre Zimmergenossin Mopp nach Luft schnappend in ferne Paradiese schnaufte, verwandelte sie sich zurück in Sala, bereiste mit Otto die Welt, träumte von einem gemeinsamen Leben und manchmal, anfangs noch zaghaft, dann immer entschiedener, von einer Familie. Seit vielen Monaten fühlte sie zum ersten Mal etwas anderes als Angst. Vor ihr lagen unbekannte Räume, die darauf warteten, von ihr erobert zu werden. Dann wurde es dunkel, und die Tür fiel ins Schloss. Sie blieb zurück. Verstoßen. Allein.

26

Mopp hatte Nachtdienst, und obwohl Sala ihr nicht zugeteilt war, hatte sie, aus einer Laune heraus, beschlossen, ihr zu helfen. Sie tranken die letzten Tropfen aus der alten Kaffeekanne. Keine besonderen Vorkommnisse. Die Nacht verlief ruhig. Die alte Frieda aus Zimmer zwölf klagte über Kopfschmerzen und drohte, sich beim Chef zu beschweren, wenn sie ihr nicht auf der Stelle eine ordentliche Tablette geben würden. Aber Schmerzmittel waren knapp und Frieda sowieso nie zufriedenzustellen. Sie hatten sich nach ihrem letzten Rundgang ins Schwesternzimmer zurückgezogen. Der Stationsarzt schlief im Nebenzimmer den Schlaf der Gerechten, und Mopp gab Schwänke aus ihrem bunten Leben zum Besten. Sala biss sich in die Hand, um nicht vor Lachen laut zu schreien, während Mopp ihre sexuellen Erlebnisse mit den begabten und vor allem mit den weniger begabten Herren blumenreich ausschmückte.

»Das musst du aufschreiben, das musst du aufschreiben«, flüsterte sie aufgeregt und schüttelte den Kopf, die Hand auf Mopps Knie.

»Was soll ich dir sagen, mal zu lang und oft zu kurz, aber selten so, wie man's braucht. Ein Trauerspiel, nur den Humor nicht verlieren. Aber weißt du, am schlimmsten, man soll's ja nicht glauben, am schlimmsten sind dann doch die, die kein Ende finden. Himmelherrgott noch mal, ich bin ja geduldig, aber irgendwann hab ich denen dann den Finger popolär eingeführt und schwupp war's erledigt.«

»Nein!« Sala starrte ihre Freundin an.

»Na, wenn ich's dir sage.«

»Waren die schwul?«

Mopp schüttete sich aus vor Lachen. Dann stieß sie nach Luft ringend und in breitestem Sächsisch hervor: »Kindchen, bist du goldig.«

Die Alarmsirene heulte laut auf. Fünf Minuten später fielen die ersten Bomben. Alles geschah so schnell, dass die wenigsten Gelegenheit fanden, ihren Schrecken zu spüren.

Der junge Stationsarzt stolperte blond und mit seiner Hose kämpfend in den Flur, als Mopp und Sala bereits mit den ersten Patientinnen in den Keller flohen. Die Bomben sausten herunter. Kurz vor der Explosion hörte man sie dumpf aufschlagen. Manchen zerfetzte es das Trommelfell. In den Krankenzimmern, aber auch im Keller wurden Fenster und Türen vom Luftdruck aus den Angeln gerissen. Straße und Hof waren gelbgrün verstrahlt.

»Das ist noch schlimmer als im Oktober«, sagte Mopp, nachdem sie die letzte Patientin in Sicherheit gebracht hatten. »Pass auf die Neue aus Nummer fünf auf, das ist eine Hysterikerin, die kollabiert gleich. Stell dich davor, damit die andern sie nicht sehen. Ich hab keine Lust auf eine Massenpanik. Hier ist Wasser, flöß ihr was ein, aber nicht zu viel.«

In einer Ecke stand der blonde Arzt. Seine blauen Augen blickten verwirrt in ängstliche Gesichter.

»Herr Doktor, nehmen Sie ruhig Platz, wir kümmern uns schon«, sagte Mopp.

Sala bewunderte aus dem Augenwinkel, wie kühl und überlegt sie handelte. Jeder Handgriff saß. Keine Bewegung zu viel, keine zu wenig und alles in zügigem, aber wohl bemessenem Tempo.

Inzwischen hatte der Dachstuhl Feuer gefangen. Maria

Wolffhardt stürzte in den Keller, vorbei an dem Raum, in den Sala gerade ein Krankenbett schob. Sala hielt kurz inne, dann deckte sie ihre ängstlich wimmernde Patientin zu und folgte Schwester Maria. Sie sah sie gerade noch weiter hinten in einem Labyrinth von dunklen Gängen verschwinden. Sala rannte los. Überall staubte es, die Detonationen folgten in immer kürzeren Abständen. Das ohnehin spärliche Licht fiel aus. Sala tastete sich an den Wänden entlang. Aus einem kleinen Raum fiel etwas Licht in den Korridor. Schemenhaft erkannte sie Schwester Maria. Sie machte sich an einer Wand zu schaffen. Auf dem Boden, dicht neben ihr, brannte eine Kerze, in deren Widerschein ihre roten Haare leuchteten. Sie schien etwas hinter einem Mauervorsprung zu verstecken, dann schob sie einen Aktenschrank davor. Als sie sich umdrehte, versteckte sich Sala hinter der nächsten Ecke. Sie sah Maria aus dem Raum heraustreten und bald in einer dichten Rauchwolke verschwinden, die von der Kellertreppe hinuntersackte und sich über den Gang ausbreitete. Sala sprang hinter Maria die Treppe hinauf. Sie kämpfte sich hustend durch den Rauch, verlor Maria aus den Augen, stolperte über die Trümmer, die bereits den Hausflur versperrten, und gelangte durch einen glühenden Funkenregen ins Freie. Maria lief über den Platz auf den gegenüberliegenden Eingang zu.

Der Angriff schien vorüber. Aus den Trümmern ragten flammende Häuserwände. Feuerwehr und Sanitätswagen heulten durch die Straßen. Auf der gegenüberliegenden Straßenseite schlugen die Flammen meterhoch aus den Fenstern. Ein Kind wurde aus einer Wohnung im dritten Stockwerk in das Sprungnetz der Feuerwehr geworfen, ein Mann sprang, einen Säugling im Arm, hinterher. Aus der Klinik drangen mehrere Schüsse. Sala zuckte zusammen. Sie hörte Gebrüll und panische Schreie.

Dr. Wolffhardt kam aus dem linken Seitenflügel der Klinik gerannt. Sala erkannte sein angstverzerrtes Gesicht, er hielt einen Aktenordner unter die Achsel geklemmt, blieb vor seiner Frau stehen und fasste sie an den Schultern. Sie wechselten eilig ein paar Worte. Es wirkte, als wären sie sich nicht einig, was als Nächstes zu tun sei. Maria schüttelte gerade noch den Kopf, als die Fassade in ihrem Rücken von einer Bombe getroffen wurde und beide unter sich begrub.

Sala hielt schreiend im Lauf inne, dann sprang sie kreuz und quer fliehend über die Trümmer direkt der nächsten zusammenbrechenden Hauswand entgegen, die auf die auseinanderstiebenden Menschen herabstürzte. Ein Stahlträger rettete ihr das Leben. Er fiel über ihr auf ein vorschießendes Stück Mauerwerk und hielt einen weiteren Träger davon ab, sie zu zerquetschen. Ich bin nicht tot, hämmerte es durch ihren Kopf, ich bin nicht tot.

Im Schwesternhaus waren nur noch einzelne Räume bewohnbar. Die Gasheizung war zerstört, in vielen Zimmern fehlten die Fenster, der Dachstuhl war halb heruntergebrannt. Die Geräte sowie der Operationssaal in der Klinik waren erhalten geblieben. Bis zum Morgen waren die Löscharbeiten abgeschlossen. Trotz der eisigen Temperaturen wurde sofort mit den Arbeiten begonnen. Fenster wurden mit Pappe vernagelt, die Heizung notdürftig repariert. Bereits um acht Uhr gab es das erste Essen. Sala sah beeindruckt, mit welch ungebrochenem Eifer das vonstattenging. Beinahe gut gelaunt versuchte jeder zu helfen, wo er konnte. Der Schock war ihnen kaum anzumerken. Sie waren alle unschuldig, »Opfer des rücksichtslosen, mörderischen Terrors der Alliierten«, schimpften sie. Niemand schien einen Gedanken daran zu verschwenden, dass das Deutsche Reich der Welt den Krieg erklärt hatte. Die Ärzteschaft verabschiedete sich um zehn Uhr zu einer Lagebesprechung im Rathaus.

Am nächsten Tag kamen die Handwerker. Tischler, Glaser, Zimmerleute, Dachdecker. Das Militär stellte Baupioniere für die Aufräumarbeiten. Bald gab es wieder elektrisches Licht.

Die Mahlzeiten fanden für das gesamte Klinikpersonal im einzigen intakten Essraum im Kasino statt. Alle saßen zusammen, Ärzte und Schwestern bunt gemischt. Wenn Sala vorsichtig versuchte, über die Verluste zu sprechen oder gar direkt den Namen Wolffhardt erwähnte, spürte sie an den ausweichenden Blicken, dass manch einer Dinge zu wissen schien, über die er nicht zu reden wagte. Noch vor Ablauf der Mittagspause schlich sich Sala in den Keller. Hier hatte man noch nicht mit den Aufräumarbeiten begonnen. Schutt und Asche erschwerten das Durchkommen. Nachdem sie sich in den Gängen ein paarmal verlaufen hatte, gelangte sie zu dem Raum, in dem sie Schwester Maria kurz vor ihrem Tod beim Verstecken irgendwelcher Dinge beobachtet hatte. Sie wuchtete den eisernen Schrank zur Seite. Hinter dem Mauervorsprung entdeckte sie drei Aktenordner.

Als das Schwesternhaus wieder hergerichtet war, bezogen Sala und Mopp ihr altes Zimmer. Auf ihrem Bett schlug Sala zum ersten Mal die Aktenordner auf. Ihre Hände zitterten leicht. Zunächst konnte sie nichts Auffälliges entdecken. Die Patienten waren meist arische Kinder, kaum Juden, wie Sala anfangs vermutet hatte. Ganz gewöhnliche deutsche Namen und Vornamen. Der älteste Junge hieß Paul, er war vierzehn Jahre alt und wurde als schwachsinnig eingestuft. Wie in anderen Fällen lautete die Diagnose Idiotie. Sala las den Schriftverkehr der mittellosen Eltern mit der Klinik in Leipzig-Dösen. Nach verschiedenen Aufenthalten in anderen Kliniken waren die Kinder dorthin verlegt worden. Dort starben sie meist wenige Wochen oder Tage nach ihrer Ankunft. Überrascht bemerkte Sala, wie ähnlich Anamnesen und Krankheitsverläufe waren. Zuletzt wurden die Eltern über den überraschend eingetretenen Tod, mal bedingt durch eine Nasendiphtherie, ein anderes Mal durch einen Darmkatarrh, von der Klinikleitung informiert. Immer wieder wurde auf die angeborene Schwachsinnigkeit hingewiesen. Belegende Untersuchungen konnte sie in den Unterlagen nicht finden.

»Mopp?« Sala reichte ihrer Freundin einen Ordner. »Ich glaube, Maria war einem Verbrechen auf der Spur.«

Mopp beugte sich über die Unterlagen. Eine unheimliche Stille lag zwischen ihnen. In dem zweiten Ordner verdichteten sich die unglücklichen Zeichen. Mopp deutete mit dem Finger auf ein vorgefertigtes Schreiben. Oben links ein Stempel des Oberbürgermeisters der Reichsmessestadt Leipzig, Stadtgesundheitsamt Abt. IV.

Nach einem Runderlass des Reichsministers des Innern soll bei Kindern mit schweren angeborenen Leiden mit allen Mitteln der ärztlichen Wissenschaft eine Behandlung durchgeführt werden, damit die Kinder nach Möglichkeit vor einem dauernden Siechtum bewahrt bleiben.

Es ist beabsichtigt, Ihrem Kinde . . . . , welches seit Geburt schwere Schäden seiner Gesundheit trägt, eine Behandlung zukommen zu lassen, um bei ihm nach besten Kräften die vorhandenen Mängel ganz oder teilweise zu beheben. Auch in Fällen, die bisher als hoffnungslos gelten mussten, kann unter Umständen ein gewisser Heilerfolg erzielt werden.

*Mit der Durchführung der Behandlung ist die Kinderfachabteilung
der Heil- u. Pflegeanstalt Leipzig-Dösen betraut worden. Der Auf-
nahmetermin wird Ihnen von der Anstalt direkt mitgeteilt werden.
Ich bitte Sie, sich auf die Aufnahme Ihres Kindes in die Kranken-
anstalt einzustellen und der unmittelbaren Ladung rechtzeitig
nachzukommen.*

*Die Hilfe, die Ihrem Kinde gebracht werden soll, darf nicht an der
Kostenfrage scheitern. Sofern Sie nicht selbst in der Lage sind, etwa
mit Hilfe von Krankenkasse oder sonstiger Hilfskasse, die erforder-
lichen Kosten aufzubringen, bitte ich Sie, an einem der nächsten
Tage hier vorzusprechen und sich beraten zu lassen. Wenn eine
gesetzliche Krankenkasse im Rahmen der Familienhilfe zu Leistungen verpflichtet ist, ist mit dieser vor der Aufnahme in die Anstalt wegen der Kostenübernahme zu verhandeln und bei der Aufnahme des Kindes die Kostenzusicherung oder die Bescheinigung
über die Ablehnung der Anstalt vorzulegen.*

Im Auftrage

»Mopp.«

Sala kniete sich vor ihrer Freundin nieder. Sie schob ihr
einen Ordner zu.

»Schau, was in den Krankenakten steht. Da: Aufnahme
in die Heil- u. Pflegeanstalt Leipzig-Dösen am 3. März 1941,
Diagnose Idiotie, verstorben am 17. März ebenda. Hier.«

Sie beugten sich gemeinsam über die Akten.

»Andere wurden nach Großschweidnitz verlegt und ver-
starben dort nach wenigen Tagen. Wozu eine Verlegung in
letzter Minute? Das ergibt doch keinen Sinn. Außerdem ist
Großschweidnitz keine Kinderklinik.«

Mopp blätterte weiter.

»Die meisten Patienten, die dorthin verlegt wurden,

waren Erwachsene.« Flüsternd las sie die Diagnosen: »Reaktive Psychose, 10 Tage nach der Einlieferung im Alter von 22 Jahren verstorben. Und hier: aufgenommen am 3.10.43, Manisch Depressives Irresein, verstorben am 7.10.1943, das sind nur vier Tage. Kein Wort über den Krankheitsverlauf der angeblichen Lungenentzündung. Akute Psychose, aufgenommen am 17.11.1943, verstorben am 28.11., und so geht das weiter … seitenweise …«

»Was machen wir, Mopp?«

Sie starrten sich an.

»Wie meinst du das?«

»Wir müssen was tun.«

»Was hast du vor?«

»Ich werde um Verlegung nach Leipzig-Dösen bitten. Die brauchen bestimmt Schwestern dort.«

»Du bist Schwesternschülerin, Christa.«

»Na und, die brauchen auch Schülerinnen. Je weniger Ahnung jemand hat, desto besser für die, oder?«

»Sala …«

Sala blickte sie erschrocken an. Woher kannte Mopp ihren wahren Namen?

»Ich …«

»Was glaubst du, warum du in meinem Zimmer gelandet bist? Maria hat mir alles erzählt. Ich sollte dich unter meine Fittiche nehmen. Wer diesen Mist hier überleben will, ohne sich täglich die Finger schmutzig zu machen oder von früh bis spät wegzusehen, der braucht Verbündete. Maria und Rainer waren meine engsten Freunde.«

Sala fasste nach ihrer Hand. Für einen kurzen Moment ließ Mopp die Schultern hängen.

»Ich kannte nicht mal seinen Vornamen.« Sala presste die Lippen zusammen. »Anfangs dachte ich, der will was von mir. Weißt du, die denken doch alle nur an das eine, und mit dem Krieg wird das immer schlimmer.« Sie schaute zur Seite. Sie spürte, wie sich ihr Herz zusammenzog, Scham und ein Gefühl tiefer Zuneigung. »Ohne ihn wäre ich wahrscheinlich verhungert oder von der Gestapo aufgegriffen worden.«

Mopp schüttelte den Kopf.

»Rainer war anders«, sagte sie. »Maria auch. Sie waren das schönste Paar, das ich je gesehen habe. Dabei waren sie grundverschieden. Unter normalen Umständen hätte ich denen keine sechs Monate gegeben. Maria hat alles gemacht. Da blieb nie was liegen. Die meisten dachten, die hält sich für was Besseres oder so, aber die war mit dem Kopf immer schon weiter. Und Rainer ... der war ein Idealist, voller Ideen, zu verträumt, um sie alleine umzusetzen. Aber mit seinen Augen konnte er dir direkt in die Seele gucken.«

Sala streichelte schweigend Mopps Hand. Sie, die noch im Schlaf zu lachen schien, starrte jetzt so dunkel auf die am Boden liegenden Aktenordner, dass Sala Angst bekam.

»Mein Vater war Polier, aufm Bau, der hat sich aus dem Staub gemacht, als ich unterwegs war. Ein Nazischwein, hat Mama immer gesagt. Und trotzdem hat sie ihm nachgeweint. Und irgendwann, da hat sie's nicht mehr ausgehalten. Als ich nach Hause kam, hing sie am Fensterkreuz. Und mein Vater, der Dreckskerl, der hatte nichts Besseres zu tun, als sich flugs in meine Tante zu verlieben. Der kams auch zupass, war ja seit einem Jahr Kriegerwitwe. Da hatte ich dann nichts mehr zu lachen. Da ging's dann los. Da hab ich nur noch Quatsch gemacht. Bin nachts um die Häuser gezogen, hab mich mit jedem eingelassen, der ein bisschen frecher war. Tja. Und dann kam in einer Nacht diese verfluchte Nazibande auf mich zu. Hatten sich Mut angesoffen. Zeigten mir stolz ihre Hakenkreuzbinden. Wollten was erleben.

Zwölf Mann. Einer nach dem andern. Manche zwei- und dreimal. Die wurden immer wütender dabei. Und wütende Männer können öfter. Das habe ich in der Nacht gelernt. Ich hab einfach still gehalten und nicht hingeguckt. Vielleicht ein Fehler. Vielleicht hätte ich sie anspucken müssen. Schreien. Schlagen. Was weiß ich. Aber ich hatte Angst. Solche Angst. Schlimmer als bei den Bombenangriffen. Manchmal denke ich, das war das Gute daran. Ich habe längst keine Angst mehr. Ich hab mein Quantum gehabt. Mehr geht nicht. Und dann kannst du dich entscheiden, ob du als Trauerkloß durch die Gegend wackeln willst oder ob du lachst. Und wenn du lachst, tut's da nicht mehr weh.«

Mopp deutete auf ihr Herz. Sala liefen die Tränen übers Gesicht. Sie streichelte immer weiter Mopps Hand.

»Weißt du, warum ich Mopp heiße?«

Sala schüttelte den Kopf. Mopp griff sich ins Haar. Langsam zog sie ihre Perücke vom Kopf. Nicht ein Flaum war zu sehen. Ihr Kopf war kahl.

»Als die mit mir fertig waren, habe ich alle Haare verloren. Überall. Und als ich das erste Mal mit meiner Perücke nach Hause kam, da hat meine Tante mich angestarrt, als wenn ich direkt aus der Hölle gekommen wär. Dann hat sie gelacht und gesagt, du siehst ja wie'n Mopp aus, mit dir könnt man direkt den Fußboden wischen.«

Es war still im Raum. Sala hörte nur noch Mopps regelmäßigen Atem. Zum ersten Mal lag in ihren Augen so etwas wie Wut. Und Hass. Dann strahlte sie plötzlich.

»Ihr kriegt mich nicht klein, hab ich gedacht. Ihr nicht. Und allen Freunden habe ich gesagt, dass ich von nun an Mopp heiße. So habe ich meiner Tante in die Suppe gespuckt. Und dann habe ich Rainer kennengelernt. Komisch. Bei dem wusste ich sofort, der ist anders. Und als ich Maria gesehen habe, da wusste ich, das ist meine Rettung.«

»Warum hat sie dir nicht von ihrem Verdacht mit den Kindern erzählt?«

Mopps Augen wanderten hinaus zum Fenster. Sala war, als würden sie eine Ewigkeit dort verweilen. Dann drehte sich Mopp zu ihr um.

»Maria wollte niemanden gefährden. Sie wusste, dass ich alles für sie tun würde, ohne zu fragen. Vielleicht dachte sie, mein Maß ist voll. Aber da könnte sie sich getäuscht haben.«

Das Lachen kehrte in ihr Gesicht zurück. Ein Leuchten legte sich über ihren kahlen Kopf. Dann fielen sie einander in die Arme. Sie hielten sich fest. Unendlich fest.

»Du darfst da nicht hin. Die sind stärker als wir«, sagte Mopp.

»Aber was können wir tun?«

»Ich weiß es nicht.«

Sala sah ihre Freundin an.

»Wenn wir nicht helfen, sind wir nicht besser als die.«

»Futsch bringen wir niemandem was.«

Die toten Kinder verfolgten Sala bis in den Schlaf. Nachts schreckte sie hoch, starrte oft bis zum Morgengrauen an die Decke, jeder Muskel ihres Körpers spannte sich. Danach schmerzte jede Bewegung. Die Tage schleppten sich an ihr vorüber. Fremd schaute sie auf ihr Leben, das schmutzig an ihr vorbeizufließen schien, bis sie, wie von einem Blitz getroffen, innehielt.

Sie rannte zu Mopp.

»Ich weiß jemanden, der uns helfen kann, ein Journalist, ich kenne ihn aus Paris.«

»Was hast du vor?«

»Ich gebe ihm die Aktenordner, er kennt die richtigen Leute. Er wird wissen, was damit zu tun ist.«

»Bist du sicher? Dieser Krieg hat schon Menschen umge-
dreht, von denen es keiner gedacht hätte.«

»Ich bin sicher. Ich schreibe ihm.«

»Weißt du, wo er wohnt?«

Sala sah sie überrascht an. Natürlich wusste sie es nicht.

Mitten in der Nacht warf Sala ein paar Zeilen aufs Papier,
las das Geschriebene, zerriss es und begann von Neuem. Die
Worte wollten nicht kommen. Der Ton war steif. Während
sie es immer wieder versuchte, wurde ihr bewusst, dass sie
Hannes in den letzten Monaten innerlich verbannt hatte.

In Gedanken suchte sie sein Bild. Der Bleistift führte ihre
Hand. Wenige Striche später blickte sie in die Skizze seines
Gesichts, erinnerte sich an die eine gemeinsame Nacht, an
seine dunkel umrandeten Augen, verzweifelt und einsam,
während sie einander fremd wurden. Auf der Zeichnung
kippte sein Kopf nach links, ein spöttisches Lächeln um die
Lippen, so wie sie es kannte, kurz bevor er sich streckte, um
seine Gedanken scharf und pfeilschnell abzuschießen. Sie
schob das Bild beiseite, strich mit der Hand über ein leeres Blatt, als wollte sie ein neues Kapitel aufschlagen, und
schrieb.

Drei Tage später lag ein Telegramm auf ihrem Bett.
Mopp hatte den Brief über das Büro an die Deutsche Presseagentur in die Reichshauptstadt geschickt.

ANKOMME MORGEN STOP HANNES

Stopp, dachte Sala, als wollte sie das Leben anhalten,
stopp, rief sie ihrem Herzen zu, als er aus dem Zug stieg,
eleganter und schöner als je zuvor.

»Stopp, Herr Reinhard«, sagte sie in seinem Rücken und
warf sich in seine Arme, als er sich gespielt überrascht nach
ihr umdrehte.

»Sie hier, Fräulein Nohl, was für eine anmutige Überraschung.«

Er warf seinen Hut in die Luft, um ihn mit dem Kopf wieder aufzufangen. Seine Hände fuhren durch ihr nachgewachsenes Haar, seine Lippen lachten spöttisch. Dann, ohne dass sie es hätte verhindern können, war alles um sie herum vergessen, als sie mitten auf dem Bahnsteig für einen Moment zusammenwuchsen, von Ewigkeit zu Ewigkeit.

Am nächsten Morgen war er verschwunden. Ein geplatzter Traum. Immer wieder schloss Sala die Augen, versuchte, diesen Schatten zu fassen. Wieder hatte er sich entzogen. Sie lag nackt auf dem Bett. Die Hände auf dem Bauch, blickte sie zurück in die kurze Nacht. Mopp kam herein.

»Sala, komm, alle warten unten, gleich ist Chefvisite.«

Sie setzte sich zu ihr.

»Was ist?«

»Ich bin eine blöde Kuh.«

»Schlechtes Gewissen wegen deinem Arzt?«

Sala schloss die Augen.

»Hm. Und die Akten? Kann der Spaßvogel damit was anfangen?«

»Er hat's versprochen«, sagte Sala. Der Schmerz kam kalt und heftig. Sie sah Mopp lange an. Ihre Freundin lächelte wieder. Zwölf Männer, dachte Sala, alle Haare weg, worüber jammere ich hier?

»Ich zieh mich schnell an«, sagte sie.

27

Am Nachmittag kam ein Brief von Otto. Sein Stiefvater war gestorben, dem Antrag auf Fronturlaub wurde stattgegeben. Eine Woche. Sie dachte daran, wie sie vor vier Jahren in der Wohnung von Lola und Robert zur Tür gerannt war, als Célestine ihn angekündigt hatte. Wenige Wochen zuvor die erste Nacht mit Hannes. Und jetzt wieder. Keiner wusste von dem anderen. Was wollte das Schicksal von ihr? Diese Männer waren so verschieden und doch wie zwei Seiten derselben Münze. Kopf oder Zahl? Vier Jahre hatte sie nichts von ihm gehört. Wie er wohl aussehen mochte?

In seinem Brief stand nichts über den Krieg. Auch sie hatte über Gurs geschwiegen. Was sollte sie auch darüber schreiben? Am liebsten hätte sie ihm eines der kleinen Mickey-Mouse-Heftchen von Horst Rosenthal gezeigt. Da stand alles drin. Man konnte darüber nur lachen oder es machen wie Mopps Mutter. Sala schaute zum Fensterkreuz.

Sie war eine Stunde zu früh. Mopp hatte ihre Schicht übernommen. Ein Leben ohne sie konnte sich Sala gar nicht mehr vorstellen. Lola, Mimi, Mopp. Solche Frauen waren ihr in Berlin nicht begegnet. Eigenwillig, stark. Sie dachte an ihre Mutter. Sie stolperte, fast wäre sie gestürzt.

»Pass doch auf, du Huhn«, sagte ein Mann im Vorbeigehen und lachte.

Was bildete sich dieser Trottel ein?

Sie konnte sich nicht erinnern, je Mama zu ihr gesagt

zu haben, nur einmal, in Gurs, im Schlamm, aber das war etwas anderes, da war sie allein gewesen. Was würde sie mit Otto unternehmen? Sie kannte die Stadt ja gar nicht. Seit vier Jahren war sie in keinem Museum gewesen, in keinem Theater, in keinem Konzert. Sie hatte keine Ausstellung besucht, war nie nachts und auch nicht tagsüber durch irgendwelche Straßen flaniert, hatte sich die Nase an keinem Schaufenster platt gedrückt. Nicht einmal ein Buch hatte sie gelesen. Sie hatte das Leben gegen den Krieg getauscht, ihr Fühlen, Denken und Handeln seinen Gesetzen unterworfen. Sie hatte nicht geahnt, wie viele Schattierungen die Farbe Schwarz unter dem Hakenkreuz bereithielt.

Endlich war es so weit. Ihre Füße bewegten sich mechanisch über den Bahnsteig. Sie hörte die Lok, eine Dampfwolke schoss in die Luft. Menschen stiegen aus den Waggons. Sie begann zu laufen, vorbei an den Fenstern, sah hoch zu den Körpern, die sich müde aus den Abteilen schälten. Er war nicht dabei. Wie konnte das sein? Er hatte es doch geschrieben. Der Zug kam aus Berlin. Ihr Blick flog hoch zur Bahnhofsuhr. Es war die richtige Zeit, der richtige Zug, der richtige Tag. Ihr Herz schlug schneller und schneller. Was war geschehen? Die letzten Passagiere drängten zum Ausgang. Weiter hinten standen noch ein paar trübe Gestalten. Ein älterer Mann bewegte sich auf sie zu. Sala ging ein paar Schritte weiter, hielt an, kniff die Augen zusammen, nein, er war nicht unter ihnen. Sie wollte sich umdrehen, spürte die Enttäuschung. Das war nur gerecht, sie hatte ihn belogen und betrogen, vielleicht hatte er es gespürt. Konnte sie jemand mit Hannes gesehen haben, damals in Paris oder vor ein paar Tagen hier in Leipzig? Irgendein Soldat, dem er mal ein Bild von ihr gezeigt hatte, der ihn dann warnte, das Ding geht fremd, lass die Finger davon. Hatte sie deswegen all die Jahre vergeblich auf eine Nachricht von ihm gewartet? Wenn er jetzt nur käme. Sie würde sich ändern. Nie wieder würde sie einen anderen auch nur anschauen. Es gab nur ihn, nur Otto, das wusste sie jetzt. Sie würde es ihm gestehen, alles, und er müsste ihr verzeihen. Sie würde ihn auch nicht nach seinem Leben in den vergangenen Jahren fragen. Sie waren doch noch jung, und es war Krieg, und da war die Angst.

In ihrem Rücken hörte sie einen schlurfenden Schritt. Sie wandte sich halb um, nein, der Alte, widerlich, nicht jetzt, wehe, er sprach sie an, sie würde sich nicht von irgendeinem Schwein anfassen lassen, mit seinem ausgehungerten Frontblick. Wären sie nicht ihrem Führer wie die Lämmer gefolgt, dann bräuchten sie jetzt nicht um Liebe zu winseln.

»Sala.«

Voller Wut und Verachtung drehte sie sich um.

»Sala?«

Woher kannte er ihren Namen? Was wollte dieser Glatzkopf von ihr?

»Sala.«

Nein. Das konnte nicht sein. Das war er nicht. Nicht Otto. Was hatten sie mit ihm gemacht?

Sie wankten durch die zerfetzten Straßen. Blieben stehen. Sahen sich wortlos an. Gingen weiter. Starr und leer. Brandruinen stachen aus dem Boden. Sehr langsam wich der Schreck. Die Glieder wurden weich. Er fasste nach ihrer Hand. Schloss sie in seine Arme. Sie sank schluchzend an seine schmale Brust. Ihr war elend. Sie fühlte sich frei. Otto, sie wusste es jetzt, Otto war ihr Schicksal. Sie hatte es sich nicht ausgesucht, aber jetzt, sie schwor es sich, jetzt wollte sie es annehmen.

Sie sprachen nicht von Gurs, nicht von Russland. Es regnete und regnete. Am Tag und in der Nacht. Vier Jahre ausgelöscht, verbannt und verloren in einem dunklen Kellergelass. Mitten auf der Kehrseite ihres Lebens. Hannes? Sein Name fiel. Mehr nicht. Das war genug. Ihnen blieben nur wenige Tage.

Sie saßen in Salas Stube. Mopp hatte den Tisch fein hergerichtet, bevor sie sich in die Nachtschicht verabschiedete. Es gab echten Kaffee und für jeden ein Stück Kuchen. Sala dachte an Dr. Wolffhardt, an Marias Aktenordner. Vielleicht wären sie bei Otto besser aufgehoben gewesen.

»Wie geht es zu Hause?« fragte sie, als sie Kaffee nachschenkte.

»Viel steht nicht mehr. Die Deutschlandhalle, die St.-Hedwigs-Kathedrale, die Deutsche Oper, das Theater am Ku'damm, halb Tempelhof, Haus Vaterland ...«

Sala unterbrach ihn.

»Ich meine nicht die Stadt, Otto.«

Otto schwieg.

»Hast du meinen Vater gesehen?«

Er holte tief Luft.

»Es geht ihm einigermaßen.«

»Was heißt das?« Sie unterdrückte das Zittern in ihrer Stimme.

»Sie haben ihn in eine Falle gelockt.«

»Mit Jungs?«

Otto nickte.

»Er hat zehn Jahre Zwangsarbeit bekommen. In Berlin. In Spandau, bei Siemens. Er darf abends nach Hause. Immer noch besser als in irgendeinem Lager.«

»Was für Lager?«

»Die 175er stecken sie jetzt genauso ins Lager wie die Juden und die Zigeuner.«

»Wer sagt das?«

»Dr. Meyer, mein Chef beim Roten Kreuz.«

»Wie sieht er aus? Hat er genug zu essen? Warme Kleidung für den Winter? Wie spricht er? Hat er nach mir gefragt?«

Wieder nickte Otto.

»Ich habe ihm etwas Geld dagelassen. Er macht sich große Sorgen um dich, sagt, du sollst Deutschland so schnell wie möglich verlassen.« Er nahm ihre Hand. »Er hat recht, Sala, du lebst hier zu gefährlich.«

Stolz zeigte sie ihm ihren Pass.

»Christa?« Er sah sie an, schwieg, dann prustete es aus ihm heraus.

»Christa, du bist doch keine Christa, wer ist denn auf den Namen gekommen?«

Sie gab ihm einen Klaps, strich über die wenigen Haare auf seinem Kopf.

»Und deine Familie?« Sie hielt kurz inne. »Du bist viel schöner als früher.«

Otto lachte trocken.

»Vielleicht wachsen sie ja noch mal. In Russland sind ein paar Kameraden über Nacht weiß geworden, einer war gerade mal zweiundzwanzig. Schmutzig weiß, wie der Schnee. Über Nacht.«

Er biss in den Kuchen.

»Günter hat an der Ostfront seinen linken Arm und sein rechtes Bein verloren. Für Symmetrie ist gesorgt. Jetzt hockt er zu Hause am warmen Ofen und macht einen auf Kriegsheld, schwafelt von Eiswind und Pisse, die am Sack gefriert. Erbärmlich. Erna hat gesagt, er hat Vater immer wieder gedemütigt, weil der im Ersten Weltkrieg wegen einer Schusswunde am Fuß für untauglich erklärt wurde. Er hingegen habe Bein und Arm fürs Vaterland geopfert.« Otto schüttelte den Kopf. »Darüber, dass er schon beim ersten Einsatz verletzt wurde und seine Erfahrungen aus dem

Schützengraben aus Landserheftchen stammen, schweigen alle solidarisch, der Günter ist eben ein Held. Ich könnte kotzen. Arme Inge. Hat sich von ihrem geliebten Führer auch was anderes erträumt. Jetzt ist ihr Schatz verkrüppelt, spielt Grand mit Vieren mit seinen Kumpels, weiß, was der Führer vorhat, schwadroniert über Politik, während sich das gesamte Pack mit Bier und Korn in den Heldenhimmel säuft. Arschgeigen.« Seine Augen füllten sich mit Tränen.

»An einem dieser Abende ist mein Vater wahrscheinlich hinten am Kachelofen in sich zusammengesackt. Keiner hat's gemerkt. Erst als Mutter nach Hause gekommen ist. Da war er schon kalt und steif.«

Er wischte sich die Tränen aus dem Gesicht.

»Er hat uns alle verdroschen. Wir wären verhungert, wenn meine Mutter und ich die Familie nicht über Wasser gehalten hätten. Aber er war kein schlechter Mensch, er war nur einsam und schwach. In den Schützengräben des Ersten Weltkriegs vor Angst verreckt.«

Schweigend dachte Otto daran, wie sich sein Stiefvater ans Fließband geschleppt hatte, ein Toter zwischen den Kriegen, die eigentlich nie aufgehört hatten, ein Verstümmelter, der saufend den Weg nach Hause suchte, zu einer Familie, die ihn nicht verstand, einer Frau, die ihn nicht mehr achten konnte, zu Kindern, die, bis auf Inge, nicht seine eigenen waren und vor ihm zitterten. Ein Vergessener, der an den warmen Wänden eines Ofens Schutz suchte, auch wenn er die Kohlen nicht bezahlen konnte.

»Komisch, ich hätte es nie gedacht – ich glaube, ich habe ihn geliebt.«

In dieser Nacht liebten sie sich. Nach vier Jahren das erste Mal. Am nächsten Morgen musste Otto packen. Er fuhr zurück an die Front.

28

LETZTE WARNUNG

Geht zurück, solange es nicht zu spät ist!

Deutsche Soldaten!

Ihr seht selbst: nach der Katastrophe von Stalingrad hat Euer Hitler im Sommer die Entscheidungsschlacht verloren. Damit hat er den Krieg verloren. Ihr fühlt es selbst: es ist höchste Zeit, daß Ihr nach Hause zurückgeht.
Warum klammert Ihr Euch dann so sinnlos an unseren Boden?
Warum opfert Ihr Euch für nichts und wieder nichts?
Ihr bildet Euch ein, Ihr rettet Deutschland, indem Ihr ein Stück russischen Territoriums haltet.

WIR WARNEN EUCH:

Damit rettet Ihr Deutschland nicht, sondern richtet es zugrunde.

Wir brauchen Euer Deutschland nicht, aber wir brauchen unser Rußland –
und das bis zum letzten Dörfchen.

Otto entfernte vorsichtig das Flugblatt. Russische Truppen hatten es offenbar über dem Heer abgeworfen. Es klebte zwischen dem blutdurchtränkten Hemd und der Jacke des Soldaten.

»Bauchdurchschuss.«

Er musste schnell handeln. Er hatte sein Handwerk an der Front erlernt, in den leer gefegten Landschaften russischer Schlachtfelder, in den unter Kiefern- und Birkenzweigen notdürftig versteckten Zelten, die seine Sanitätskompanie in einem Wäldchen auf durchweichtem schwarzem Boden aufgeschlagen hatte, nah am Kampfgeschehen, um die Verwundeten schnell genug operieren zu können.

Ein Bauchschuss, der erst nach vielen Stunden versorgt wurde, ließ dem Patienten kaum eine Chance. Entweder er starb während der Operation, oder er überlebte den Weitertransport nicht, das wusste Otto. Mit fliegenden Händen machte er sich an die Arbeit. In der Ferne ratterte das Artilleriefeuer. Als er die Uniform aufgeschnitten hatte, war er kurz an dem Orden hängen geblieben. Eisernes Kreuz 2. Klasse. Er war kein Soldat. Er war Arzt. Er wusste, dass es nicht stimmte, aber es half ihm. Es beruhigte sein Gewissen, ließ ihn im Schlaf genügend Kraft finden, um weiterzumachen. Er glaubte an die Sinnhaftigkeit seiner Existenz, auch wenn es ihm mit jedem Schnitt in halb tote Körper schwerer fiel. Dieselben Gesichter, die wenige Minuten zuvor voller Entschlossenheit tötend durch feindliches Gelände trieben, wurden in Sekundenbruchteilen aus dieser Bahn auf sich selbst zurückgeworfen, wenn ein Geschoss sie traf. Gerade noch ein Held, im nächsten Augenblick ein verwundetes Kind, hilflos und fremd.

Eine Stunde später schreckte Otto aus seinem Kurzschlaf hoch. Sein Zelt war voller Fliegen. Mücken hatten ihn zerstochen, es juckte höllisch. Er schälte sich aus seinem Feldlager. Den Kopf in die Hände gestützt, dachte er nach. Hannes. Der Name war mit einem fremden Kopf, auf einem fremden Körper durch seine Träume gegeistert. Wie war das passiert? Er versuchte sich an Salas Gesicht zu erinnern. Nur der Name war gefallen. Hannes. Sonst nichts. Keine

Geschichte. Keine Beschreibung. Mit so etwas täte man sich nur weh. So oder anders hatte sie es gesagt. Nein, dass er Journalist war, das wusste er auch. DPA-Chef. Eher unwahrscheinlich, dass er irgendwann in diesem Krieg auf seinem Tisch landen würde und er ihn zusammenflicken müsste. Andererseits, wenn er Kriegsreporter wäre … dann wäre er wohl kaum Chef der Deutschen Presseagentur. Wahrscheinlich kam er aus einem besseren Stall als er. Das könnte den Ausschlag gegeben haben. Auf jeden Fall machte es einen Unterschied. Hin und wieder hatte sich Sala über seine mangelnde Kultur beklagt. Es war ihm bewusst. Er konnte lesen, so viel er wollte, er blieb in dieser Welt ein Fremder. Journalist. Jean schrieb auch gelegentlich für die Zeitung, meist für einen Hungerlohn. Da würde er nach dem Krieg als Arzt schon besser verdienen. Einmal hatte Jean gesagt, dass ihm zum Erfolg im Zeitungswesen die Frechheit gefehlt habe. Der Gegner war also erfolgreich und frech. Unterschätze nie deinen Gegner, das war die wichtigste Lektion im Ringverein gewesen, der erste Satz von Egon nach seinem ersten verlorenen Kampf. Danach hatte er nur noch gesiegt. Er würde ihn nicht unterschätzen. Diesen Fehler würde er nicht machen. Wo mochte der verfluchte Kerl jetzt sein? Durch seinen Beruf war er klar im Vorteil, er musste nicht in den Krieg. Wahrscheinlich bekam er für alle möglichen Veranstaltungen Freikarten. Konzerte, Theater, Oper, und zwar in Kriegszeiten. Sala liebte das Theater. Ihm war diese Welt verschlossen geblieben. Er wollte keinen fremden Leben lauschen, sein eigenes war laut genug. Wie er wohl aussah? Wahrscheinlich volles Haar. Sala hatte so merkwürdig auf seine Glatze gestarrt. Immer wieder war ihr Blick daran hängen geblieben. Wieso hatte sie behauptet, er würde nun viel besser aussehen? Wen wollte sie damit überzeugen? Ihn oder vielleicht doch sich selbst? Eifersucht war eigentlich etwas durch und durch Unwürdiges. Er betrachtete sie als albern, geradezu kindisch. Sala traf keine Schuld. Er war nicht da gewesen. Der Krieg hatte sie getrennt. Von vielen Kameraden kannte er solche Geschichten, manche weitaus schlimmer, schließlich liebte sie ihn noch. Sie hatte sich für ihn entschieden, glaubte er verstanden zu haben. Andere waren mit ein paar Zeilen abgespeist worden, einem Brief, der erstaunlich schnell seinen Adressaten an der Front erreichte. Manche vergruben sich danach in Selbstzweifeln, andere liefen klagend durch die Gegend, vernachlässigten ihre Aufgaben, was besonders nachts gefährlich werden konnte, im Schützengraben. Jammerlappen, die eine ganze Kompanie durch ihren Liebesschmerz gefährdeten.

Nein. So etwas war kategorisch abzulehnen. So wichtig durfte der Einzelne sich und seinen Kummer nicht nehmen. Er entschloss sich, im Krieg die Ursache für sein Unglück zu sehen, obwohl ihn das auch keine Ruhe finden ließ.

29

Bereits zum dritten Mal in Folge musste Sala sich an diesem Morgen übergeben. Was hatte sie denn gegessen? Eigentlich kannte sie keinerlei Unverträglichkeit. Mopp sah sie schief lächelnd an.

»Auf was hast du denn Lust?«

»Wie meinst du das?«

»Was würdest du gerne essen? Oder hast du gar keinen Hunger?«

Sala sah sie unverwandt an. Worauf wollte die Freundin hinaus?

»Also, wenn du keinen Hunger hast, dann hast du dir den Magen verrenkt oder vielleicht Liebeskummer, und wenn du Lust auf alles Mögliche hast, mal süß, mal sauer, in einem Moment Kuchen, im nächsten Gurken, dann bist du schwanger.«

»Nein.«

»Nein, was?«

»Das darf nicht sein.«

Sala schossen die Tränen in die Augen. Sie wusste augenblicklich, dass Mopp den Nagel auf den Kopf getroffen hatte. Sie war schwanger. Seit Tagen war sie mit einem komischen Gefühl durch die Gegend gelaufen, in einem Moment himmelhoch jauchzend, im nächsten zu Tode betrübt. Sie war verwirrt, verzettelte sich oder vernachlässigte ihre Pflichten. Zuerst glaubte sie, die so unerwarteten und kurz aufeinanderfolgenden Wiederbegegnungen mit Hannes und Otto könnten sie überfordert haben. Aber nachdem Mopp die unangenehme Wahrheit ausgesprochen hatte, gab es für Sala keinen Zweifel mehr. Die anstehende Untersuchung war eine reine Formsache. Sie kannte das Ergebnis, schlimmer noch, sie fühlte es bereits. Ihre Regelblutung war ausgeblieben. Auch das war in ihrem Fall ungewöhnlich. Sicher gab es einige Frauen, bei denen so etwas häufiger vorkam, aber nicht bei ihr. Weder Gurs noch die ersten Bombenangriffe hatten daran etwas ändern können. Sie hatte es sich nur nicht eingestehen wollen. Warum hatte sie ihrem Gefühl nicht getraut? Es hatte ihr geraten, Hannes auf Distanz zu halten. Sie erschrak. Wieso Hannes? Warum dachte sie zuerst an ihn? Otto war der Vater. Nein, um Gottes willen, es ging nicht, sie durfte jetzt kein Kind bekommen, nicht in diesen Zeiten, nicht in ihrer Situation. Und wenn der Pass, den ihr die Wolffhardts besorgt hatten, aufflog? Alles war überraschend schnell gegangen. Geradezu problemlos. Ein Kind. Die Geburt würde gemeldet werden, sie müsste den Namen des Vaters angeben. Wenn sie ihre wahre Identität herausfänden, würde man sie der Rassenschande bezichtigen. Egal wer der Vater des Kindes sein mochte, das Kind würde man ihr wegnehmen, es käme in ein Heim oder zu kinderlosen arischen Eltern, wenn die einen »jüdischen Bastard« überhaupt nähmen. Oder sie würden Mutter und Kind in ein Lager stecken, irgendwo in Polen, wohin auch die Juden aus Gurs transportiert worden waren. Bisher war niemand aus diesen Lagern zurückgekehrt.

»Was mache ich jetzt?« Sie sah Mopp verzweifelt an.

»Willst du's behalten?«

Sala schlug schluchzend die Hände vors Gesicht. Alles, was sie bisher erlebt hatte, verblasste vor dieser Frage. Wie sollte sie eine Entscheidung über ein fremdes Leben treffen? Was würde dieses Kind in dieser Welt erwarten außer Hunger, Angst und Vernichtung? Sie war nicht mehr allein, endlich, nein, es war viel schlimmer, wie sie sich auch entscheiden würde, etwas daran würde immer falsch sein. Einsamer als jetzt konnte man nicht sein. Sie sah lange in Mopps fragendes Gesicht. Langsam schüttelte sie den Kopf. Mopp nahm ihre Hand.

»Ich hör mich mal um.«

Am Abend kam Mopp zu ihr.

»Wie geht's dir?«

»So lala.« Sala versuchte zu lächeln.

»Du kennst doch die Patientin auf Zimmer elf im ersten Stock.«

Sala nickte.

»Ihr Mann ist Professor für Gynäkologie, war früher bei uns, weiß nicht, wo er jetzt arbeitet, aber so einer könnte dir helfen.«

Sala sah sie fragend an.

»Der ist über jeden Zweifel erhaben, verstehst du?«

»Ein Nazi?«

»Der würde sich für seinen Führer den rechten Arm mit links amputieren und dabei noch Blondi füttern.«

»Du bist verrückt.«

»Red mal mit der Frau. Sie ist nett. Aber beeil dich, lange macht sie's nicht mehr. Darmkarzinom, hat schon überall gestreut.«

Am nächsten Morgen schob Sala den Frühstückswagen in das Zimmer mit der Nummer elf.

»Guten Morgen, Frau Professor Diebuck, ich bin Ihre neue Krankenschwester, mein Name ist Christa.«

Erika Diebuck war vor einigen Wochen als einzige Patientin in ein Einbettzimmer verlegt worden. Eigentlich gab es solche Zimmer gar nicht. Die kriegsbedingte Überlastung ließ es nicht zu. Es kostete Sala große Überwindung, diese Ungerechtigkeit zu schlucken, aber was sollte sie tun? Die Frau in dem Bett war laut Bericht siebenunddreißig Jahre alt, wirkte aber um vieles älter. Die Krankheit hatte ihr Gesicht ausgehöhlt. Die abgemagerten Arme lagen schlaff über der Bettdecke. Sie versuchte sich aufzurichten.

»Lassen Sie den Titel weg, er gehört meinem Mann, ich lege keinen Wert auf so etwas.«

Sala schob ihr das Kissen in den Rücken, rückte das Tablett zurecht und begann die Patientin vorsichtig zu füttern.

»Wie geht es Ihnen heute?«

»Gut.«

Sie lag im Sterben, das würde selbst ein medizinischer Laie erkennen, und antwortete auf die Frage nach ihrem Befinden mit einem einfachen Wort: gut. Sie beschwerte sich nicht über das Essen, klagte nicht über die unzureichende medizinische Versorgung und jammerte nicht über den Krieg oder die rücksichtslosen Terrorangriffe der Alliierten, wie alle anderen Patienten es taten. Wie mochte wohl ihr Mann aussehen? Diese Frau sprach für ihn. Wie war es möglich, dass sich jemand mit diesem menschenverachtenden System identifizierte, ohne seine Würde zu verlieren? Oder traf das nicht auf sie zu? Aber sie lebte doch mit so einem Menschen zusammen, war Tag für Tag neben ihm aufgewacht, um ihn auf seinem Weg in diese schwarze Hölle zu begleiten. Wie konnte ein Arzt, noch dazu ein Gynäkologe, der wie jeder Arzt den Schwur geleistet hatte, Leben zu erhalten, es mit sich vereinbaren, ein ganzes Geschlecht als unwert zu bezeichnen?

»Haben Sie Kinder, Frau Diebuck?«

»Leider nein. Als mein Mann nach eingehenden Untersuchungen diese Realität akzeptieren musste, fürchtete ich sehr, er würde mich verlassen. Er hat es nicht getan. Merkwürdigerweise hat es seine Liebe zu mir gefestigt. Bei mir musste alles raus. Uterus. Totaloperation. Wissen Sie, ich fühlte mich damals vollkommen wertlos. Jürgen hat mir meine Würde zurückgegeben. Als Mensch – vor allem aber als Frau.«

Sie machte eine Pause. Ein Leuchten ging durch ihr Gesicht. Sala reichte ihr eine Tasse Tee.

»Seltsam. Ich habe bisher mit niemandem darüber gesprochen. Wir kennen uns nicht, aber Sie sind ein besonderer Mensch. Das habe ich schon daran gespürt, wie Sie die Tür geöffnet haben. Sie achten den anderen.«

So hatte noch niemand mit Sala gesprochen. Ihr Vater nicht, Hannes nicht und auch nicht Otto.

»Haben Sie denn Kinder?«, fragte Erika nun.

Sala errötete.

»Nein.«

»Möchten Sie welche?«

Sala erschrak.

»Wahrscheinlich eine dumme Frage. Jede Frau träumt davon, nicht?« Erika Diebuck lächelte.

»Und wenn sie es nicht tut?«

Erika sah sie lange an, als müsste sie ihre Antwort sorgsam abwägen.

»Ach«, sagte sie schließlich.

Den Rest des Tages erlebte Sala wie in einem Dämmerzustand. Die Übelkeit war verflogen. Am Abend wurde sie zum Chefarzt gerufen. Er bot ihr höflich einen Stuhl.

»Bitte nehmen Sie Platz, Schwester Christa.«

Bei jeder Visite war sie Luft für ihn gewesen. Was konnte er jetzt bloß von ihr wollen?

Sie sah ihn vorsichtig abwartend an.

»Wie fühlen Sie sich bei uns?«

»Sehr gut, Herr Professor.«

»Das freut mich, die Zeiten sind hart, da hält nicht jede den Kopf so hoch wie Sie.«

Den Kopf so hoch? Hatte sie etwas falsch gemacht? Was wollte er damit andeuten?

Er war kein Freund von Dr. Wolffhardt gewesen. Das war ein offenes Geheimnis. Seinen Tod hatte er nicht kommentiert, war vielmehr kalt schweigend darüber hinweggegangen.

»Ich will nicht lange um den heißen Brei reden ...«

Sie war entlassen. Oder noch schlimmer. Jemand war ihr auf die Spur gekommen. Erika Diebuck? Dieses stille Lächeln, als sie sie nach ihrem Kinderwunsch fragte, es konnte genauso gut Hass gewesen sein. Die Frau eines berühmten Gynäkologen, die keine Kinder gebären konnte, lag sterbend vor einer jungen Frau, einer schwangeren jungen Frau, noch dazu einer Jüdin. Sie zuckte bei dem Gedanken zusammen. Nun hatte sie selbst sich auch noch zur Jüdin gemacht, hatte die rettende Hälfte ihres Ichs einfach ausgelöscht.

»Der geschätzte Kollege Diebuck hat mich am Nachmittag angerufen. Er wird morgen seine Frau besuchen und möchte Sie kennenlernen.«

»Gern.«

Der Chef begleitete sie zur Tür.

»Der Kollege Diebuck leitet kriegswichtige Forschungen in Leipzig-Dösen. Lassen Sie sich nicht abwerben. Wir brauchen gute Kräfte in dieser Zeit.«

Er zwinkerte ihr zu.

Auf dem Rückweg blieb sie draußen stehen. Über ihr der Mond, wie damals in Gurs. Sie lenkte ihre Füße zur Hauptstraße. Sie musste laufen. Sie brauchte Luft, um zu denken.

»Wo aber Gefahr ist, wächst das Rettende auch.« Der Vers tanzte durch ihren Kopf, lud sie ein, sich weiter zu entfernen, hinaus, wenn es sein musste, hinüber, auf die Seite des Feindes.

Als Sala in ihr Zimmer schlich, schlief Mopp bereits. Sie setzte sich zu ihr. Sanft fuhr sie über ihren haarlosen Kopf. Was wäre sie ohne diesen Kopf? Wo immer die Seele sein mochte, bei ihrer Freundin strahlte sie hier, eingefangen von ihrem Lächeln, verborgen hinter der Stirn.

Rücklings auf ihrem Bett, ging ihr Blick in den Himmel. Wie oft hatte sie so dagelegen, wie oft den Blick durch ein Dach hindurch zu den Sternen geschickt? Wenn es den Teufel gab, und es gab ihn in vielerlei Gestalt, dann gab es auch einen Gott. Nur durch das eine wurde das andere glaubhaft. Sie legte die Hände schützend auf ihren Bauch. Leise rief sie »Otto« in die Nacht. Ja, wenn es ein Junge werden sollte, und das wünschte sie sich, dann würde sie ihn Otto nennen. Sie würde ihn taufen lassen, damit er nie um sein Leben fürchten müsste und damit er so klug und stark werden würde wie sein Vater.

Prof. Dr. Jürgen Diebuck war ein stattlicher Mann. Klarer Blick, fester Händedruck. Nur das wässrig schimmernde Blau seiner Augen verursachte Sala ein vages Unbehagen, für das sie keine befriedigende Erklärung fand. Nach der etwas förmlichen Begrüßung begleitete er sie zum Zimmer seiner Frau. Er trat an ihr Bett, beugte sich über sie, küsste sanft ihre Lippen. Sala war in gebührendem Abstand zurückgeblieben. Bei dem Gedanken, ebender Mann, der jetzt so liebevoll nach seiner sterbenden Frau sah, könnte vielleicht in der Kinderklinik in Leipzig-Dösen geistig kranke Kinder zu Tode spritzen, zumindest aber ihren Tod im Namen eines verrückten Volkes verordnen, sträubte sich alles in ihr. Wie sollte sie die Hilfe eines solchen Ungeheuers annehmen? Verwirrt folgte sie den Gesten, den Blicken, mit denen sich diese beiden Menschen begegneten. Von Angesicht zu Angesicht, dachte sie. Konnte ein Mensch lieben und zugleich gefühllos töten? Wie mochte er so etwas rechtfertigen? Nein. Das war ganz und gar unvorstellbar. Als Erika ihr über seinen Rücken zulächelte, drehte er sich um.

Der Chefarzt hatte ihnen sein Büro zur Verfügung gestellt. Innerhalb von zwei Tagen war sie nun schon zum zweiten Mal hier. In der Höhle des Löwen, dachte Sala gestern noch, heute kam es ihr hier schon beinahe vertraut vor. Die Sekretärin servierte einen Tee und verschwand. Jetzt erst bemerkte Sala die Regale voller Fachliteratur. Der Name Jürgen Diebuck glänzte auf mehreren Buchrücken. Der Professor schien es zu ignorieren, wie ein Mann, der es gewohnt ist, von seiner eigenen Aura umgeben zu sein.

»Meine Frau schätzt Sie sehr. Verzeihen Sie, wie war Ihr Name?«

»Schwester Christa.«

Er nickte abwesend.

»Darf ich Christa sagen?«

»Natürlich, Herr Professor.«

»Sie haben als Schwesternschülerin hier angefangen. Frau Wolffhardt hat Sie aufgenommen?«

»Jawohl, Herr Professor.«

Er blätterte durch die Unterlagen.

»Tragischer Tod, sagt man. Auch ihr Mann ist bei dem Bombenangriff ums Leben gekommen, nicht wahr?«

»Ja.«

»Also?«

»Ich war … ich habe eine Ausbildung als Dolmetscherin in Spanien und in Frankreich absolviert.«

»Irgendwelche Zeugnisse?«

»Ich habe das Studium abgebrochen, weil ich mich in einen Arzt verliebt habe. In einen deutschen Arzt«, fügte sie schnell hinzu. »Wir möchten uns eine gemeinsame Zukunft aufbauen. Deswegen die Umschulung.«

»Und warum gerade hier? Sind Sie hier aufgewachsen? Haben Sie vorher in Leipzig gelebt?«

Er musterte Sala kühl und präzise.

»In Ihren Unterlagen steht, dass Sie in Russland geboren wurden.«

»Ja?«

»Ja?« Er lächelte.

»Nein, ich meine, warum fragen Sie?«

»Ich will ganz offen zu Ihnen sein. Das erspart uns beiden Unannehmlichkeiten. Würde ich Ihre Papiere prüfen lassen, würden sie sich wohl als gefälscht erweisen, nicht wahr?«

Sala sah ihn schweigend an.

»Sie müssen sich dazu nicht äußern. Diese Vorgehensweise ist weder neu noch besonders originell. Die Fälscher versuchen auf diesem Weg einer unmittelbaren Nachfrage bei den örtlichen Behörden zu entgehen, verstehen Sie?«

Sala rührte sich nicht.

»Wie gesagt, wir wollen offen miteinander reden. Ich nehme an, dass Sie aus anderen Gründen in Frankreich oder Spanien waren. Offen gesprochen …« Er beugte sich vor, der scharfe Geruch seines Rasierwassers wehte Sala an. »Offen gesprochen …« Er machte eine selbstverliebte Pause. »… ich glaube, dass Sie Jüdin sind.«

Sala wusste, dass sie diesen Kampf nicht gewinnen konnte. Es war vorbei. Für einen Moment fühlte sie eine tiefe Erleichterung. Undeutlich vernahm sie die Stimme des Professors.

»Haben Sie sonst noch etwas zu verbergen?«

Ob sie etwas zu verbergen hatte. Beinahe musste sie lachen. Was mehr konnte man verbergen als die eigene Existenz? Dann fühlte sie eine ungeheure Wut in sich aufsteigen. Ihr Kopf schoss hoch. Die Adern traten an Hals und Schläfen hervor. Ihre Hände ballten sich zu Fäusten.

»Ich bin schwanger«, schrie es aus ihr heraus.

Der Professor zuckte zurück. Erschrocken flog sein Blick zur Tür, zum Fenster und wieder zur Tür.

Pack ihn! Los, drück ihm die Kehle zu, und dann geh in aller Ruhe raus. Die Treppen runter, aus dem Gebäude hinaus, runter zur Hauptstraße und dann renn, renn um dein Leben und um das Leben deines Kindes.

Aber wohin? Mit einem Mal verließ sie alle Kraft.

»Ich kann Ihnen helfen«, hörte sie ihn plötzlich sagen.

»Ich will das Kind nicht.« Ihre Worte hallten dumpf in die Stille.

»Auch dabei kann ich Ihnen helfen.«

Sala sah ihn an. Er wirkte unsicher. In seinem Blick lag jetzt etwas Flehendes. Hatte sie sich verhört?

»Sehen Sie, Christa oder wie auch immer Sie heißen, das alles hier ist nicht mehr von langer Dauer.«

Sala sah ihn überrascht an.

»Sie meinen das Leben Ihrer Frau?«

»Das wohl leider auch.«

»Sie lieben sie sehr.«

Er nickte.

»Wir kennen uns, seit wir Kinder waren. Ich habe immer gewusst, dass ich sie heiraten werde. Es waren wunderschöne Jahre. Und dann …« Sein Blick ging zum Fenster hinaus.

»Das alles ist ein einziger Irrtum.«

Sie schwiegen.

»Helfen Sie meiner Frau, ich bitte Sie darum. Sie mag Sie. Schenken Sie ihr noch ein paar gute Stunden, ein paar Tage vielleicht oder Wochen. Dann helfe ich Ihnen. Und wenn Sie meinen Rat wollen, den Rat Ihres Feindes: Kriegen Sie Ihr Kind. Diese Welt ist kaputt genug.«

In seine letzten Sätze mischte sich ein neuer Ton.

»Ganz offen: Wenn das hier vorbei ist, brauche ich jemanden, der Gutes über mich sagt. Es wäre ein Tauschgeschäft, von dem wir beide profitieren würden.«

Sala senkte ihre Stirn. Ihr Atem ging ruhig.

»Darf ich mir Bedenkzeit ausbitten?«

»Eine Stunde.«

Sala nickte.

Der Professor begleitete sie zur Tür. Als sie ging, sagte er in ihrem Rücken:

»Vergessen Sie nicht, noch geben wir den Ton an. Auch wenn Sie mich schwach gesehen haben, vergessen Sie das nicht!«

Sie musste raus. Eine Stunde. Sie überquerte den Hof, lief die Straße hinunter, entlang der Gleise der stillgelegten Elektrischen, vorbei an den Trümmerlandschaften, beschleunigte ihren Schritt, laufen, einfach laufen, bis der Kopf zur Ruhe kommt, bis sie zwischen den Ruinen eine Antwort fände.

Vögel flogen durch ausgebombte Fenster. Sie war fünfundzwanzig Jahre alt. Sie hatte mehr erlebt als andere mit fünfzig. In ihr wuchs ein Leben. Dieses ungeborene Leben wollte sie schützen, endlich gab es etwas, wofür es sich zu kämpfen lohnte. Ein Kind. Vielleicht ein Junge? Es war zutiefst unvernünftig. Alles sprach dagegen. Nichts konnte ihr gefährlicher werden als ein neugeborenes Kind. Aber sie wären zu zweit. Während die feindlichen Bomben flächendeckend über Deutschland abgeworfen wurden, um diesen Wahnsinn zu zerstören, um Menschen wie sie zu schützen und zu befreien, würde in wenigen Monaten ein Wesen um ihre Hilfe schreien. Sie schwor sich, dass sie es nicht im Stich lassen würde.

30

Nachts war das im Wald versteckte Zeltlager umstellt worden, Widerstand war zwecklos. Es war kein einziger Schuss gefallen. Sie waren Gefangene der Roten Armee.

Seit drei Tagen marschierten sie in glühender Kälte. Einige waren entkräftet zusammengebrochen. Ein Rotarmist war herbeigesprungen. Ein Schuss ins Genick und weiter. Besser, als liegen zu bleiben, bis man verreckte, erfroren oder bei lebendigem Leib von herumstreunenden Tieren gefressen wurde. Immer wieder versuchte Otto, seine verdurstenden Kameraden davon abzuhalten, das Eis aufzukratzen und von dem schlammigen Boden zu trinken. Vor Schmerzen wimmernd starben sie wenige Stunden später unter krampfartigen Durchfällen. Nachdem der erste Schock überwunden war, begannen die Überlebenden heftig zu fluchen. Die aufgestaute Frustration über den drohenden Zusammenbruch des Reichs brach aus ihnen hervor.

Ein Kind. Sala hatte geschrieben, es würde bestimmt ein Junge. Ein Sohn. Sie würde ihn Otto nennen. Wie sein Vater. Wie sein Großvater. Seine Füße waren wund gelaufen. Er spürte sie nicht mehr. Auch der Hunger hatte nachgelassen. Seinen Wasserverbrauch rationierte er streng. Zwischendurch trank er seinen Urin. Der unangenehme Eigengeschmack war bald neutralisiert. Man gewöhnte sich an alles, nur nicht an den Gedanken, ein Gefangener zu sein.

Es hieß, sie kämen in ein Lager in der Nähe von Rostow. Dort müssten sie dann in den Wäldern arbeiten. Bei diesem Winter würden sie schneller sterben als die Fliegen, die ihnen noch vor Kurzem das Leben schwer gemacht hatten. Otto versuchte sich vorzustellen, wie es wäre, ein Kind in den Armen zu halten.

Nachts lauschte er den Liedern der Rotarmisten. Wenn er nicht schlafen konnte, versuchte er, mit den Wachen ins Gespräch zu kommen. Man verständigte sich mit Händen und Füßen. Ein Kamerad sprach ein paar Brocken Russisch. Otto schnappte begierig nach jedem neuen Wort. Immer wieder dachte er daran, nachts zu türmen. Wenn ihm die Flucht gelingen sollte, würde ihm seine Muttersprache schnell zum Verhängnis werden. Um bis nach Deutschland durchzukommen, würde er sich wie ein russischer Arbeiter kleiden müssen oder wie ein Bauer. Und er würde ihre Sprache beherrschen müssen. Akzentfrei.

Er mochte den Klang, die dunkle, melancholische Färbung. Die Soldaten klopften ihm lachend auf die Schulter, wenn er sich radebrechend zu ihnen ans Feuer setzte. Er beobachtete sie beim Durakspiel, erlernte schnell die Regeln und kämpfte sich verbissen durch. Anfangs war er regelmäßig der Durak, der Dummkopf, der es nicht schaffte, sich gegen die Angriffe seines Nachbarn zu verteidigen. An den schlitzohrigen Blicken erkannte er langsam, dass das Schummeln Teil dieses Spiels war, es ging darum, den Gegner zu demütigen. Die jeweils höhere Karte war Trumpf. Man schlug seinen Nachbarn, konnte sich dabei mit anderen verbünden und musste so schnell wie möglich seine Karten loswerden. Wer am Ende übrig blieb, war der Durak. Vor allem aber lernte er schnell die verschiedenen Flüche kennen, die die Soldaten jedem Satz ein- bis zweimal beiläufig untermischten. Es war wie damals, in seiner

Kindheit und Jugend, er war wieder der Schwächste. Aber er hatte ein Ziel, er wollte nicht mehr lange der Durak sein.

Wieder mussten sie zwei Kameraden zurücklassen. Sie schauten apathisch weg, als die Schüsse fielen. Erst starb die Achtung, dann die Aufmerksamkeit. Man sah den Tod des anderen nicht mehr. Die Kräfte schwanden. Taub wankten sie weiter. Ihr Hass verwandelte sich in Gleichgültigkeit.

Und wenn das Kind nicht von ihm war? Er hatte nicht mehr an Hannes gedacht. Jetzt war er wieder da. Mitten im Kartenspiel stand er plötzlich vor ihm und rief: »Durak!« Otto starrte ihn an. Seine Stirn zog sich zusammen. Er wollte auf ihn zuspringen, ihm sein Gewehr entreißen, ihm mit dem Kolben den Schädel zertrümmern. Er wollte ihn an der Gurgel packen, zudrücken, bis der Kehlkopf knackte. Er wollte ihm seine Faust in den Rachen schieben, seine Zunge rausreißen, ihn durchs Feuer schleifen, bis er in den Flammen erstickte.

»Durak.«

Dieser Mann, der ihm lachend gegenüberhockte, konnte nicht Hannes sein. Er war ein russischer Soldat. Ein Feind. Aber nicht sein Feind. Er lachte ihn aus. Es war ein Spiel. Otto bezwang seine Wut. Er durfte sich hier nicht gehen lassen. Er war in Gefahr. Wie oft hatte er in diesem Krieg gesehen, dass Menschen sich aus Angst selbst verstümmelten. Die Angst war der gefährlichste Feind eines Soldaten. Sie richtete sein Handeln gegen ihn selbst. Otto sah seinen Gegner an. Er lächelte, warf seine Karten in die Mitte, griff nach dem Spiel.

»Neues Spiel, fick deine Mutter.«

Die Soldaten grölten vor Freude.

»Fick deine Mutter. Fick deine Mutter.«

Bald würde er kein Durak mehr sein.

Hunger. Die Schwachen starben in den ersten Tagen. Die anderen tauschten begierig Rezepte aus, entwarfen in langen Reden kunstvolle Menüs, labten sich an den Bildern, die der jeweilige Redner in ihren Köpfen entstehen ließ.

»Filet, so nennen es die Franzosen, wir sagen Lendenbraten, die Österreicher Lungenbraten, und beim Schwein heißt es Jungfernbraten, das ist dieser keulenförmige Muskelstrang unterhalb der Lende, einer auf jeder Seite. Das Fleisch ist so unvergleichlich zart und saftig, weil das Tier, diesen Muskel kaum bewegt.«

Der Kerl war baumlang. Stand er vor ihnen, glaubte man, er könnte seine Beine über eine Felsschlucht spannen. Die Gefangenen hingen an seinen Lippen. Man sprach nicht mehr über Frauen, man sprach über das Essen. Mit seinen prankenartigen Händen demonstrierte Herbert, wie er in Friedenszeiten auf dem Hof seiner Eltern Rinder und Schweine zerlegt hatte. Der Familienbetrieb belieferte alle umliegenden Metzgereien. Auch während des Krieges mussten sie nicht hungern.

»Beim Rind schlachten wir der Länge nach. Dabei entstehen zwei symmetrische Hälften, die wir in Vorderviertel und Hinterviertel abstechen. Vorderkeule, Rücken, Lappen, Hinterkeule. So was nennt man Grobzerlegung.«

»Meine Mutter hat sonntags Rinderbraten gemacht und dazu Stampf. Der dampfte noch, wenn er auf den Tisch kam«, sagte ein Spindeldürrer. Er mochte vielleicht zwanzig sein, sah aber aus wie ein frühzeitig vergreistes Kind.

»Mit was für einer Soße? Du musst die Soße beschreiben, sonst kann man sich's nicht richtig vorstellen«, sagte sein Nachbar.

»Na, die Soße, die, weiß nicht, die hat ja meine Mutter gemacht, also die war … so … braun, glaube ich.«

»Mann, bist du irre?« Die Augen des Nachbarn traten

aus seinem hageren Gesicht hervor. »Erzählst hier was von Rinderbraten, dass einem das Wasser im Mund zusammenläuft, und dann geht's nicht weiter? Ich polier dir gleich die Fresse, nur mal so als Gedächtnisstütze.«

Der Junge rührte sich nicht. Stumpf starrte er vor sich hin. Sein Gesicht wirkte wie eine leere Stube, in der jemand das Licht ausgeknipst hatte.

Ein Dicker, dessen Haut unter dem Kinn beim Reden wie ein alter Lappen hin und her wackelte, sprang ihm zu Hilfe.

»Man nimmt dafür das Fleisch aus der Keule. Schön mit Salz einreiben, pfeffern und dann mit Butter von allen Seiten kurz und scharf anbraten, dann ziehen sich die Poren schön zusammen, und das Fleisch bleibt innen saftig.«

Stöhnende Laute und Seufzer wurden ausgestoßen. Der Dicke hatte sein Publikum gefunden und fuhr mit leuchtenden Augen fort.

Es war wichtig, nach jedem Detail zu fragen, gerne wurden auch verschiedene Varianten diskutiert, um den Vorgang in die Länge zu ziehen. Niemand wollte dieses gemeinsame Essen vorzeitig beenden, wieder allein dasitzen, von Hunger gequält, einsam und verlassen, ohne Familie, ohne Mutter.

»Also erst mal die Rindermarkknochen im kalten Wasser aufsetzen und schön zum Kochen bringen. Die Brühe abschäumen, dann fünf Minuten kochen lassen. Du gibst anschließend ordentlich Kochrindfleisch dazu, geschnipseltes Suppengemüse. Salz, Pfeffer, Wacholderbeeren drüberstreuen und bei schwacher Flamme zwei bis drei Stunden köcheln lassen. Und nicht vergessen, zwischendurch immer wieder schön abschäumen. Dann nehmt ihr das Fleisch heraus, würfelt es als Suppeneinlage, könnt ihr aber auch anders verwenden ...«

Tosender Applaus. Im Hintergrund schüttelten die Russen den Kopf.

31

Sala schleppte sich unter Krämpfen in die Klinik in Leipzig-Dösen zu Professor Diebuck.

In der Notaufnahme wurde sie von einer Schwester empfangen und auf einer Bahre durch die leeren Gänge des Hospitals geschoben. Sie fühlte sich wie in einem Geisterhaus, als lauerten hinter jeder Tür die Seelen ermordeter Kinder. Hier sollte sie gebären? Der Weg schien endlos. Immer wieder bogen sie am Ende eines Ganges links oder rechts in eine weitere Verzweigung dieses Labyrinths. Zweimal sah sie einen Arzt fliehenden Schrittes im Dämmerlicht über den Korridor huschen. Zwischen ihren Beinen wurde es heiß und nass. Die Fruchtblase war geplatzt.

Vor Schmerzen und Schwäche zitternd nahm Sala verschwommen wahr, dass ihr ein Wehentropf gesetzt wurde. Ihre Schmerzen steigerten sich ins Unermessliche.

»Was mache ich, wenn ich ohnmächtig werde?«

»Wenn wir dich brauchen, werden wir dich schon wieder wecken«, sagte die Schwester, eine patente Berlinerin mit kräftigen Armen und einer erstaunlich frischen Gesichtshaut. Sie verpasste Sala eine weitere Spritze.

»Was ist das?«

»Strychnin, Kindchen, alles andere ist uns ausgegangen.« Sie lachte. »Nein, nein, keine Bange, nur zur Beruhigung. Der Professor kommt gleich. Wahrscheinlich sucht er noch sein Bonbon.«

»Sein was?«

»Sein Parteiabzeichen, das Bonbon. Er verliert es in letzter Zeit immer.« Sie kicherte in sich hinein. Dann legte sie Sala die Hand auf die Stirn. »Siehst aber ganz schön anämisch aus, Liebchen, hast du heute oder in letzter Zeit viel Blut verloren?«

Sala nickte schwach.

»Heute früh. Ein ganzer Schwall.«

»Bist ja vom Fach. Wollen mal hoffen, dass das Früchtchen keine Sperenzchen macht. Was soll's denn werden?«

»Ein Junge.«

»Davon können wir Nachschub gebrauchen. Besser gleich zwei oder drei, wenn du mich fragst, aber womit dann die Mäuler stopfen, nicht?« Sie lächelte Sala beruhigend zu. »Nu mach dir mal keine Gedanken, Liebchen, der Professor weiß, was er tut, und was er nicht weiß, das wissen wir. Mir ist noch keine hopsgegangen. Und ich hab schon eine Kleinstadt ans Licht geholt.«

Sala wurde dunkel vor Augen.

»Ja, wo bleibt er denn nun?« Die Hebamme sah auf ihre Armbanduhr. »Ich geh mal gucken, bin gleich wieder bei dir, Liebchen.« Sie eilte davon.

Die Zeit dehnte sich ins Endlose. Wie viele Stunden mochte sie schon hier liegen. Allein auf einem kalten Korridor. Irgendwo musste ein Fenster offen stehen. Sala wurde in immer kürzeren Abständen von Krämpfen geschüttelt. Zwischen ihren Beinen wurde es wieder warm. Vorsichtig schlug sie die Decke zurück. Sie starrte auf das Laken. Alles voller Blut. Sala richtete sich erschrocken auf.

»Hilfe.« Ihre Stimme hallte schwach durch den Korridor.

Zwei Schwestern liefen im Hintergrund schnellen Schrittes über den Gang, ohne sie zu beachten.

»Hilfe. Ich verblute. Ich verblute, verdammt noch mal. Einen Arzt. Schnell.«

Angst. Endlich näherten sich Schritte.

Sie erkannte die Stimme des Professors.

Das grelle Licht blendete sie. Jemand drückte ihre Beine auseinander.

Eine Hand schob sich in sie hinein. Schreiend versuchte sie, den Kopf zu heben, um etwas zu sehen. Sie war jetzt hellwach. Sie musste dieses Kind gebären. Sie musste.

»Es hat die Nabelschnur um den Hals. Ich krieg es nicht gedreht. Es steckt fest in der Beckenmitte.«

Sala verstand nicht. Was hatte die Hebamme gesagt? Nicht aufgeben. Weiter. Weiter. Schnell. Sie hörte die Stimme des Professors.

»Sauerstoff?«

»Niedrig.«

»Zange.«

Sala fühlte, wie ein kalter Gegenstand in sie eindrang, kurz darauf gab es einen Ruck, als wollte man einen Lastwagen aus ihrem Körper reißen. Mit einem Schlag waren alle Schmerzen verschwunden. Stille. Ein Schrei. Etwas Weiches, Zartes auf ihrer Haut. Sie sah einen kleinen, verbeulten, blau angelaufenen Kopf. Die Lippen suchten nach ihrer Brust. Ein wohliges Ziehen. Tränen strömten über Salas Gesicht.

»Herr Professor, da ist noch was, gucken Sie mal.«

Es wurde still. Sala versuchte, etwas zu erkennen, aber die beiden drehten ihr schnell den Rücken zu.

»Fetus Papyracaeus«, sagte der Professor. Seine Stimme klang neugierig.

»Platt wie ein Blatt«, sagte die Hebamme.

Sala richtete sich erschrocken auf. Sie konnte gerade noch sehen, was die Hebamme im Weggehen zu verbergen suchte. Das war ein Kind. Sala schrie. Das war ihr Kind. Ihr zweites Kind. Es sah aus wie ein platt gewalzter Fötus. Sala schrie. Schnell wurde ihr das Baby entrissen. Schreiend versuchte sie aufzustehen. Der Professor drückte sie auf das Bett zurück.

»Sie Schwein! Warum haben Sie mir das nicht gesagt? Schweine. Ihr Schweine. Mein Kind. Gebt mir mein Kind zurück! Bitte. Ich … bitte … bitte … mein Kind.«

Sie verlor das Bewusstsein.

Sie erwachte in einem kleinen Zimmer. Wo war ihr Kind? Wohin hatten sie es gebracht? Was war geschehen? Die Angst schnellte in ihr hoch. Ein hoher Ton sirrte durch ihren Kopf. Eine Sirene. Wo war die Notglocke? Sie sah sich um. Der Raum war normal eingerichtet. Vor dem Fenster ein Tisch. Amselgesang drang an ihr Ohr. Lag dort ein Garten? An der gegenüberliegenden Wand ein Bücherregal. Die Buchstaben auf den Buchrücken verloren sich in der Unschärfe. Die Tapete war grün. Das hier war kein Krankenzimmer. Wo war sie? Ihr Unterleib pochte. Zwischen Beinen ein Stechen und Ziehen. Sie versuchte aufzustehen, aber sie war zu schwach.

Jemand stand neben ihr. Sie konnte sein Gesicht nicht erkennen. Die Kleidung raschelte unangenehm laut. Sein Atem klang eher wie ein Rasseln. Wieder versuchte sie den Kopf zu heben. Unmöglich. Sie spürte eine Hand, schlug die Augen auf. Vor ihr stand Professor Diebuck. Sie musste eingeschlafen sein.

»Wie geht es Ihnen?«

»Wo ist mein Kind?«

»Wir mussten Ihren Säugling dabehalten. Keine Sorge, nur ein paar Routineuntersuchungen zur Sicherheit des Kindes. Es war ja keine ganz leichte Geburt.«

Er machte eine Pause, sah in ihr erwartungsvoll gespanntes Gesicht.

»Es ist ein Mädchen.«

Etwas zog sich in Sala zusammen. Sie versuchte ruhig zu atmen.

»Sie haben Zwillinge getragen.«

Sala sah zu ihm auf. Sie hörte die Stimme der Hebamme. »Da ist noch was« und dann »platt wie ein Blatt«.

Sie schüttelte flehend den Kopf. Der Professor nahm ihre Hand. Sala riss sie weg.

»Warum haben Sie mir nicht gesagt, dass ich Zwillinge in mir trage?«

Nie hätte sie in diese Klinik gehen dürfen. Nie die Hilfe dieses Mannes annehmen. Sie sah in seine Augen. Sein Gesicht war regungslos. So konnte nur ein Ungeheuer schauen.

»War es auch ein Mädchen?«

Der Professor schüttelte kaum merklich den Kopf. Was hatte er mit ihrem Kind gemacht? Hatte er es ihr für seine perversen Forschungszwecke weggenommen?

»Wahrscheinlich war es ein Junge. Wir wissen es noch nicht. Ich gehe davon aus, dass der Fötus in der Schwangerschaft gestorben ist. Das Körperwasser wird dann von der Mutter, also von Ihnen, wieder aufgenommen, und der Fötus verbleibt platt gedrückt im Mutterleib, bis er bei der Geburt ausgetragen wird.«

Sie starrte ihn an.

»Ihre Tochter lebt. Das ist es, was zählt. Seien Sie froh, sie ist ein kräftiges Kind. Wissen Sie, die meisten Menschen glauben, alle Säuglinge würden gleich aussehen. Weit gefehlt. Sie sind von Anbeginn an so verschieden, wie sie es später sind. Ich habe viele Kinder zur Welt gebracht. Ihre Tochter ist eigenwillig, glauben Sie mir, und sie hat bereits jetzt ein sehr besonderes Schicksal.«

Ich, dachte Sala, ich habe es getötet. Sie war zu schwach,

um etwas zu erwidern. Sie wollte allein sein, und dann, dann wollte sie ihre Tochter sehen. Und ihren toten Sohn. Morgen vielleicht. Nicht heute. Morgen.

Nachdem Sala sich von der Geburt erholt hatte, holte der Professor seine Frau zurück in ihr gemeinsames Haus. Sie sollte nicht im Krankenhaus sterben. Dafür brauchte er Sala. Er hatte es von Anfang an geplant. Ein abgekartetes Spiel. Offiziell existierten Sala und ihre Tochter Ada nicht mehr. Das sei besser so, sagte der Professor, niemand käme dann auf dumme Gedanken.

32

Nach ihrer Ankunft wurden sie in die Wälder zum Holzfällen geschickt. Viele brachen nach wenigen Tagen entkräftet zusammen oder starben noch im Wald. Am dritten
Tag stand Otto in der Schlange im Waschraum. Im Spiegel
sah er am Ende der Reihe ein fremdes, abgemagertes, vom
Hunger aufgeschwemmtes Gesicht. Er erkannte sofort,
dass dieser Mann kurz vor der Dystrophie stand. Sein Körper war aufgedunsen, die trockene Haut hing wie ein alter
Lederlappen an den Gliedern, die übergroßen Augen be-
herrschten das ausgehöhlte Gesicht. Als Otto sich umdrehte, um den Kranken in Augenschein zu nehmen, bemerkte
er aus dem Augenwinkel, dass sich der Mann mitdrehte. Er
hielt inne. Vorsichtig blickte er zurück in den Spiegel und
wieder weg. Erneut folgte ihm das Gesicht. Er zuckte zusammen: Der ausgehungerte Kranke war er selbst.

Wenige Tage später wachte er auf der Krankenstation auf.
Immerhin. Er lebte noch. Komische Erleichterung. Minu-
tiös beobachtete er seine Symptome. Er notierte die Veränderungen des »Patienten«. Dieses Aus-sich-Heraustreten
rettete ihm das Leben. Mühsam erinnerte er sich daran, wie
er bereits in den letzten Tagen vor der Ankunft im Lager
eine unerträgliche Müdigkeit verspürt hatte. Die Namen
seiner Kameraden, aus denen in den letzten Kriegsjahren
Kumpel geworden waren, waren ihm entfallen. Sein Ge-
burtsdatum, der Augenblick der Gefangennahme: weg.

Dunkel tauchte eine schwangere Frau auf, irgendwo in der Ferne. Land und Name waren ausgelöscht.

Kein Gedanke an Sex, nur sehr schwache Reaktionen auf seine Umwelt, als würde er sich langsam seinem Tod nähern. Dieses Dahindämmern wurde von plötzlichen, euphorischen Schüben unterbrochen, auf die eine noch größere Lethargie folgte. Mit Kalorienberechnungen versuchte er, dem Hungergefühl rational beizukommen, und bekämpfte gleichzeitig die gefährliche Sinnlosigkeit. Durchfall und ständiger Harndrang entkräfteten ihn. Die inneren Vorkehrungen, die er zu treffen hatte, um sein Bett zu verlassen, nahmen ein bis zwei Stunden in Anspruch. Jede Geste, selbst das Umdrehen des Körpers von einer Seite auf die andere, musste zunächst sorgfältig durchdacht werden. Der Gang zur Latrine wurde zu einer komplizierten Planungsaufgabe. Bettdecke wegschlagen, um beim Aufstehen nicht darin hängen zu bleiben, sich aufrichten, im Sitzen warten, bis das Schwindelgefühl nachließ. Füße auf den Boden, in die Holzpantinen, Bettdecke umhängen, um Zugluft zu vermeiden, Unterhose festhalten oder besser enger schnüren, um sie nicht zu verlieren, drei Schritte zur Barackentür, öffnen, hindurchgehen, schließen. Dasselbe bei der vorgelagerten Moskitotür. Stock nicht vergessen, vorsichtig zur Latrine gehen. Nicht hinfallen. Mit niemandem zusammenstoßen. Hatte er das geschafft, musste er meist eine Weile nachdenken, wozu er hergekommen war. Bei alldem entgingen ihm die verächtlichen Blicke der anderen Kranken nicht. Seine Kommunikation reduzierte sich auf ein von den anderen als feindlich wahrgenommenes Minimum. Nach drei unendlichen Wochen fand er zur im Lager üblichen gebeugten Körperhaltung, zum langsamen, schlurfenden Gang, wie er ihn bei den anderen gesehen hatte. Der Plenny-Schritt. Sarkastisch vermerkte er später in seinem

Tagebuch, dass diese Umkehrung des militärischen Stech-schritts die Ironie des Krieges trefflich darstelle. Mithilfe des Krieges schaffte man in wenigen Wochen, wofür es sonst ein Leben brauchte: die langsame psychophysische Auflö-sung. Ein weiterer Beweis für seine ökonomische Effizienz.

Sie trat an sein Bett. Das Gesicht schneeweiß, das dicke, glatte Haar so dunkel wie die Augen. Wenn sie ihm half, war ihr Griff fest, aber immer noch behutsam. Sie machte keinen Unterschied zwischen den Patienten. Kein Getue, keine überflüssigen Worte oder Gesten. Sie war allein mit den Dystrophikern. Gelegentlich bekam sie Unterstützung von einer alten Ärztin, die mit ihrem schweren Körper an den apathisch vor sich hin dämmernden Patienten vorbei-schlurfte. Hier redeten alle nur vom Essen. Stumpfe Mo-nologe über Schinken, Käse, Eier, Braten, Kuchen. Alle schwadronierten von ihrem Reichtum. In der Heimat und in ihren Gedanken waren die Vorratsschränke zum Bersten gefüllt. Je mehr sie über das Essen sprachen, desto schneller starben sie.

Jeden Abend rieb die Schwester seine ausgetrocknete Haut mit einer Salbe ein. Der Geruch war kaum zu ertra-gen, aber es half. Die Hautlappen, die an seinem Körper herabhingen, wurden langsam wieder durchblutet. Sie zeig-te ihm Übungen, um seine erschlaffte Muskulatur zu festi-gen. Sie brachte ihm zu essen und heißen Tee. Sie lächelte. Sie gab ihm das Gefühl, ein Mensch zu sein. Kein Feind. Sie war Jüdin. Ihr Name war Mascha.

Von seinen Kumpels war keiner diesem Lager zugeteilt worden. Ob man sie vorsätzlich getrennt hatte, um Grup-penbildungen zu vermeiden, wusste er nicht. Er merkte, dass aus dem Kumpel der letzten Zeiten wieder ein Kamerad geworden war. Unter den deutschen Gefangenen wuchs das gegenseitige Misstrauen. Hier war jeder auf sich gestellt. Otto verspürte keinen Hunger mehr. Gewissenhaft notierte er jede Kalorie, die er zu sich nahm. Er wollte hier raus.

Das Lager war wie ein Bataillon aufgebaut. Die Leitung hatte der Kombat, der deutsche Lagerälteste. Die Gefangenen wurden nach ärztlicher Untersuchung in Gruppen eingeteilt. Wer zur Gruppe 1 oder 2 gehörte, war voll arbeitsfähig und wurde in die Wälder geschickt; die Gruppe 3 durfte nur eingeschränkt arbeiten, die Dystrophiker vom OK, dem *osdorowitelnaja komanda*, dem Genesenden-Kommando, gar nicht.

Otto notierte seine Beobachtungen. Wer nicht arbeitete, kämpfte sterbend gegen ein wachsendes Gefühl der Sinnlosigkeit an, wer zu früh in die Wälder geschickt wurde, starb bald an Kälte und Hunger. Während die anderen Kochrezepte austauschten, schrieb Otto gegen den Hunger, das alles beherrschende Thema, an. Nachts hörte er manche in ihren Träumen von Nahrungsmitteln stammeln.

»Georg, du musst was essen.«

Otto neigte sich zu seinem Bettnachbarn, einem abgemagerten Jungen, der seit Tagen seine Essensrationen bunkerte. Georg starrte apathisch vor sich hin.

»Ich weiß, was ich tue. Ich will mich einmal ordentlich satt essen, einmal ohne Hunger einschlafen.«

Seine Stimme schepperte monoton. Kein Blick. Keine Regung.

Nach ein paar Tagen sah Otto ihn nachts unter der Decke ein Fressgelage halten. Das meiste war bereits verschimmelt. Magen und Darm revoltierten. In heftigen Krämpfen erbrach Georg alles, was er sich mühsam vom Mund abgespart hatte. Otto versuchte, ihn zu beruhigen. Er schleppte den Sterbenden ins Lazarett. Essen. Hunger. Essen. Hunger. Hunger. Hunger. Hunger. Essen. Tod.

Als Otto am nächsten Morgen aufwachte, merkte er, dass sich Martin, sein Nachbar zur Rechten, nicht mehr bewegte. Er sprang auf, fühlte den leblosen Puls. Wiederbelebung war zwecklos, die Leichenstarre hatte bereits eingesetzt. Erschöpft sackte Otto auf seine Pritsche. Er konnte nicht mehr klar denken. Neben ihm ein Mann, der sich zu Tode gehungert hatte. In seinen Taschen und unter seiner Matratze fanden die Hände der gierig Herbeieilenden Essensschätze, zum großen Teil verkommen.

In der darauffolgenden Nacht wurde Otto durch lautes Stöhnen geweckt. Im Dunkel sah er, wie ein Kamerad, zwei Betten weiter, mit letzter Anstrengung masturbierte. Ein anderer begann auch, sich zu befingern.

»Wat denkste, Kumpel …? Wat denkste!«, stieß der atemlos hervor.

»Brot …«, sagte der andere.

Er rang nach Luft, verdrehte die Augen, sein Körper zog sich zusammen, rasselnd stieß er alle Luft aus. Tot. Otto starrte in die Nacht. Zum ersten Mal in seinem Leben hatte er Angst, verrückt zu werden.

Ein russischer Soldat vom Lagerkommando sprang in die Baracke.

»Sieg! Ihr habt verloren. Aus. Aus. Der Krieg ist aus.«

33

Das Baby im Arm, sprang Sala auf den Bahnsteig. Beim Einfahren des Zuges hatte sie ihren Vater bereits entdeckt. Sie rannte. Die Tränen schossen aus ihren Augen. Sie presste ihre Tochter an sich. Als Jean sich zu ihr umdrehte, wirkte er um zwanzig Jahre gealtert, aber seine Augen leuchteten ungebrochen. Immer noch der alte Filou, dachte Sala, als er aufgeregt wippend vor ihr stand und beim Anblick seiner Enkelin seine Lippen kennerisch spitzte.

»Und wer bist du?«

»Ich heiße Ada«, sagte Sala, wobei sie das linke Händchen ihrer Tochter nahm und dem Großvater freudig zuwinkte.

Jean schloss beide in seine Arme. Sala fühlte, wie schmal und zart er geworden war. Sie fuhr ihm mit der Hand durch sein schlohweißes Haar.

»Kommt«, sagte Jean, »ihr müsst Dorle kennenlernen.«

Sala hatte bereits von der neuen Liebe ihres Vaters gehört.

Dorle oder Dorchen, wie Jean sie auch gerne rief, hieß eigentlich Dora, was eher zu ihrer Erscheinung passte, dachte Sala, als sie sich ihrem festen Händedruck entwand. Sie war nicht nur größer, vor allem wirkte sie mächtiger als ihre Mutter Iza. Ein Trumm, wie sie später am Abend, einsam in ihrem Zimmer, an Otto schrieb, ohne zu wissen, wohin sie den Brief schicken sollte. Sie hatte bald ein Jahr kein Lebenszeichen von ihm erhalten. Er wusste nicht einmal, dass er Vater einer Tochter, einer ganz entzückenden Tochter, geworden war. Aber jetzt könnte sie in Berlin anrufen. Seine Mutter würde vielleicht wissen, wo sie ihn finden konnte. Wie Anna wohl den Krieg überstanden hatte? Sie würden jetzt alle eine Familie werden. Die immer wiederkehrenden Gedanken an Ottos möglichen Tod verscheuchte Sala nach kurzem Erschrecken. Sie wusste, dass er lebte, basta.

Am nächsten Abend lauschte sie den Geschichten ihres Vaters. Das etwas spartanische Essen wurde von einer kleinen, rundlichen Frau mit einem Lächeln serviert. Pünktchen, wie Dora sie nannte, war keine Hausangestellte, wie Sala zunächst vermutete, sie war Doras langjährige Lebensgefährtin. Eine Ménage à trois. Ihr Vater hatte sich nicht verändert. Dora erschien ihr ebenso dominant wie ihre Mutter Iza. Sein gesamtes psychoanalytisches Wissen konnte ihn offenbar nicht vor Wiederholung schützen. Und Pünktchen hieß Pünktchen, wie Dora mit rauer Stimme erklärte, weil sie das Pünktchen auf dem i ihres Liebeslebens sei. Darüber lachten alle. Alle außer Pünktchen.

Ada schlief. Sie war ein ruhiges Kind. Alle drei Stunden wollte sie kurz an die Brust, dann schlief sie weiter. Trotzdem schreckte Sala immer wieder hoch. War das Kind still, horchte sie ängstlich, ob es noch atmete. Danach lag sie oft stundenlang wach, drückte ihr Ohr an Adas Brust, lauschte ihrem schlagenden Herzen.

Sie dachte an den Professor, Hitlers treuen Vasallen. Er hatte von ihr verlangt, einen Brief zu unterzeichnen, in dem sie erklärte, dass er ihr im Jahr 1945, bei Gefahr für Leib und Leben, geholfen habe, ihr Kind zu gebären, wonach er ihr bis zum Kriegsende, ebenfalls unter Einsatz seines Lebens, in seinem eigenen Haus nicht nur Unterschlupf, sondern auch eine liebevolle Heimat geboten habe. Ein Schutz, den sie nach dem lang erhofften Sieg der alliierten Streitkräfte aus eigenem Willen und zu seinem aufrichtigen Bedauern verlassen habe, um sich auf die Suche nach ihrer Ursprungsfamilie zu begeben. Das Bild ihres verlorenen Kindes schimmerte ihr dunkel entgegen.

Als Sala aufwachte, spürte sie die klebrige Feuchte unter ihrem Rücken. Sie beugte sich hinüber zu Ada. Ihre Tochter schlief. In ihrem blassen Gesicht leuchtete Otto. Wo war er?

Vor ihr lag, breit ausgestreckt, der Tag.

34

Fünf Uhr morgens. Das Signal zum Wecken wurde gegeben. Otto hievte den Latrinenkübel vor die Tür. Er fasste sich an den Hintern, um seine Gesäßmuskulatur zu prüfen. Sie war wieder fest, die Dystrophie überwunden. In zwei Stunden würde Mascha kommen. Er würde ihr helfen, wie in den letzten Tagen. Dafür brachte sie ihm die kyrillische Schrift bei. Lernen war seine Art zu überleben. Vor einer Woche hatte sie einen Antrag bei dem Lagerkommandanten gestellt. Otto sollte als Arzt in der OK-Baracke bleiben. Für die Gruppen 1 und 2 war er noch nicht ausreichend bei Kräften, außerdem konnte sie ihn hier im Lazarett gut gebrauchen. Jeden Tag wartete er auf Antwort. Er sah aus dem Fenster. Die OK-Baracken lagen am äußersten Rand. Der Misthaufen des Lagers. Warten. Er besaß keine Uhr mehr. Unmittelbar nach der Gefangennahme hatten die Rotarmisten sie ihm abgenommen. Ein Modell der Marke IWC aus Schaffhausen. Elegant, flach, schwarzes Lederarmband, goldenes Ziffernblatt. Er war besonders stolz darauf gewesen, weil er sie im Spiel gewonnen hatte. Spielgewinne bedeuteten ihm mehr als hart verdientes Geld. Er wusste nicht, warum. Er gehörte wohl zu den Gefährdeten. Deswegen hatte er sich schon vor Kriegsausbruch ein striktes Spielverbot auferlegt.

Hier brauchte er keine Uhr. Jeder Tag glich dem vorangegangenen und galt als verlässliches Muster für den folgenden. Wozu eine Uhr? Die Zeit kroch gegen den Takt.

Er brauchte eine Aufgabe, eine Beschäftigung, ein Ziel. An Flucht war vorerst nicht zu denken. Wie naiv, zu glauben, er könne allein die unendliche Weite dieser Landschaft überwinden. Das Einzige, das er dort draußen finden konnte, das auf jeden Flüchtling wartete, war der Tod.

Mit dem Sieg der Alliierten war ein Hoffnungsfunken auf ihre verdorrten Seelen gefallen. Im Nu brannte alles lichterloh. Der Krieg ist aus. Bald können wir nach Hause. Der Russe war nicht gemein. Die meisten gingen respektvoll mit ihnen um. Sicher hatten sie es besser als die russischen Gefangenen in deutschen Lagern. Dafür durften die jetzt sofort wieder in ihre Heimat. Zurück zu ihren Frauen und Kindern, zu ihren Eltern, ihren Geschwistern, Onkeln und Tanten. Otto dachte an seine Mutter, an Inge und Erna, sogar an Günter, den verfluchten Nazi. Ob sie noch lebten? Die Russen erzählten fürchterliche Geschichten über die flächendeckende Zerstörung aller Städte. Er konnte sich gut an Berlin erinnern. Wenn das so weitergegangen war, lag die Stadt jetzt in Schutt und Asche. Ob Sala ihren Vater wiedergefunden hatte? Hoffentlich war ihnen nichts zugestoßen. Dieselben Gedanken Tag für Tag. Als würde man ein Wort endlos wiederholen, bis es immer schwächer wurde, ein sinnloser Klang. Und irgendwann würde er wie die anderen werden, stumpf vor sich hin starren, Kochrezepte aufschreiben und gegen Essbares austauschen, bunkern, essen, den Latrinenkübel füllen und wieder von vorne beginnen.

Was gäbe er für ein Buch! Was nutzte ein voller Magen, wenn das Gehirn verhungerte? Er wollte nicht vegetieren. Dann lieber Schluss. Er hielt sich von den Kameraden fern. Der weinerliche Ton widerte ihn an. Sie schlurften gebeugt von der Enttäuschung über den Zusammenbruch aller Werte, die man ihnen so erfolgreich eingetrichtert hatte.

Die Vergangenheit war zerstört, an Zukunft war nicht zu denken. In den Augen der Welt gehörte sein Land für immer ausgelöscht. Zwei weltumspannende Kriege waren von deutschem Boden ausgegangen. Das würde ihnen niemand verzeihen. Niemals. Von welcher Zukunft sollten sie träumen? Nein, etwas ganz Neues musste her. Aber was?

Draußen erwachte das Lager. Otto sah die ersten Gestalten im Plenny-Schritt über den Platz schleichen. Einzig bei der Nahrungsausgabe kamen sie in Fahrt. Da wieselte alles durcheinander, Kochgeschirr klapperte oder alte Konservendosen, besonders beliebt die amerikanische Marke Oscar Maier, deren Blech bleiverzinkt war. Viele kramten ihre eigentümlichen, selbst entworfenen Waagen hervor, um an der Kochstelle nicht weniger zu bekommen als der Nachbar. Manchmal kam es zu Prügeleien, bei denen die Rivalen nach wenigen Schlägen zitternd innehielten, um nicht zusammenzubrechen. Otto fand niemanden, mit dem er über etwas anderes als Essen reden konnte. Sie drückten sich vor jeder Tätigkeit. Sie vegetierten in einem Niemandsland, irgendwo zwischen Erde und Hölle. Auch Otto musste sich anstellen. Er fürchtete nicht den Hunger, er schämte sich seiner Kameraden. Wie konnte man bei diesem Anblick sagen, dass das Leben wertvoll sei?

Mascha kam herein. Er sah sie an. Sie war schön. Ihr schlanker Arm schwang triumphierend einen Zettel in die Höhe.

»Es hat geklappt. Der Lagerkommandant hat dich als Arzt meiner Baracke zugeteilt. Bis auf Weiteres.«

Otto fühlte, wie das Adrenalin durch seinen Körper jagte. Endlich war Schluss mit der Lethargie. Er durfte arbeiten. Als Arzt. Ganz offiziell. Er würde sich anstrengen, er würde schuften, bei Tag und bei Nacht, bis zur Erschöpfung – und wenn er dabei zugrunde ging, dann wenigstens sinnvoll.

Am liebsten wäre er auf Mascha zugesprungen, um sie an sich zu reißen. Stattdessen stammelte er nur einen kurzen Dank, gefolgt von einem ordentlichen Fluch.

»Dein Russisch wird immer besser, Otto. Nur das Fluchen muss noch beiläufiger werden, nicht so korrekt, weißt du? Komm her, mein Freund.«

Sie drückte ihn an sich. Sie hatte »mein Freund« gesagt. Wann hatte er dieses Wort zum letzten Mal gehört? Von Sala, von Sala. Er zuckte erschrocken zurück.

»Komm, wir beginnen mit der Morgenvisite.« Sie lächelte.

Am Nachmittag wurde ein stark blutender Mann ins Lazarett gebracht. Ihm fehlten zwei Finger der rechten Hand. Otto übernahm die Erstversorgung, stoppte die Blutung so gut es ging, ließ den Mann ein bisschen Chloroform einatmen, gerade genug, um ihn in Ruhe zu verarzten.

Mascha schaute ihm zufrieden über die Schulter.

»Das kommt öfter vor. Selbstjustiz.«

Otto sah sie fragend an.

»Wahrscheinlich Essensdiebstahl unter Kameraden. Für jeden Laib Brot ein Finger.«

Otto schüttelte den Kopf.

»Warum greift die Lagerleitung da nicht ein?«

»Was die Gefangenen untereinander machen, interessiert sie nicht. Aber wehe dem, der in der Küche klaut …«

»Was dann?«

»Zehn Jahre für einen Laib Brot, zwanzig für ein Huhn.«

»Das verstößt gegen die Genfer Konvention.«

Mascha lachte.

»Ihr seid Gefangene. Ihr habt den Krieg verloren. Weißt du, wie viele Menschen durch euch gestorben sind?«

»Ja. Wir sind Kriegsgefangene. Aber trotzdem haben wir Rechte.«

Er war laut geworden. Mascha sah ihn ruhig an. Otto wurde rot. War er vollkommen übergeschnappt? Er, ein deutscher Soldat, wollte einer russisch-jüdischen Ärztin etwas über das Recht in diesem Krieg erklären?

»Ihr seid ein komisches Volk«, sagte Mascha.

»Ja, das sind wir wohl.« Er machte eine Pause. »Es tut mir leid.«

Das Kind war noch kein Jahr alt. Es war glühend vor Fieber von einem Bauern aus einem der umliegenden Dörfer gebracht worden. Die medizinische Versorgung in den ländlichen Gebieten war katastrophal. Zum nächsten Krankenhaus war der Weg oft zu lang. Der Puls des Säuglings war schwach. Ein Junge. Reglos lag er auf dem Tisch. Viel Zeit blieb nicht.

»Mittelohrentzündung«, sagte er zu Mascha auf Deutsch und deutete auf sein Ohr. Er kannte das russische Wort noch nicht. Er sollte es in den kommenden Tagen kennenlernen. Es blieb nicht bei einem Kind.

Mascha wollte eine Lokalanästhesie einleiten. Otto schüttelte den Kopf. Jede Sekunde zählte, außerdem fürchtete er, das Baby könnte das Narkosemittel nicht vertragen. Er erinnerte sich an seine Zeit in der Kinderklinik in Berlin. Aufschneiden, Eiter raus. Mit fliegenden Händen führte er im vorderen Quadranten des Trommelfells einen kleinen Schnitt durch und saugte mithilfe eines Röhrchens den Eiter aus der Paukenhöhle. Es dauerte keine Minute, und das Mittelohr war wieder belüftet. Mascha hatte ihm beeindruckt zugeschaut. Jede Bewegung war schnell und präzise gewesen. Das Kind starrte ihn an und vergaß zu schreien.

Schnell sprachen sich seine Fähigkeiten herum. Otto besorgte regelmäßig kleinere und mittlere chirurgische Eingriffe, was ihm in der Umgebung den Ruf eines Arztes mit heilenden Händen eintrug. Zwischendurch war er mit Ekzemen, Vergeltungsaktionen oder Selbstverstümmelungen beschäftigt.

Einmal kam ein Patient, der eine große Menge Salzlauge getrunken hatte, um sich eine nasse Dystrophie zuzuziehen. Er war auf das Gerücht hereingefallen, dass Dystrophiker in die Heimat zurückgeschickt wurden, weil sie nicht mehr für den Arbeitseinsatz zu gebrauchen waren. Otto tat, was er konnte, beriet, pflegte und arbeitete, bis er erschöpft auf die Pritsche seiner Baracke fiel. Mascha wich ihm nicht von der Seite.

Ein paar Wochen später wurde Otto ohne jede Vorwarnung morgens zum Holzfällen eingeteilt. Ein russischer Arzt war dem Lager zugeteilt worden. Man brauchte ihn nicht mehr. Wütend folgte er der Truppe.

Auf dem Rückweg stolperte er über eine vom Schnee verwehte Leiche. Der tote Körper war halb nackt. An mehreren Stellen waren mit einem scharfen Messer Fleischstücke herausgeschnitten worden. Zurück im Lager stürmte Otto in die Baracke der Kommandantur. Er riss die Tür auf, trat unaufgefordert ein und erstattete Bericht über diesen Fall von Kannibalismus. Bevor der Kommandant etwas sagen konnte, sprach Otto mit fester Stimme weiter.

»Ich bin hier als Arzt vom Deutschen Roten Kreuz. Wenn Sie mich in die Wälder schicken, verstoßen Sie gegen die Genfer Konvention und werden sich dafür genauso verantworten müssen wie für alles andere.«

Der selbstbewusste, schneidende Ton in russischer Sprache tat seine Wirkung.

»Als gefangener Offizier protestiere ich entschieden. Ich erwarte, dass ich ab morgen wieder da eingesetzt werde, wo man mich braucht: auf der Krankenstation.«

Er schlug mit der Faust auf den Tisch, machte auf dem Absatz kehrt und verließ den Raum, ohne sich umzudrehen.

Am nächsten Morgen stand er pünktlich am Operationstisch und ging mit Mascha die Liste der Patienten durch, die auf einen Eingriff warteten.

Zwei Tage später begegnete er dem Kommandanten auf dem Weg zum Lazarett.

»Woher kannst du so gut Russisch?«

»Mascha hat es mir beigebracht.«

»Hat sie dir auch unsere Schrift beigebracht?«

Otto nickte verstohlen. Der Kommandant lächelte.

»Wer gefällt dir am meisten?«

»Puschkin.«

»Du liest Puschkin?«

Während Ottos Gefangenschaft gab es keinen weiteren Versuch, ihn anderweitig einzusetzen. Wann immer er dem Kommandanten begegnete, grüßten sie einander mit Respekt. Eines Tages fand er auf seinem Bett eine zweibändige Puschkinausgabe. Jeden Tag lernte er ein Gedicht auswendig.

»Tachchen, Otto.«

Heinz gehörte zur Lagerprominenz. Er war Mitglied der aus dem Nationalkomitee Freies Deutschland hervorgegangenen Antifa. Immer versicherte er sich durch einen Blick nach rechts und links, ob ihn auch keiner bespitzelte. Diese Marotte war auch unter den ausländischen Gefangenen als »deutscher Blick« bekannt. Eigentlich war Heinz harmlos. Vor dem Krieg hatte er in Kurzwaren gemacht. Immer Kommunist, war er nie auf die Nazis reingefallen. Otto mochte ihn. Vielleicht waren es die heimatlichen Klänge, vielleicht die direkte, unkomplizierte Art. Heinz erinnerte ihn an etwas, ohne dass er es genauer beschreiben konnte.

Als er sich auf dem menschenleeren Platz wie immer nach rechts und links umdrehte, musste Otto schallend lachen. Heinz zog mit dem linken Zeigefinger das Augenlid herunter.

»Immer wachsam sein. Immer vor die Holzaugen aufpassen. Jibt leider auch in unsre Reihen einige. Det sin die Zeiten, wo 'n ehrlicher Mann sum Verräter wird für'n Nachschlag Kascha.«

Holzaugen waren die Spitzel, die sich bei der Kommandantur einschmeichelten, indem sie auf Diebstähle oder andere Regelverstöße hinwiesen. Kaschköppe waren noch eine Stufe drunter. Sie machten alles für eine doppelte Portion Kascha, den täglichen Brei.

»Heute ist Wahlabend. Biste mit von de Partie?«

»Worum geht's denn?«

»Wir wählen det politische Lageraktiv. Soll dir ooch schöne Jrüße bestellen, vom Wolfram, unserm Aktivältesten. Wir würden uns alle freuen, wenn de mal vorbeischauen tätest.«

»Weiß nich, mit Vereinen hab ich's nie so gehabt.«

»Mensch Otto, jetzt zier dir nich so. Bist doch eener von uns.«

»Weder von euch noch von sonst wem.«

»Weeßte, in der Heimat ...«

»Komm mir nich damit, Heinz. Bei mir hat sich's ausgeheimatet.«

»Aber wir singen ooch. Und schöne Lieder sind dabei. Kannste mir glooben.«

»Mir hat die Masch schon in den Dreißigern gereicht. Was anderes habt ihr doch auch nicht vor. Und singen, das kenne ich, erst fangen wir Deutschen an zu singen, und dann schlagen wir den andern die Köppe ein.«

»Falsch, Otto, janz falsch. Wat wir wollen, is, een Neues Deutschland aufbauen, vastehste. Von unten, nich von oben. Die Jenossen in Berlin, inner Ostzone, wo jetzt dem Russen, also wo die det Sagen haben, ja, die bereiten den Boden für unsere Heimkehr, aber janz anders als in' Westen, wo schon wieder die alten Nazis in Amt und Würden sind.«

»Nimm es mir nicht übel, Heinz, aber das ganz andere, das hatten wir doch gerade, vom ganz anderen hab ich die Schnauze gestrichen voll.«

»Ja, willste denn weitermachen wie jehabt?«

»Ich kenn deine Genossen. Frag mal die Russen nach ihren Genossen. Alles dieselbe Soße nur 'ne andere Farbe. Wenn man lang genug dran kratzt, wird aus Braun Rot.«

Auf seiner Pritsche dachte er an Sala, ihre letzte Begegnung in Leipzig. Dieser Hannes hatte jetzt alle Chancen. Die Zeit arbeitete für ihn. Selbst wenn er in einem halben Jahr zurückkäme, was er selber nicht glaubte, konnte es schon zu spät sein. Niemand war schuld. So war der Krieg. Auch die Gefangenschaft war Krieg. Egal was kommen würde, überall war der Krieg. Diese Jahre hatten ihn für immer verändert. Und Sala auch. Auch sie war in einem Lager gewesen. Mehr als eine kurze Erwähnung war es ihr nicht wert gewesen. So würde es ihm auch ergehen, wenn er das hier hinter sich hätte. Es gab nichts mitzuteilen. Was denn? Das Verstummen? Den galoppierenden Verlust der eigenen Persönlichkeit, so wie er ihn bei seinen Kameraden beobachtete, während er sich fragte, ob er in diesem Moment wohl genauso auf die anderen wirkte wie sie auf ihn? Er hatte es in Leipzig gespürt, als er sie in seine Arme nahm. Sie war eine andere geworden. Die Sala von früher war nur in kurzen Momenten zu erahnen gewesen, ein fliehender Schatten. Was sich jetzt wohl in der Baracke abspielen mochte? Er wusste, wie sich diese Gruppe zusammensetzte. Manche waren ganz ordentliche Leute. Alte Sozialisten. Auch Kommunisten waren darunter. Sie meinten es ehrlich. Aber sie schwiegen über die Vergangenheit wie alle anderen. Wie sollte so etwas Neues entstehen? Von den Schweinereien wurde nicht gesprochen. Maulkorb. Keiner hatte den Mut, darüber nachzudenken. Alle Illusionen waren zerstört. Sie waren umgeben von lebenden Leichen, die jede Selbstachtung verloren hatten. Daraus konnte nichts Neues wachsen. Der Boden war für immer verseucht. Am besten wäre es, man würde alles auslöschen, das ganze Deutsche Reich von der Landkarte streichen. Für immer. Der Neuanfang blieb den anderen vorbehalten, die jetzt das Land unter sich aufteilten. Und die anderen Genossen, die sich bei der Antifa einschmeichelten, um ein paar kleine Vorteile einzuheimsen, alles Holzaugen und Kaschköppe, für einen Löffel mehr den Nachbarn oder auch den Genossen verraten, wenn er eine andere Meinung äußerte. Das war die neue Freiheit. Darauf konnte er pfeifen. Freie Aussprache. Es war zum Lachen. Damit wurden die Leichtgläubigen ausgehorcht. Niemand im Lager war so uneins wie die Deutschen. Andere Völker hielten zusammen. Als man den Japanern das Ofenholz rationierte, befahl der japanische Oberst, die Baracke abzufackeln. Gemeinsam setzten sich die japanischen Soldaten dicht an die Flammen, um sich lachend zu wärmen. Die einen wollten lieber gemeinsam erfrieren, als sich demütigen zu lassen, die anderen bespitzelten einander lieber, stahlen dem Kameraden sein Brot, nur um vielleicht ein paar Stunden länger zu leben, egal wie erbärmlich es sein mochte.

Schließlich ging er doch. Alles war besser, als in seiner Baracke auf der Pritsche liegend an die Decke zu starren.

Als er die Antifa-Baracke betrat, saß am Klavier ein Studienrat. Er spielte die Internationale. Es gab wässrigen Kaffee.

Heinz begrüßte ihn freudig und zog ihn nach vorne, als Wolfram Lutz, der Aktivälteste, mit seiner Rede begann.

»Jenossen.« Er war ein gutmütiger, etwas grobschlächtiger Mann, wie Otto sie aus seiner Kindheit kannte.

»Jenossen, wir haben uns heute jetroffen, um demokratisch det neue Lageraktiv zu wählen. Es ist der Lagerleitung hoch anzurechnen, dass sie uns, den ehemaligen Feinden, die so viel Leid über sie und ihre Familien jebracht haben, dennoch vertrauen. Bitte verjesst det nicht, Jenossen, seid euch eurer Verantwortung bewusst.«

Wolfram gehörte zu denen, die, frei von Fanatismus, die sachliche Auseinandersetzung suchten. Aber es gab auch andere.

Ihre scheelen Blicke entgingen Otto nicht. In Verlogenheit und Gier verschraubte Körper, bereit, jeden zu denunzieren, um sich ihr Gefangenendasein zu versüßen. Auch sie bereiteten sich eifrig auf einen möglichst nahtlosen Übergang in die neue Gesellschaft vor, in der die guten alten Tugenden der Gemeinheit, Unterwürfigkeit und des Verrats bald wieder gefragt sein würden.

»Jenossen, bevor wir zur Tat schreiten, möchte ick auch darauf hinweisen, dass die Lagerleitung uns, der Antifa, die ehrenwerte Aufgabe zugewiesen hat, die in der ideologischen und kulturellen Betreuung aller deutschen Jefangenen besteht. Auch det ist alles andere als selbstverständlich. Manche von euch werden sich an die Behandlung russischer Jefangener in unseren Lagern erinnern. Dass wir dafür nicht kollektiv bestraft werden, ist dem Russen hoch anzurechnen. Für alles andere jilt: Wir haben den Krieg verloren.«

Ein paar Genossen, die ihre Hände gerade zum Klatschen hoben, ließen sie bei dem letzten Satz schnell wieder sinken.

»So, Jenossen, und jetzt guckt mal auf diese Liste.« Er schwenkte eine Namensliste nach allen Seiten.

»Diese Liste wurde im Einvernehmen mit der Lagerleitung erstellt. Also überlegt jut, wo ihr euer Kreuz macht.«

Die Listen gingen herum. Die ersten Namen waren die üblichen Kommunistenfreunde, die die Russen haben wollten. Zuletzt aber entdeckte Otto zwei Namen, die man zu den Gemäßigten zählen durfte. Zu seinem großen Erstaunen wurden sie gewählt. Die demokratische Wahl hatte nicht nur gesiegt, sie hatte auch noch die Richtigen getroffen. Man trank Kartoffelschnaps.

Am nächsten Tag wurde das Ergebnis von der Lagerleitung für ungültig erklärt. Die Wahl sei faschistisch beeinflusst worden, es sei leider deutlich zu erkennen, wie nationalsozialistisch die Deutschen noch immer dachten. Die Lagerleitung ernannte ihre eigenen Leute.

35

Sie saßen in Kreuzberg in der alten Parterrewohnung im dritten Hinterhof. Alle waren gekommen, um die kleine Ada zu bestaunen. Inge war schwanger, Günter hatte abgenommen und sah überraschend manierlich aus, Erna hatte in den Hafen der Ehe gefunden, ihr Paul war ein fleißiger Arbeiter, und Anna thronte zufrieden am Kopfende des Küchentischs, ein Tuch um die Stirn, die Ärmel hochgekrempelt, als hätte sie gerade noch die Trümmer auf der Straße weggeräumt. Nur Karls Platz war leer. Wie traurig hatte Otto geklungen, als er ihr in Leipzig vom Tod seines Stiefvaters erzählt hatte. Sie fasste nach Adas Hand und kämpfte mit den Tränen.

»Mensch, Mensch, Mensch, det is aber ooch 'ne Wolke det kleene Ding, wat sachste, Paule? Wat sachste, da könnte man doch direkt schwach werden, wa?«

Ernas leuchtende Augen wanderten von Ada über Sala hinüber zu Inges kugelrundem Bauch. Paul nickte gutmütig. Er würde alles tun, Hauptsache, seine Erna war glücklich, das hatte er geschworen, und das würde er halten. Auf dem Herd dampfte der Eintopf. Auf der Anrichte dudelte es aus dem Radio der Marke Enigma, das Otto seiner Mutter von seinem ersten selbst verdienten Geld gekauft hatte.

»Schweinefleisch ist teuer,
Ochsenfleisch ist knapp,
gehen wir mal zu Meier,
ob der noch Knochen hat.

Und alle Leute sollen es sehn,
wenn wir bei Meier Schlange stehn,
wie einst Lilli Marleen,
wie einst Lilli Marleen.«

Lilli Marleen, Sala zuckte leicht zusammen, versuchte sich aber nichts anmerken zu lassen. Dann hielt sie es nicht länger aus und prustete los.

»Kinder, nein, das ist ja zum Piiiepen, was die aus dem Lied gemacht haben.«

»Ja, so vergeht die Zeit«, bemerkte Günter trocken. Seine Stimme war flacher geworden. Er schien noch nicht recht zu wissen, wie er sich in dieser neuen Zeit zurechtfinden sollte.

»Habt ihr Nachricht von Otto?«

Alle schüttelten betreten den Kopf.

»Jefallen is er nich, sonst wüssten wa det schon.« Inge fasste nach Günters Hand und legte sie auf ihren schwangeren Bauch.

»Kieck ma, wie er strampelt, der Kleene hat Hunger.«

»Woher weißt du denn, dass es ein Junge wird?«

»Weil meene Kleene so hübsch aussieht, und wenn die Frauen hübsch sin, dann wird det een Stammhalter.«

»Schlecht wär's nicht«, mischte sich Anna ein, »Nachschub können wir gebrauchen, der Stamm is ja etwas ausgedünnt.«

Dann füllte sie die dünne Suppe in tiefe Teller. Sala suchte vergeblich nach Fettaugen.

»Such ma nach den andan Sender, da, wo die Tanzmusike spielen.« Erna wiegte ihre schmalen Hüften.

»Uff Negermusik kann ick vazichten.« Günter wandte sich angewidert ab. Anna zog seinen Teller weg.

»Auf Eintopf auch?«

Sala beobachtete, wie Günter hungrig den Blick senkte,

erst kam das Fressen, dann die Moral. Er war wohl immer noch der alte Nazi, genau wie Inge, die ihre Mutter wütend anstarrte. Sala schmunzelte. Anna hielt das Heft fest in der Hand, wie eh und je.

»So weit sin wa jekommen, det nu die Neger hier mit ihre Musik Einsug halten. Det wirste sehn, wat die aus unsan Vaterland machen. Vaheizn wern se es. Wie damals nachn erstn Weltkriech.«

»Ja, kriech du schön weiter«, sagte Anna und schenkte ihm eine Kelle Suppe ein.

Günter summte leise vor sich hin.

»Was ist des Deutschen Vaterland?

Ist's Preußenland, ist's Schwabenland?

Ist's, wo am Rhein die Rebe blüht?

Ist's, wo am Belt die Möwe zieht?

Oh nein! nein! nein!

Sein Vaterland muss größer sein.«

Anna sah ihn wütend an. Dann wendete sie sich zu Sala.

»Unkraut vergeht leider nicht.«

»Hör endlich auf, auf meinem Mann rumzuhacken. Immer musst du meckern, immer weißt du alles besser. Der Günter war im Krieg. Was weißt du schon?«

»War aber 'n kurzes Gastspiel«, murmelte Anna.

Sie trug weiter auf, ohne den Blick zu heben. Alle schwiegen. Dass Günter keine Tapferkeitsmedaille von der Front mitgebracht hatte, war eine Tatsache. In die Stille hinein versuchte Sala es noch mal.

»Habt ihr wirklich keine Spur?«

Anna schüttelte den Kopf. Sie schob ihr einen Teller hin. Ihre Augen lagen tief in den Höhlen. Geweint hatte sie schon lange nicht mehr.

Sala war mit Ada in Berlin bei Freunden ihres Vaters unter-
gekommen. Erich Blocher und seine Frau Kläre. Fast den
ganzen Krieg über hatte sie ihn zusammen mit drei weiteren Juden auf ihrem Dachboden versteckt. Sie verliebten
sich in dieser Zeit. Erich war Maler, nach dem Krieg erlitt er
einen schweren Schlaganfall, der ihn an den Rollstuhl fes-
selte. Kläre heiratete ihn trotzdem. Immer wieder betonte
Erich, sein Schlaganfall würde ihn bedeutend härter treffen
als die Verfolgung der Juden. Brauchte der Mensch auch,
um leiden zu können, sein eigenes, unverwechselbares
Schicksal, sein eigenes Leid?

Ada war bereits etwas über zwei Jahre alt. Sala war ganz
vernarrt in ihre dunklen Augen, ihre schwarzen Locken.
Aber sosehr sie sich bemühte, das Mädchen wollte nicht
sprechen. Es brachte kein Wort heraus. Nicht Mama, nicht
nein, nicht ja.

»Was willst du? Sie ist zwei Jahre alt. Träumst wohl von
einer genialischen Frühbegabung, was?«, sagte Jean am Telefon. Er lachte. Sala hatte ihm den verlorenen Zwilling verschwiegen. Sie versuchte selbst, nicht mehr daran zu denken. Einen Moment starrte sie auf das Telefon. Das neue
Gerät hing nicht mehr wie früher an der Wand, es stand auf
einem eigens dafür auserkorenen Tischchen, war kleiner,
eleganter als sein Vorgängermodell, ein Stimmenfänger aus
schwarzem Bakelit, mit einer Schnur, an der Ada lustvoll
herumzwirbelte.

Erich stocherte missmutig auf seinem Teller herum. Er
schimpfte über die Amerikaner.

»Diese geistlose Mischpoke, die nichts Besseres im Sinn
hat, als über ihr Glück nachzudenken. Ihr werdet sehen,
wie schnell das zu uns rüberschwappt im Rhythmus ihrer
selbstverliebten Tanzmusik.«

»Du bist ja bloß neidisch«, neckte Kläre ihren Mann.

»Nee, neidisch bin ich auf Jean und Dora. Ich weiß gar nicht, warum du in diesem verfluchten Westen leben willst. Merkst du nicht, dass hier alle wieder aus ihren Löchern kriechen? Millionen Juden wurden vergast, aber bitte, wir gehen wieder zur Tagesordnung über, wir krempeln die Ärmel hoch, wir bauen auf, egal wie verrottet das Fundament ist.«

»Was sollen sie denn tun? Sie können ja schlecht das ganze Volk verhaften«, sagte Kläre.

»Doch, alle vor Gericht. Ich will hier weg. Bitte, Kläre, überleg doch mal, das kann nicht gut gehen.«

»Ach Erich, guck dir die kommunistischen Länder an, da gibt's keine Freiheit.«

»Warst du schon mal da?« Er starrte sie wütend an. »Nein. Also.«

»Was hast du gegen die Amerikaner? Wer hat uns denn befreit?«

»Die Russen.«

Kläre verdrehte die Augen.

»Du bist ein unverbesserlicher Dickkopf.«

Jetzt kam Erich erst richtig in Fahrt. Er schlug mit der flachen Hand auf den Tisch.

»Diese Kaugummi kauenden Affen. Ich ertrage ihr geistloses Geschwätz nicht.«

»Sie drehen tolle Filme, haben tolle Musik …«

»Negermusik.«

»Du bist ein Rassist, Erich, Negermusik, ich glaub, mich tritt ein Pferd, die Schwarzen werden seit Jahrhunderten verfolgt, wie die Juden.«

»Willst du mich jetzt mit einem Neger vergleichen? Und die Filme werden von europäischen Juden gedreht, Billy Wilder, Robert Siodmak, Ernst Lubitsch, Michael Curtiz, da kann ich ewig weiterreden.«

»Ich find die Neger trotzdem schön. Ihre Musik ist genial, so traurig. Mir gefällt's besser als dieses Klezmer-Gedudel.«

»Schickse.«

Nach dem Abendessen ging Sala zu Bett. Ada schlief schon. Sie kroch erschöpft unter die Decke. Kaum hatte sie das Licht gelöscht, war sie hellwach. Der Schlaf wollte nicht kommen. Sie rechnete und rechnete. Alles war zu teuer. Lebensmittel gab es nur auf Bezugsschein. Auf dem Schwarzmarkt kostete ein Ei 15 Mark, ein Pfund Mehl 35. Kaffee und Kartoffeln waren unerschwinglich. Sie hungerte mehr als in Kriegszeiten, nur in Gurs hatte es noch weniger gegeben. Morgen würde sie versuchen, der französischen Militärregierung ihre Dienste als Übersetzerin anzubieten. Ada wachte auf. Sie fühlte, wie ihr Puls beschleunigte. Schon wieder stieg die Angst in ihr auf. Ada wimmerte. Wahrscheinlich hatte sie Hunger oder Bauchkrämpfe. Warum konnte sie nicht sprechen? Sie war keine gute Mutter. Ihr fehlte die Geduld, immer war sie müde, immerzu müde. Gleich würden die Kopfschmerzen kommen, die Migräne, dann würde sie es hoffentlich noch mit letzter Kraft zur Toilette schaffen, das wenige Essen wieder von sich geben, hinein in die weiß gähnende Schüssel, bis sie keine Luft mehr bekam. Auf dem Boden liegend würde sie warten, bis der Schmerz vorüberging. Wenn nur das Kind nicht anfing zu schreien. Nur darum würde sie Gott bitten, weiter nichts. Sie musste sich jetzt auf ihre Übelkeit konzentrieren, sie musste dagegen ankämpfen, sie verlor zu viel Kraft dabei. Das Wimmern an ihrer Seite wurde lauter. Was sollte sie tun? Was denn noch? Sie gab schon alles, mehr hatte sie nicht. Das kleine Gesicht neben ihr lief rot an. Ada riss den Mund weit auf, ihre Zunge zog sich zitternd zurück. Konnte sie so ersticken? Sala versuchte, sie zu beruhigen, streichelte ihren schwitzenden Kopf. Das Schreien wurde lauter, immer lauter. Panisch drehte sich Sala auf den Bauch, presste ihr Gesicht in das Kissen. Sie versuchte, nicht mehr zu atmen. Ihre Magensäfte schossen hoch. Sala riss sich aus dem Bett, sie stolperte, fiel zu Boden, sprang hoch, zur Toilette, schnell. Beide Hände vor dem Mund stürzte sie ins Bad, riss den Deckel der Kloschüssel hoch und erbrach das mühsam zusammengesparte Essen in einem einzigen Schwall. Im Zimmer war es ruhig. Die Übelkeit verschwunden. Bald würde der Hunger kommen, der Durst, die Angst, größer als in Gurs, ungreifbarer als in Leipzig, als die Bomben fielen, eine Angst, die jede Zelle ihres Köpers durchdringen würde, die sich von innen durch sie hindurcharbeiten würde, ein Gegner, den man nicht niederschreien konnte, nicht fassen, weil er in immer neuer Gestalt wiederkehren würde, gefräßig nach ihr schnappend, nach dem lebendigen Rest, der sich bereits in einen fernen Winkel ihres Wesens zurückgezogen hatte. Das Kind. Sie musste zu ihrem Kind. Sie zog sich am Waschbeckenrand nach oben. Das Gesicht abgewandt vom Spiegel taumelte sie zurück ins Schlafzimmer. Sie mussten hier weg. Weg aus dieser Stadt, aus diesem Land, aus dem niedergebrannten Deutschland, aus dessen Ruinen die Henker und Verräter krochen. Noch sah man sie nicht. Sie gaben sich nicht zu erkennen, warteten auf den rechten Moment, wenn der Wind wieder drehte und ihnen nicht mehr ins Gesicht blies, dann würden sie auf einmal da sein, denn sie waren nie weg gewesen.

Nach dem Frühstück, das Kläre aus den spärlichen Resten des letzten Abendessens gezaubert hatte, ging es Sala wieder besser.

»Warum bist du eigentlich nicht mit deinem Bruder Walter nach Amerika ausgewandert?«

Erich zuckte in seinem Rollstuhl zusammen, als habe ihm jemand einen Stromstoß verpasst.

»Weil ich dieses kapitalistische Pack noch mehr gefürchtet habe als die Nazis. Walter war immer Opportunist. Wenn die Nazis ihn gewollt hätten, wäre er ihnen mit fliegenden Hakenkreuzfahnen in die Arme gelaufen. Auch bei uns Juden gab's sone und solche.« Er grinste sie unverhohlen an. Sala spürte, wie die Wut langsam in ihr hochkroch.

»Hättest ja nach Russland auswandern können, wenn's dir da so gefällt. Leider mögen die die Juden auch nicht. So ein Pech.«

»Quatsch kein dummes Zeug. Nichts weißt du von den Russen, gar nichts.« Nach einer kurzen Pause fuhr er fort: »Wenn dein Otto überlebt hat, kannst du nur beten, dass die Russen ihre Gefangenen nicht so misshandeln, wie die Nazis es mit ihnen gemacht haben.« Er stopfte wütend seine Pfeife. »Elendes Pack. Ich wünschte, eine Sintflut käme und spülte diese Verbrecher von der Erdoberfläche in den Orkus, wo sie hingehören. Tja, das hat er nun davon, dein braver Soldat.«

»Er ist nicht als Soldat, er ist als Arzt in diesen vermaledeiten Krieg gezogen.«

»Vermaledeit?« Erich zog die Augenbrauen hoch. »Kindchen, Kindchen.«

Sala sprang auf.

»Und du, du bist ein beleidigter, ein rachsüchtiger Kommunist, ein, ein« – sie wusste nicht weiter und schlug mit der Faust auf den Tisch –, »ein Fatzke, das bist du, ein Fatzke, der seinem Schicksal danken sollte, dass so ein Engel wie Kläre ihn aufgenommen und versteckt hat. So wie Dr. Wolffhardt mich in Leipzig versteckt hat und Ingrid und Ernst, aber ... aber du grinst nur spöttisch und hoffst, dass Otto von deinen geliebten Russen gefoltert wird. Was bist du für ein Mensch?«

Erschrocken setzte sie sich, um gleich wieder aufzuspringen und hinauszulaufen.

Draußen spülte ihr der strömende Regen langsam ihre Wut aus der Seele. Sie wusste, was Erich durchgemacht hatte, trotzdem empfand sie kein Mitleid. Ihr war es nicht besser ergangen. Erich wünschte allen Deutschen den Tod. Ja, das konnte sie verstehen, aber seine Liebe zu Russland empfand sie als persönlichen Angriff. Er wusste, dass Otto in Lebensgefahr schwebte, und machte auch noch Witze darüber.

Kläre nahm sie anderntags zur Seite. Sie hatte einen Kuchen gebacken. Kein Mensch wusste, wie sie es immer wieder schaffte, sich die Dinge, die sie brauchte, zu besorgen.

»In der ersten Zeit auf dem Dachboden ist er ganz anders gewesen.«

Sala sah sie staunend an. Wie konnte ein Mensch so gutherzig, so uneigennützig sein wie Kläre?

»Erich hat die besten Witze erzählt und alle auf dem Dachboden bei Laune gehalten, wenn sie vor Angst nicht zu atmen wagten, weil SS oder SA oder Gestapo oder irgendwelche Verräter auf der Suche nach Juden durch die Straßen patrouillierten. Und dann, nach dem Krieg, der Schlaganfall und alle Lebensfreude, sein beißender Witz, sein ansteckendes Lachen, waren weg. Er hat monatelang schweigend aus dem Fenster gestarrt. Ich dachte, der wird nicht mehr.«

Es war, erzählte sie Sala an einem anderen Tag, als hätte er sich nachträglich zurückgezogen, weit weg aus einer Welt, die seinesgleichen nie gewollt hatte. Jetzt, da er frei sein konnte, da er es durfte, hatte ihn das Schicksal wie ein Blitz getroffen. Gelähmt saß er, an seinen Rollstuhl gefesselt, vollends der vernichtenden Bewegung seiner Gedanken, seiner Erinnerungen ausgeliefert. Der Kommunismus war seine letzte Zuflucht, sein Sehnsuchtsort geworden. Nur die Vorstellung, die Hoffnung, dass ein paar Kilometer weiter, im Osten, Menschen versuchten, dieser neuen Ordnung ein deutsches Antlitz zu verleihen, hielt ihn am Leben, verhinderte, dass er in seiner Verzweiflung seinen Rollstuhl vor die nächste Straßenbahn lenkte.

36

Wahrscheinlich war es ein Fehler gewesen, nach Madrid zu fahren, aber sie wusste nicht mehr wohin. Es war nicht einfach gewesen, Berlin zu verlassen. Die besetzte Zone hatte ihre eigenen Gesetze, Reisen war keine einfache Sache. Sie musste einen Antrag als rassisch Verfolgte stellen. Alles in ihr sträubte sich dagegen. Jahrelang hatte sie ihre jüdische Identität geheim gehalten, um in diesem Land zu überleben. Jetzt brauchte sie sie, um gehen zu dürfen.

Iza öffnete die Tür. Sie fielen sich in die Arme. Die Gefangenschaft, das Alter schienen sie milder gestimmt zu haben. Sie war sofort vernarrt in die kleine Ada. Vor Eifersucht frierend beobachtete Sala, wie aufmerksam sich ihre Mutter in den nächsten Tagen um Ada kümmerte. Sie umgarnte sie mit ihrer Zuwendung, als wollte sie ihrer Tochter zeigen, was dem Kind fehlte, warum es im Grunde ganz natürlich war, dass die Kleine noch nicht sprechen konnte. Schweigen sei ein Zeichen besonderer Intelligenz. Kinder würden so ihre Charakterstärke, ihre Unabhängigkeit zu erkennen geben. Gerade sie müsse das doch am besten verstehen, bei ihr sei es schließlich genauso gewesen, und Ada sei doch gerade einmal zwei Jahre alt, was denn ihr Vater dazu gesagt habe, der alte Seelenfänger.

Eine kleine Stichelei hier, ein Vorwurf dort, und schon schwammen sie in den alten feindlichen Gewässern. Wieder bestand Tomás darauf, Sala zu portraitieren, wieder kam es zum Streit, bei dem die Mutter das Portrait der Tochter kurzerhand zerriss. Sala hatte, Tomás' Anweisungen folgend, in einem langen Kleid auf einer Récamière gelegen, ein Buch in der Hand, ohne ihn weiter zu beachten. Im Grunde sei er gar nicht da gewesen, beteuerte er kichernd, während Iza die Reste des Bildes in den brennenden Kamin warf.

Abends, als Ada schlief und Tomás sich auf der Suche nach neuen Modellen durch die Bars von Madrid trank, saßen Mutter und Tochter schweigend bei Tisch. Kein Wort über Gurs oder Leipzig, keines über die Jahre in Francos Gefängnissen, wo Iza und Tomás nur knapp dem Tod entgangen waren.

Jeden Bissen achtunddreißigmal kauend, starrte Iza ihre Tochter an, und Sala fragte sich, wie eh und je, was ihre Mutter von ihr wollte, was sie tun musste, um sich, nein, nicht ihre Zuneigung, aber wenigstens ihr Wohlwollen oder ihre Gnade zu verdienen.

Spät in der Nacht kam Tomás in ihr Zimmer. Er schaltete das Licht an und riss ihr die Bettdecke weg.

»Steh auf, du undankbares Miststück! Raus hier! Verlass auf der Stelle unsere Wohnung!«

Im Hintergrund tauchte Iza auf. Sie merkte zwar, dass ihr Mann betrunken war, machte aber keinerlei Anstalten, ihrer Tochter beizustehen. Etwas unentschlossen lehnte sie mit schlafroten Augen im Türrahmen.

»Was soll das, was habe ich dir getan?«

»Du hast den Dürer beschädigt. Mein Atelier steht unter Wasser. Du hattest recht, Iza. Ich war blind. Ein blinder Trottel, der immer nur an das Gute im Menschen glaubt. Du hattest so recht. Man kann ihr nicht trauen. Sie ist hinterhältig und verlogen. Eine Ratte.«

Sala sprang aus ihrem Bett. Sie schlug Tomás ins Gesicht, dann packte sie ihre Mutter, ließ sie aber gleich wieder erschrocken los.

»Hast du das gesagt?«

Ada wachte auf. Mit großen Augen sah sie ihre Mutter an. Sala war zu aufgeregt, um es zu merken.

»Er ist betrunken«, sagte Iza.

»Hast du es gesagt? Ich will es wissen«, sagte Sala.

Iza ließ sie schulterzuckend stehen. Ada schaute stumm ihrer Großmutter nach. Im Gehen wandte Iza sich zu Tomás.

»Ist das Bild noch zu retten?«

Tomás ließ sich vom Alkohol übermannt schluchzend auf den Boden fallen.

»Hör auf zu heulen! Man soll nicht trinken, wenn man es nicht kann.«

Sie zog den Gürtel ihres Morgenmantels fester und ging. Sala rannte ihr hinterher. Im Flur fasste sie nach ihr. Iza fuhr herum wie eine Furie.

»Wag es nicht, mich anzufassen. Wir haben uns aufgerieben für dich und dein Kind, und zum Dank vernichtest du unsere Existenz.«

»Das kann nicht sein, Mutter. Du glaubst ihm doch nicht etwa? Ich habe nichts getan. Ich weiß gar nicht, wovon er redet. Ihr habt einen Dürer? Das habe ich nicht einmal gewusst.«

»Spar dir deine Unschuldsmiene. Dasselbe blöde Grinsen wie dein Vater, wenn er gelogen hat.«

»Papa hat nie gelogen, in seinem ganzen Leben nicht. Du hast so einen Mann nicht verdient. Du hast seine Seele nie verstanden.«

»Na, du kennst dich ja zum Glück aus mit der menschlichen Seele.« Sie lachte. »Mal sehen, was aus deinem Otto in der Gefangenschaft wird. Edel sei der Mensch und gut? Wart's ab. Glaubst du vielleicht, Tomás war immer so? Du hast ihn doch erlebt vor dem Krieg, da hat er dir doch recht gut gefallen oder nicht? Sitz mal fünf Jahre in der Todeszelle, dann reden wir weiter.«

Sala sah erschrocken, wie ihre Augen glühten. Zugleich baumelten die Arme kalt und unbeteiligt an ihr herab. Sie schrie. Nie hatte Sala sie schreien hören. Ihre Mutter war in allen Lebenslagen kühl und beherrscht, auch in der Wut. Der schmale Körper blieb regungslos, während die Stimme scharf auf Sala einhieb.

»Du willst mir etwas über das Leben erzählen? Ich bin in Abgründe gestiegen, an deren Rand du dich nicht einmal wagen würdest. Wir haben hier gekämpft, Tochter, wir wurden zum Tode verurteilt, wir haben fünf Jahre lang darauf gewartet, erhängt zu werden. Deswegen ist Tomás so geworden, wie er ist, deswegen zieht er um die Häuser und trinkt, bis er sie nicht mehr spürt – die Todesangst. Wenn sie dich einmal in ihren Fängen hat, dann lässt sie dich nicht mehr los. Nie.«

Sala wurde kalt. Ihr Puls beruhigte sich. Sie sah ihrer Mutter gerade ins Gesicht. Hatte sie einmal nach ihrem Leben der letzten Jahre gefragt?

»Sowie ich weiß, wohin, werden wir gehen.«

Aus ihrem Zimmer schrie Tomás.

»Das Kind! Das Kind! Schnell! Es erstickt.«

Sala und Iza rannten zu ihnen. Ada war rot angelaufen. Keuchend rang sie nach Luft. Sala riss sie hoch zu sich. Iza trat dicht an die beiden heran. Sie schaute aufmerksam in das Gesicht des Kindes.

»Pseudokrupp. Das geht vorbei. Bleib ruhig und geh raus mit ihr an die Luft.«

Sie streichelte der keuchenden Ada über den Kopf und sprach mit ruhiger Stimme.

»Na, mein kleiner Vogel, ist alles halb so schlimm. Bis du heiratest, ist alles wieder gut.«

Zwei Tage später lief Sala mit Ada durch die Straßen von Madrid, auf der Suche nach einem neuen Ziel, einem Ort, einem Menschen. Frankreich, Deutschland und nun auch Spanien. Egal wohin sie kam, sie blieb unerwünscht. Indésirable. Nicht begehrenswert.

Otto hatte ihre Briefe seit Monaten nicht mehr beantwortet. Was war mit ihm geschehen? Sie wusste es nicht. Lebte er noch?

Sie lief zur Post. Ihre Mutter hatte ihr die Adresse von ihrer Schwester Cesja gegeben. In Paris hatte Cesja in den Zwanzigerjahren eines Abends Max kennengelernt. Er arbeitete als Bibliothekar in Buenos Aires und verbrachte seine Ferien in Frankreich. Er war ein Goij. Cesja folgte ihm nach Argentinien. Wenige Wochen später heirateten sie. Von dieser Schwester hatte ihre Mutter kaum erzählt. Sie wusste nicht einmal, was sie machte. Egal, sie brauchte nur eine Anlaufstelle für die ersten Wochen, alles Weitere würde sich weisen. Überall war es besser als hier. In einem billigen Hotel wartete sie auf Antwort. Sie zählte ihr Geld. Jean hatte ihr etwas gegeben und ihre Mutter erstaunlicherweise auch. Für die Überfahrt und die ersten zwei Wochen würde es reichen, aber in einem Hotel zu übernachten war verrückt. Sie musste lernen, weniger impulsiv zu handeln. Sie brachte Ada zu Bett. Am Fenster sah sie den Tag verglühen. Die Luft war feucht und stickig, Madrid atmete aus. Sie brauchte mehr als immer neue Möglichkeiten, dachte Sala, sie trug jetzt Verantwortung für ihr Kind. Sie brauchte endlich eine Wirklichkeit, einen Platz, auf dem sie stehen durfte, von dem aus sie in die Welt schauen konnte, in der Gewissheit, dass sie ein Recht hatte, dort zu sein. Vor neun Jahren hatte sie in Berlin ihre Koffer gepackt. Es war ihr letztes zu Hause gewesen. Neun Jahre währte ihre Reise jetzt schon. Hatte sie je Ziel oder Dauer des Aufenthalts bestimmen können? Und jetzt? Changer la vie, changer la ville, sagten die Franzosen, neues Leben, neue Stadt. Eine Stadt reichte nicht mehr aus. Um diese Flucht zu beenden, brauchte sie einen anderen Kontinent. Und Otto? Was, wenn er nicht zurückkommen würde? Sie war nicht die einzige Kriegswitwe. Witwe? Nein, nicht einmal das war sie.

IMMER WILLKOMMEN STOP ANKOMMST WANN STOP BRAUCHST DU GELD STOP

Sala ließ sich auf das Bett fallen. Sie zog die kleine Ada zu sich, warf sie immer wieder in die Luft, bis sie sie vor Freude juchzend in ihre Arme schloss.

»Wir sind willkommen, wir sind willkommen, hörst du? Ada und Mami sind willkommen.«

Es würde die erste Reise sein, an deren Ende keine Verhaftung drohte. Keine Verfolgung. Keine Demütigung. Freiheit.

37

»Warum wolltest du nach Argentinien?«

»Wollte ich das?«

Meine Mutter zupfte die Brokatdecke auf dem Couchtisch zurecht.

»Ich konnte diesen ganzen deutschen Mist nicht mehr ertragen. Außerdem haben wir gehungert. Das war schlimmer als im Krieg. Das kann sich heute keiner mehr vorstellen. Alles war zerstört. Die Bibliothek meines Vaters war verbrannt. Alles, was er über Jahre geschrieben hatte – weg. Ich war nur noch deprimiert. Alle waren deprimiert. Man schleppte sich durch sein Leben und wunderte sich, dass die Sonne trotzdem auf- und unterging. Und in dieser Tristesse sollte man Wiegenlieder singen?«

Aber das Schlimmste war doch überwunden, wollte ich sagen und begriff gerade noch rechtzeitig, wie falsch dieser Satz war. Nein, das Schlimmste stand noch bevor.

War die Erinnerung an glückliche Zeiten das einzige Paradies, aus dem man nicht vertrieben werden konnte, drohte sie jetzt zur Hölle zu werden, der kaum einer entkam. Während die gefangenen Soldaten durch die russische Steppe stolperten, trat man daheim auf dem Trümmerfeld den Marsch ins Vergessen an.

»Wusstest du, dass Papa in russischer Gefangenschaft war?«

»Was wusste ich?« Ihre Stimme klang schrill. »Nichts wusste ich.«

»Du hattest seine Spur verloren?«

»Wahrscheinlich. Ja. Das wird wohl so gewesen sein. Ich vergesse jetzt auch schon einiges, weißt du?«

»Und damals?«

»Damals habe ich nichts vergessen. Gar nichts. Aber die andern.« Sie lachte. »Die Leute konnten sich auf einmal an nichts mehr erinnern. Aber jeder wusste noch von einem sehr netten Juden zu berichten, den er vor dem Krieg gekannt und gemocht hatte. Mein Vater sagte immer, die Deutschen hätten wohl sechzig Millionen nette Juden umgebracht, denn jeder habe ja einen gekannt. Lauter Verrückte. Das war mir dann doch zu viel, weißt du?«

»Und wie seid ihr nach Argentinien gekommen?«

»Na, wie wohl? Mit dem Schiff natürlich. Das war vielleicht aufregend, kann ich dir sagen. Mit Äquatortaufe und allem Drum und Dran. Man wurde mit allerhand stinkendem Zeug eingerieben und hinterher durchs Wasser gezogen. Manche sind dabei ertrunken.«

»Wirklich?«

»Na, wenn ich es dir sage?« Sie sah mich empört an. »Aber mit mir haben sie das nicht gemacht. Ein freundlicher Mitreisender hatte mich gewarnt. Als mich dann so ein Matrose fragte, ob das denn unsere erste Äquatorüberquerung sei, habe ich nur müde gelächelt.« Sie lachte.

»Wusstest du, dass sich auch einige Nazigrößen nach Argentinien abgesetzt hatten?«

»Mir ist keiner begegnet. Wär ja noch schöner gewesen.«

»Erzähl mir von Argentinien.«

»Na, was soll ich da erzählen, es war die schönste Zeit meines Lebens. So einfach ist das. Ein wundervolles Land. Und die Menschen erst. Einmalig. Das kann man gar nicht verstehen, wenn man nicht dort gewesen ist. Das ist einmalig.«

»Was denn?«

»Na, die Argentinier eben. Ein wundervolles Volk. Frei. Verstehst du?«

Ihr Kopf kippte nach links, die Augen halb geschlossen, verschwand sie für einen Moment. Wohin? In ihre Erinnerungen? Immer wieder hatte ich versucht, etwas über ihre Zeit mit Ada in Argentinien zu erfahren. Die idyllischen Schilderungen weiter Landschaften, wilder Pferde und noch wilderer Gauchos erinnerten an die Bilder drittklassiger Reisevideos, unterlegt mit dem Geschrammel stereotyper Tangomusik. Es gab keine Männer in ihrem Argentinien. Eine alleinstehende Frau, hübsch, jung, neugierig, immer nur allein mit ihrer Tochter?

»Also nein, Männer habe ich dort keine kennengelernt, ich musste ja arbeiten. Ich war angestellt. Für so etwas hatte ich keine Zeit.«

Braucht man mit achtundzwanzig Jahren Zeit, um sich zu verlieben? Die Geschichten, die sie erzählte, waren so abgedichtet wie ein Aquarium, bei dem die Sauerstoffzufuhr defekt ist. An den dicken Glaswänden schnappten Fische sterbend nach Luft, wie die allzu aufrechten Figuren einer leblosen Erzählung.

»Wollen wir mal hinfliegen?«

»Wohin?«

»Nach Buenos Aires.«

Einen Moment dachte ich, sie würde aufhören zu atmen.

»Hast du noch Töne! Wie kommst du denn auf so eine verrückte Idee?«

»Würde es dir denn gefallen?«

»Nein.«

Ich sah sie überrascht an.

»Nicht?«

»Ganz und gar nicht«, antwortete sie entschieden.

»Warum?«

Vorsichtig wiegte sie sich hin und her, als würde sie einer vertrauten Melodie lauschen.

»Das gibt es nicht mehr.«

»Was?«

»Mein Buenos Aires. Mein Argentinien. Vorbei.«

»Du meinst, es hat sich verändert?«

»Verändert?« Sie lachte in sich hinein. »So wird es wohl sein.«

»Wie? Ich meine, wie war es?«

Die Stille kroch schwer durch den Raum.

»Dein Vater hat sich damals nicht gut benommen.«

Sie presste ihre Hände zusammen, bis die Knöchel weiß wurden.

»Ich dachte, er war in russischer Kriegsgefangenschaft«, sagte ich vorsichtig.

»War er auch.«

»Und wie kam er dann nach Argentinien?«

38

Die Juan de Garay erreichte das 250 Kilometer breite La-Plata-Delta. Es war so seicht wie die Elbe. Sala war mit Ada an Deck gestiegen. Das Schiff rutschte über den schlammigen Boden. Die Schraube wirbelte den Grund auf, Schlamm vermischte sich mit Wasser zu zäh fließender Schokolade. Der Himmel spannte sich blau über das Land. Sie hatte ihr Stück Erde gefunden. Es war Sommer. In Deutschland würde man in ein paar Monaten Weihnachten feiern, die Menschen dort zitterten vor Angst. Sie fragten sich, ob der Friede vielleicht nur von kurzer Dauer war. Sie würde nicht mehr zittern.

Die Landungsbrücke wurde heruntergelassen, Schiffshupen ertönten, Motorengeräusche, ein babylonisches Stimmengewirr, unterbrochen von Pferdegewieher. Mit wackeligen Beinen und weit aufgerissenen Augen verließen die Menschen das Schiff und verloren sich in der Menge. Sala blieb stehen. Sie drehte sich suchend um. Ein Paar lief aufgeregt winkend auf sie zu. Vor ihnen standen Cesja und Max.

»Puh, hier stinkt's ja ganz fürchterlich nach Brackwasser«, sagte Cesja, die viel jünger und gröber als ihre Schwester Iza war. Max trug einen hellgrauen Anzug, sein dichtes, dunkles Haar war mit Pomade zurückgekämmt. Wenn er lachte, sah er aus wie der berühmte französische Komiker Fernandel. Zähne wie ein Pferd, dachte Sala, als sie ausgerechnet in diesem Moment ein lautes Wiehern hörte.

»Da vorne ist das Hotel de Inmigrantes, da müssen wir jetzt erst einmal hin, um eure Einreiseformalitäten zu erledigen. Max …« Cesja bedeutete ihrem Mann mit einem kurzen Nicken, Sala die Koffer abzunehmen. In ihrer Resolutheit schien sie ihren Schwestern nicht nachzustehen.

»Dios mio, ist das Kind entzückend. Du bist ja eine echte Schönheit.« Sie drückte Ada einen Kuss auf die Lippen, die erschrocken zurückwich. Cesja runzelte die Stirn.

»Ganz die Großmutter. Wie heißt du denn?«

Ada sah sie mit geradem Blick an.

»Ada«, sprang Sala schnell ein.

»Das weiß ich doch, aber ich möchte es von ihr selber hören. Kannst du nicht sprechen, Ada?«

»Ich glaube, sie ist noch etwas müde von der Reise. Die ganzen Eindrücke, weißt du …«

»Na, das wird schon. Kommt. Du hast ja auch jahrelang nicht gesprochen, erinnerst du dich?«

Sala nickte schnell.

»Deine Mutter hat damals ein Theater gemacht, dios mio. Wäre Jean nicht gewesen, sie hätte wohl von früh bis spät irgendwelche vertrackten Übungen mit dir gemacht. Das war schlimm. Bueno, dein Vater war sowieso die bessere Mutter.«

Sie lachten. Sala nahm Ada auf ihren Arm.

Die Wohnung war nicht groß. Zwei Schlafzimmer mit eigenem Bad, ein Wohnzimmer, eine kleine Bibliothek und eine Küche, in der es nach allerlei fremden Kräutern roch. Ada wanderte an der Hand ihrer Mutter durch die engen, farbenprächtig eingerichteten Zimmer. Alles war in ein wärmendes Licht getaucht, wie sie es aus Deutschland auch im Sommer nicht kannten. Nicht einmal Madrid konnte da mithalten.

Am Abend nach ihrer Ankunft gaben Cesja und Max ein

Fest zu Ehren ihrer Familie. Max war ein großartiger Asador. So nannten sie hier die Grillmeister. Jeder Argentinier verfügte über seine eigene Art, »al modo mio«, das Fleisch zuzubereiten. Ein erworbenes oder über Generationen weitergereichtes Wissen, einige Spezialrezepturen beim Marinieren. Cesja hatte verschiedene Vorspeisen, Salate und fein gewürzte Beilagen zubereitet. Während auf dem Grill ein großes Rumpsteak von der besten Rinderfarm des Landes vor sich hin brutzelte, kosteten sie von den saftigen, scharfen Chorizos, den Blutwürstchen, die hier Mocillas genannt wurden, dem Bries vom Kalb, das Cesja mit einem Salat zubereitet hatte, und den Riñones, den Nieren, in einer köstlich schmeckenden Senfsoße. Der Tisch bog sich unter den Schüsseln mit Mais, Reis, Nudeln und Kartoffeln. Noch nie hatte Sala solche Mengen auf einem Tisch gesehen. Den ganzen Abend fragte sie sich, was wohl mit den Resten geschehen würde, denn es war für sie ausgemacht, dass auch die Hälfte weit mehr war, als die kleine Gesellschaft an diesem Abend bewältigen konnte. Ada, die in Madrid kaum gegessen hatte, weil Iza sie immer nur mit trockenem Hähnchenfleisch füttern wollte und ihr dabei gleichzeitig vormachte, wie man jeden Bissen achtunddreißigmal kaute, probierte einfach alles, bis Sala ihr langsam Einhalt gebot, aus Sorge, das Kind würde sich aufgrund so ungewohnt großer Mengen vielleicht übergeben oder zumindest die ganze Nacht nicht schlafen können. Alle Gäste begegneten Sala mit Neugier und Respekt. Auch ihr Spanisch klang anders, weicher, melodiöser. Sie mochte die Spanier sehr, aber ihre Mutter war immer bemüht gewesen, sie von ihren Freunden oder Bekannten fernzuhalten. Diese künstliche Distanz hatte schon bei ihrem ersten Besuch, vor Kriegsausbruch, so befremdlich gewirkt, dass es Sala schwergefallen war, offen auf die Menschen zuzugehen. Bei Lola in Paris ging es besser, aber damals war sie noch sehr jung, gerade mal achtzehn, und die Franzosen waren von sich aus reservierter. Vielleicht waren es auch die großen Namen, die sie eingeschüchtert hatten, überlegte sie, als sie glücklich das Licht ausschaltete und Ada fest in den Arm nahm, aber nein, sie schüttelte den Kopf, drückte ihre Stirn gegen die ihrer Tochter, nein, in Berlin waren auch viele Persönlichkeiten bei ihrem Vater ein und aus gegangen. Sie erinnerte sich an Thomas Mann, Magnus Hirschfeld, Ernst Bloch, den ihr Vater schon vom Monte Verità kannte, ebenso wie Hermann Hesse. Wo war sie Else Lasker-Schüler begegnet? Am Monte Verità oder in Berlin? Sie konnte sich nur an ihre vielen Ketten erinnern und dass sie sie gerne auf den Schoß genommen hatte. Es war eine glückliche Kindheit gewesen, redete sie sich ein. Nur ihre Mutter hatte sie oft vermisst. Die ersten Jahre täglich, dann immer weniger. Ihr Bild verschwamm, als sie 1937 nach Madrid fuhr. Während sie langsam in den Schlaf fiel, fragte sich Sala, wann und womit die schwere Zeit, die nun zu Ende ging, begonnen hatte. Mit der Einsicht, dass es besser war, ihre Heimat zu verlassen, weil sie als Tochter einer Jüdin dort nicht mehr erwünscht war, oder mit der schmerzlichen Erkenntnis, dass ihre eigene Mutter sie verlassen hatte? Rückblickend, dachte sie, lag die Antwort in Madrid. Dort war aus einer schwachen Ahnung Gewissheit geworden. Nichts war so schlimm wie die Gleichgültigkeit einer Mutter, selbst die Judenverfolgung nicht. Insofern hatte Erich Blocher recht, dachte Sala, auch wenn er lange nicht so klug war, wie er zu sein glaubte. Erdrückender als das Schicksal, das man mit vielen teilte, war das Schicksal, das einen ganz allein betraf, der Moment, in dem sie für immer zu erkennen glaubte, wer sie war: ein Mensch, eine Tochter, die es nicht wert war, von ihrer Mutter geliebt zu werden. Und jetzt, hier in

Buenos Aires, bei dieser so ganz anderen Schwester ihrer Mutter, verstand sie, nein, sie begriff es plötzlich, dass sie, Sala, nicht so sehr Halbjüdin, Jüdin oder Deutsche als das ungeliebte Kind ihrer Mutter Iza war. Ruhig lag sie da. Zum ersten Mal in ihrem Leben fühlte Sala sich traurig, und das war wunderlicher als alles, was sie bisher zu denken gewagt hatte.

Am nächsten Morgen sprang sie freudig in den Tag. Es gab viel zu erledigen. Nachdem sie Ada angezogen hatte, merkte sie, wie viel angenehmer es war, wenn man sein Kind nicht wie ein Weihnachtsgeschenk verpacken musste, wenn Luft und Licht ungehindert diesen kleinen Körper berühren konnten. Zuerst liefen sie hinunter zum Bäcker. Ada sprach zwar immer noch kein Wort, aber mit ihren Beinchen bemühte sie sich so eifrig, die Treppen hinunterzuhüpfen, dass es eine Freude war, ihr bei diesem konzentrierten Tapsen zuzuschauen. Als sie das Geschäft betraten, wuselte alles durcheinander. Alte, junge, mittelalte Frauen, alle redeten aufeinander ein, besprachen ihre alltäglichen Sorgen, nahmen jede neu hereintretende mit einem freundlich interessierten Seitenblick wahr, nickten oder lächelten, wandten sich wieder der Theke zu, deuteten auf dies oder jenes, kommentierten die Qualität der Ware. Ada stand mit weit offenem Mund da. So etwas kannte sie nicht. Was war das alles bloß. Ja, dachte Sala lächelnd, schau nur hin, und dann frag mich mal, ich werde dir alles erklären, jedes einzelne Teilchen beim Namen nennen, dir sagen, wie es schmeckt, was man alles braucht, um es zu backen, dann können wir die Bäckersfrau fragen, in welchen Ofen es geschoben wird, bei welcher Hitze und auch wie lange man warten muss, bis man es wieder herausholen darf. Wir leben jetzt in einem Land, in dem alle Fragen erlaubt sind. Sprich.

»Schau«, flüsterte sie Ada zu und hob sie auf den Arm,

»sieht das nicht lecker aus?« Sie deutete auf ein Schokoladenbrötchen und bestellte gleich sechs davon. Dazu noch ein Brot, vier Stückchen Kuchen für den Nachmittag, zwei mit Obst, Apfel und Birne, einmal Käsekuchen und eine zartbitter dahinschmelzende Schokoladentarte.

Zurück in der Wohnung, deckte sie für alle den Tisch, immer noch außer Atem, nicht so sehr vom Treppensteigen als von den horrenden Preisen. Im Gegensatz zu Deutschland gab es hier zwar alles, aber auch um vieles teurer. Sie hatte sich für den Empfang, den ihnen Cesja und Max bereitet hatten, erkenntlich zeigen wollen, aber bei einem Blick in ihr Portemonnaie wurde ihr schnell klar, dass sie sich so etwas nicht oft würde leisten können.

Als Cesja und Max in die kleine Küche kamen, dampfte bereits der Kaffee.

»Mein Gott«, rief Cesja, »du darfst doch nicht so viel Geld ausgeben, mein Kind. Oder hast du Angst, bei uns zu verhungern?«

Lag in dieser Frage ein Vorwurf? Sala schüttelte den Kopf.

»Das macht doch nichts. Bald werde ich mein eigenes Geld verdienen, dann muss ich euch nicht mehr auf der Tasche liegen.«

Max lächelte. Er gab Cesja einen Klaps auf den Hintern.

»Lass das, du Sittenstrolch!« Sie schubste ihn lachend weg.

Sala war voller Bewunderung. So würde ihr Leben mit Otto auch aussehen, wenn er nur bald aus Russland zurückkäme.

»Die Deutschen, also die Juden, wohnen im Norden, in Belgrano, zusammen mit den Briten, im Süden die Italiener, und im Westen haben sich die Spanier niedergelassen. Belgrano erinnerte mich anfangs an Berlin-Westend, inzwischen sieht es dort eher wie in Charlottenburg aus, kennst du die Sybelstraße?«

Sala nickte. Cesja hatte den Stadtplan auf dem Küchentisch ausgebreitet und lachte ihr aufmunternd zu.

»Dort habe ich mal gewohnt.« Sie sah einen Moment schweigend vor sich hin.

»Also, wenn du Kontakt zur deutsch-jüdischen Gemeinde suchst, musst du nach Belgrano oder nach El Once, da ist es eher wie im Scheunenviertel, auf der Straße wird Jiddisch gesprochen. Alle halten zusammen. Viele sind schon Anfang der Dreißiger eingewandert. Vierzigtausend aus ganz Europa noch vor dem Krieg. Wir können uns glücklich schätzen. Ob in Belgrano oder El Once, die Gemeinde hilft jedem, der Arbeit sucht. Die sind hervorragend organisiert.«

Sala starrte hilflos vor sich hin. Was sollte sie darauf antworten? Sie hatte keinen Bezug zum Judentum, ihre Mutter hatte es ihr nie beigebracht. In Gurs hatte sie es versucht, aber wie sehr sie es sich auch wünschte, wobei sie nicht einmal wusste, ob sie das auch wirklich tat, es wollte ihr nicht gelingen, sie konnte sich der Gemeinde nicht nähern. Nur Mimi. Und Mimi war eine Ausgestoßene, eine Hure, eine, die keiner wollte, außer den Männern, die sie für ihre Dienste bezahlten.

Cesja nahm ihre Hand, als hätte sie ihre Gedanken verstanden.

»Iza wirkt oft wie ein kalter Fisch, man weiß nie so ganz, woran man bei ihr ist. Kennst du den Spruch?«

»Welchen?«

»Man weiß nie, wie die Fische küssen, unter Wasser sieht man's nicht, und über Wasser tun sie's nicht.«

Sie lachten.

»Sie ist, wie sie ist.«

Sala nickte.

Abends saß sie bei Kerzenschein an ihrem kleinen Schreibtisch. Ein Brief von Jean war eingetroffen. Ihre Augen flogen über die Zeilen. Sie dachte an seine feinen, langgliedrigen Finger, während sie dem elegant nach rechts fallenden Schwung seiner Schrift folgte. Ada blätterte in einem Bilderbuch, das ihr Cesja mitgebracht hatte.

»Überleg dir, Ada taufen zu lassen. Ihr lebt in einem erz-katholischen Land. Es wäre auch für dich das Beste, du wirst sonst schwerlich Arbeit finden. Spricht sie schon ein wenig? Bring ihr unbedingt Spanisch bei«, schrieb Jean.

Das versuchte sie ja, aber ihr Kind wollte einfach nicht sprechen. Sie beschloss, diesen Punkt in ihrer Antwort un-erwähnt zu lassen, aber die Taufe sei eine gute Idee, schrieb sie Jean, sie würde es sich durch den Kopf gehen lassen. Sie bat ihn inständig um Neuigkeiten von Otto. Es müsste doch eine Möglichkeit geben, irgendetwas herauszufinden. Hier in Buenos Aires könnten sie sich im Nu eine neue Existenz aufbauen. Bei seiner Auffassungsgabe und seiner Intelli-genz würde es ihm im Handumdrehen gelingen, hier unter diesen wundervollen Menschen Fuß zu fassen.

»In dieser einzigartigen Landschaft, unter der wärmen-den Sonne wird er schnell die Qualen der Gefangenschaft vergessen. Für mich ist Gurs auch nur noch der Schatten einer fernen Zeit, der sich in langen Nächten über mich legt, wenn ich an Otto, wenn ich an dich denke und die Einsamkeit für einen kurzen Augenblick über mich herein-bricht, um mir zu zeigen, was ich gewonnen habe. Ich bin ein Glückskind, ich habe es immer gewusst.«

Es folgten leidenschaftliche Beschreibungen ihrer neuen Heimat. Zuletzt bat sie noch einmal inständig, Otto nicht zu vergessen, und erkundigte sich nach Jeans Gesundheit.

Ob er genug esse und im Winter etwas Warmes zum Anziehen habe. Sie würde sicher bald Arbeit finden, dann könnte sie ihm Geld schicken oder einen warmen Mantel. Sie wusste doch, dass er so leicht fror. Zum Schluss drückte sie einen Lippenstiftkuss neben ihren Namen. Dann legte sie sich zu Ada und las ihr vor. Wie jeden Abend. Das war wichtig, sagte ihr Vater immer, und niemand wusste mehr über die wichtigen Dinge als er. Als Ada die Augen zufielen, löschte Sala das Licht. Bald warf sie sich von einer Seite zur anderen, starrte an die Decke oder sprang auf, um das Fenster zu öffnen. Draußen war es immer noch warm. November, dachte sie und schüttelte den Kopf. Wie kalt es jetzt wohl in Russland sein mochte?

Drei Tage darauf kam wieder Post von Jean. Er mochte ein eifriger Briefeschreiber sein, aber so bald hatte Sala keine neue Nachricht von ihm erwartet. Es musste etwas vorgefallen sein. Unruhig öffnete sie den Umschlag. Eine Karte fiel zu Boden. Sie nahm sie auf. Kein Absender. Ihr Herz stand still, als sie die Schrift erkannte. Sie richtete sich kerzengerade auf. Die Augen verloren in der Ferne, starrte sie auf die Karte. Es war seine erste Nachricht. Otto lebte. Sie wusste nicht wo, sie wusste nicht wie. Der Vater ihrer Tochter lebte. Der Mann, den sie liebte, lag jetzt irgendwo in Russland in eisiger Kälte. Fror er? Hungerte ihn? War er verwundet? Nichts dergleichen konnte sie den wenigen Zeilen entnehmen. Wahrscheinlich wurde die Post zensiert. Sala ließ sich auf das Bett sinken, sie spürte, wie ihr Bauch zitterte, Tränen liefen aus ihren Augen, tropften auf das Kopfkissen. Sie wandte ihren Kopf zu Ada, die neben ihr schlief.

39

1947. Weihnachten. Post. Gleich zwei Karten. Eine kam aus Berlin, von Jean, die andere von Sala, aus Argentinien. Seit zweieinhalb Jahren war er Kriegsgefangener. Der Krieg war vorbei. Nicht für ihn. Käme jetzt einer zur Tür hereinspaziert und sagte: »Noch zehn Jahre, Kamerad, dann geht's zurück zu Frau und Kind«, er würde überlegen, was er tun, wie er diese zehn Jahre verbringen könnte. Aber es kam niemand. Seit zweieinhalb Jahren nicht. Vielleicht würde nie jemand kommen. Nach zweieinhalb Jahren die erste Postkarte von Sala. Warum hatte sie ihm bis dahin nicht geschrieben? Er hatte unzählige Karten nach Deutschland geschickt. War keine einzige angekommen? Sollte er das glauben? Oder war sie mit diesem Hannes zusammen? Oder waren ihre Briefe von der Lagerleitung einbehalten worden? Sie lebte in Argentinien. Sie schrieb, dass er nun Vater einer Tochter sei. Sie heiße Ada und sehe ihm ähnlich. Ada. Viel passte nicht auf so eine Postkarte. Ein Foto wäre hilfreich gewesen. So konnte er sich nichts vorstellen oder alles. Das Merkwürdige war nur, er stellte sich gar nichts vor. Es gelang ihm nicht. Kein Gefühl. Er konnte sich auch nicht in diese Welt hineindenken, in der sie jetzt alle lebten. Familie? Eine gemeinsame Zukunft? Was sollte das sein? Genauso gut könnte man ihn fragen, ob er an Gott glaube, nein, er glaubte nicht an Gott, auch nicht an das ewige Leben. Der Ewigkeitsgedanke bot nichts Verlockendes. Hier, in diesen Jahren, hatte er gelernt, der Endlichkeit etwas abzugewinnen. Das war seine Vorstellung von Erlösung, wenn es denn überhaupt eine gab. Der Tod bedeutete Erlösung. Darüber, dass es Menschen gab, die sich in ihrer Hilflosigkeit ein Leben nach dem Tod zurechtfantasierten, konnte er nur lachen. Hier, in diesen dreieinhalb Jahren, hatte er es endlich begriffen, hatte sich befreit von diesen absurden Wunschvorstellungen, die der Mensch mit sich herumschleppte. Und nun sollte er Hurra schreien, weil ein Kind geboren war? Täglich wurden Kinder geboren. Täglich starben Menschen. Ein Kreislauf. Was war an der Vorstellung, dass die ganze Welt im Kreis lief, so erbaulich? Wäre er schon früher mit dem Wissen ausgestattet gewesen, das er hier in der Gefangenschaft erworben hatte, ihm wären viele Fehler erspart geblieben. Er lachte. Dann lachte er gleich noch einmal, um sich zu vergewissern, dass diese fremde Stimme zu ihm gehörte. Man kam schon auf eigentümliche Gedanken hier. Es fehlte der Zuckerguss der Freiheit. Er konnte es den Leutchen da draußen nicht verdenken. Freiheit war immer noch der angenehmste Selbstbetrug. Von außen betrachtet zum Schreien komisch, von innen ein schleichendes Gift. Es war wie mit dem Kältetod oder dem Tod durch Ertrinken: Irgendwann gab man nach und fühlte sich wohl dabei. Wie oft hatte er das im Schnee gesehen? Der Kampf, die Verzweiflung, all das lag davor. Der Tod, den alle so kindlich verstockt fürchteten, der Tod war immer eine Befreiung. Das Leben war die eigentliche Qual. Natürlich brauchte es eine gehörige Dosis Selbstbetrug, um das auszuhalten, den ganzen Mist zu adeln, zu vergolden, mit Sinn zu beträufeln. Erbärmlich. Neulich hatte sich einer in der Baracke erhängt. Was für ein Idiot. Dachte er an die betroffenen Fratzen, mit denen alle an der Leiche vorbeigeschlichen waren, kam ihm jetzt noch die Galle hoch. Einer weniger. Na und? Im Krieg war das alltäglich gewesen.

Viel mehr waren da gestorben. Viel mehr. Was sollte diese verdruckste Sentimentalität? Weil der Kamerad sich selber erledigt hatte? Tot war tot. Waren die letzten Kriegsmonate nicht auch der reine Selbstmord gewesen? Ein Lied, zwo drei vier. Er lachte. Langsam wurde ihm wohler. Vielleicht würde er hier weiter die Menschen verarzten. Er hatte sich einen guten Ruf erworben. Bisher war keiner unter seinem Messer gestorben. Wofür war es gut? Ja, da war sie wieder, die Frage aller Fragen, diktiert von Schwäche und Feigheit. Vielleicht für die Bauern der umliegenden Dörfer. Gesund konnten sie wieder ihrer Arbeit nachgehen, hoffen, dass ihre Familien nicht verhungerten, während sie von der sowjetischen Regierung ausgewrungen wurden wie trockene Handtücher. Das war, er musste es zugeben, eine großartige Perspektive. Dafür lohnte sich die Mühe. Er lachte. Ein Kind. Wenn er damals in der Kinderlandverschickung verhungert wäre oder erstickt, bei den täglichen Eisbädern, die ihm diese Drecksau verpasst hatte, dann wäre es eben so gewesen. Dass es nicht so gekommen war, lag am Überlebenstrieb. Das war kein Wille. Keine freie Entscheidung. Es war ein Trieb, der den Fortbestand sicherte, so wie der Sexualtrieb auch nichts anderes als Bestandssicherung war. Neulich war er wieder mal bei der Antifa gewesen. Die hatten sich in den letzten Jahren richtig gemausert, das musste man ihnen lassen. Was die alles an Fortbildungsmaßnahmen organisierten, Respekt. Da hatte er sich von einem Pfarrer einiges über Marx angehört. Seine Gesellschaftsanalyse war zwingend. Zugegeben. Die meisten interpretierten es zwar falsch, erklärte der Pfarrer, so wie Marx selber reihenweise falsche Schlüsse gezogen hatte, aber der Ansatz war nicht anders als genial zu nennen. Das ganze Problem lag nur in der Behauptung, dass seine Schriften wissenschaftlich seien, meinte der Pfarrer. Nichts war daran wissenschaftlich. So einen Käse konnte nur behaupten, wer nie wissenschaftlich gearbeitet hatte. Andererseits glaubte Otto nicht an Gott, das war auch so ein Käse. Alles, was Marx sagte, waren aus der Beobachtung gewonnene Erkenntnisse. Ein System, keine Wissenschaft. Das war der Betrug, dem sie alle brav auf den Leim gingen. Das leuchtete ein. Wie die Lemminge rotteten sie sich zusammen, um geschlossen, in Scharen in die nächste Katastrophe zu marschieren. »Wenn man lange genug am Braunen kratzt, kommt das Rote hervor«, hatte der Pfarrer gesagt. Der neue Staat war nichts anderes als eine Kopfgeburt. Warum Menschen, die Krieg, Gefangenschaft oder beides erlebt hatten, da mitliefen, war ihm schleierhaft. Ein Kind. Es galt, klare Verhältnisse zu schaffen. Er musste einen Schnitt machen. Wie ein Arzt, der sich entscheiden muss, ob er das Geschwür entfernt und dabei das Leben des Patienten gefährdet oder ob er aus Unsicherheit, Unwissenheit oder Angst nicht handelt und den armen Teufel seinem Schicksal überlässt. In welchem Fall trägt man die größere Schuld? Hier im Lager hatte er zweieinhalb Jahre Zeit gehabt. Hier war seine eigentliche Universitätszeit gekommen. Die Dissertation stand ihm noch bevor, aber er würde sich nicht abschütteln lassen, bis zum Ende nicht. Was sollte ihm da ein Kind? Eine Frau. Dieses Aufeinanderrutsche. Und dann, das große Glück? Liebe? Was war das? Eine Anhäufung von Erwartungshaltungen. Und Mascha? Ja. Mascha wahrscheinlich auch. Nur hatten sie es anders angefangen. Sie wussten, dass es keine Zukunft gab. Zwischen ihnen war alles endlich. Von Augenblick zu Augenblick. Die gemeinsame Arbeit mit Mascha hatte Nähe erzeugt. Ihre ruhigen Bewegungen, ihr klarer Blick, ihre Hingabe an die Patienten, sogar an Menschen, die Juden erniedrigt, gequält und vernichtet hatten. Das war das andere Russland. Keine Siegermacht, eine Kultur voller Lebensfreude und Traurigkeit. Menschen, die bereit waren, noch im Hunger zu teilen. Er hatte sich in Mascha verliebt. Sie redeten nicht über eine gemeinsame Zukunft, sie verglichen nicht ihre Vergangenheit. Sie lebten unter keinem Dach, wurden weder durch Mauern geschützt noch durch sie beschränkt. Sie waren einander über alle trennenden Gräben vertraut, oder klammerten sie sich nur aneinander, um das alles zu überstehen? Der Mensch versucht zu überleben. Sonst nichts. Im Hintergrund sang eine Gruppe zotige Lieder. Immer wieder grölten und lachten sie. Otto hielt sich die Ohren zu. Lügen und Lachen, um sich zu zerstreuen. Sonst nichts. – Ein Kind.

40

»Wisst ihr, was ich heute als Erstes unternehmen werde? Ich gehe zum Deutschen Konsul und werde einen Antrag stellen, dass man Otto gegen einen SS-Offizier austauscht.«

Die beiden sahen sie ungläubig an.

»Wie soll das denn gehen?«, fragte Max.

»Ganz einfach. Wirst du sehen. Otto hat mir versprochen, mich zu heiraten. Seinen ersten Antrag hat er mir 1938 gemacht.«

Sie saß mit Ada auf dem Schoß im Vorzimmer des Konsuls. Der Konsul selber war leider verhindert, aber sein Stellvertreter, also eigentlich dessen Assistent, Herr Dr. Grobeck, guckte sie ungläubig an.

»Und was möchten Sie da genau für einen Antrag stellen?«

»Ganz einfach«, sagte Sala und lächelte ihn strahlend an, »als Arier konnte er damals keine Halbjüdin heiraten. Wir wurden also beide um das Recht betrogen, unser Leben frei zu führen und den Menschen zu heiraten, den wir lieben. Da wir uns nicht daran gehalten haben, wurde ich eines Tages schwanger.« Sie deutete auf die kleine Ada, »Und nun stehe ich da, als unverheiratete Frau mit einem unehelichen Kind und noch dazu in einem sehr katholischen Land, wo so etwas nicht gerne gesehen wird.«

»Nein.«

»Nein?«

»Ich meine, ja, vollkommen richtig.«

»Das sehen Sie auch so?«

»Ja, aber ...«

»Gut, dann setzen Sie das bitte so auf, ich unterschreibe, Sie auch, dann machen Sie noch ein paar schöne Stempel darunter und schicken es möglichst schnell an die Stelle in Deutschland, die so etwas bearbeitet.«

»Ja, aber ...«

»Ach ja, und schreiben Sie bitte noch dazu, dass mein Mann, also mein zukünftiger Mann, nicht Mitglied der NSDAP war und auch in keinster Weise mit diesen Leuten oder irgendwelchen nahestehenden Organisationen sympathisiert hat.«

»Das klingt schon besser.«

»Sag ich doch. Mein Mann war schon als Jugendlicher Kommunist.«

»Das schreibe ich lieber nicht.«

»Aber schreiben Sie, dass er ein erklärter Gegner des Nationalsozialismus war. Er war auch nicht Berufssoldat.«

Doktor Grobeck nickte.

»Und, dass ich als alleinerziehende Mutter ohne abgeschlossene Berufsausbildung, die mir ja vom Deutschen Reich verwehrt wurde, eine Entschädigung von Deutschland verlangen würde, es sei denn, sie würden eben meinen Mann, also meinen Zukünftigen, gegen so einen SS-Heini eintauschen. Den Heini können sie natürlich streichen. SS-Leute gibt es ja in Deutschland immer noch genug, hoffentlich auch in den Gefängnissen. Bei diesem Tausch würde sich der Staat gleichzeitig die Prozesskosten für die Entnazifizierung sparen. Das wär doch was, oder?«

Der junge Assistent sah sie entgeistert an. Schließlich zog er schweigend ein Blatt Papier aus seiner Schublade, drehte es in seine Schreibmaschine und klapperte drauflos.

Als er fertig war, unterzeichneten sie beide, und er brachte Sala in ein anderes Büro, in dem sie alle notwendigen Unterlagen für eine längere Aufenthaltsgenehmigung ausfüllte.

Nach diesem erfolgreichen Vormittag spazierte sie mit Ada durch Buenos Aires.

Ein kurzes Hupen, quietschende Reifen. Beinahe wären sie in ein Auto gelaufen. Sala riss ihre Tochter erschrocken hoch. Verwirrt starrte sie den Fahrer an. Der zwinkerte ihr kurz zu, lachte und fuhr weiter.

»Dios mio, Ada, siehst du? Tante Cesja hat uns gewarnt, und ich Schussel hab's mal wieder vergessen: Hier ist Linksverkehr. Bei uns in Deutschland fahren die Autos rechts. Nein.« Sie korrigierte sich lachend. »Hier bei uns in Argentinien fahren die Autos links, und im hässlichen Deutschland, wo es so kalt ist und die Menschen nie lachen, da fährt man rechts, und deswegen müssen sie alle auch fortwährend recht haben, weißt du?«

Ada lächelte verträumt.

»Guck mal, die vielen Schaufenster, die vielen eleganten Damen. Ich dachte immer, die hübschesten und am elegantesten gekleideten Frauen leben in Paris, aber schau mal, Ada, wie schön die Frauen hier sind und wie sie sich bewegen. Die Französinnen sind strenger. Deine Tante Lola, die Schwester von Großmutter Iza und Tante Cesja, die zieht die schönsten und reichsten Frauen in Frankreich an und nicht nur in Frankreich, sogar die Gräfin von Windsor kauft ihre Kleider nur bei ihr.« Einen Moment dachte sie wehmütig an Lola und Robert. Sie hatte nie wieder von ihnen gehört. Was wohl aus ihnen geworden war? Hoffentlich war ihnen nichts zugestoßen. Ihre Mutter wusste nichts. Sie musste noch heute Cesja fragen.

Links und rechts von ihnen ragten die Häuser hoch über

die mit Zitronen und Orangen behängten Bäume in den Himmel. Die Prachtboulevards mit ihren klassizistischen Häuserfassaden verliefen von Querstraße zu Querstraße in exakt gleichen Abständen bis in die Innenstadt. Von einem zentralen Platz schossen die Straßen diagonal weg. Wie in Paris, Place de l'Étoile, dachte Sala, während sie die Menschen eine Treppe hinuntereilen sah, in die Subte, die Untergrundbahn von Buenos Aires.

41

Nach Wochen des Wartens hatte Sala drei Anfragen auf ihre Stellenanzeige bekommen. Das war für den Anfang nicht schlecht. Cesja kümmerte sich um Ada, und Sala zog voller Zuversicht los.

»Und sag nicht, dass du nicht verheiratet bist«, rief ihr Cesja hinterher.

Im Collectivo malte sie sich aus, wie wunderbar es wäre, vielleicht bald ihr eigenes Geld zu verdienen und unabhängig zu sein. In den ersten Wochen hatte sie es sich nicht eingestehen wollen, aber sie mochte Cesja nicht. Obwohl sie einander kaum ähnlich waren, fühlte Sala sich immerfort an ihre Mutter erinnert. War es der herrische Ton ihrer Stimme, die Art, wie sie alle Sätze knapp und harsch beendete, als würden die letzten Worte in einen dunklen Abgrund fallen? Nein, sie waren nicht wirklich willkommen, das fühlte sie, auch wenn sie nicht recht wusste, warum. Und dann dieser Max mit seinem Pferdegebiss. Bei Fernandel mochte das ja noch komisch aussehen, aber Max wirkte unheimlich, wenn sein breites Grinsen diese elfenbeinernen Hauer freigab. Eigentlich erinnerte er mehr an einen wilden Eber, der plötzlich aus irgendeinem Gebüsch hervorschoss. Immer tauchte er hinter einer Ecke der Wohnung auf, wenn sie es sich gerade gemütlich machen wollte. In seinem Blick lag etwas Gieriges. Jedenfalls war sie auf der Hut. Diese Ehe war bestimmt nicht besser als die ihrer Mutter. Irgendwie hatten sich diese Schwestern eigenartige

Männer ausgesucht, mit Ausnahme ihres Vaters natürlich. Nur Lola hatte es besser getroffen, wenn auch ihre Ehe mit Robert etwas, nun ja, ungewöhnlich war. Ein verträumtes Lächeln huschte über Salas Gesicht. Beide hatten überlebt, wie sie von Cesja erfahren hatte, und Lolas Geschäft florierte mehr denn je. Nach dem Krieg hatte es nicht lange gedauert, bis die vornehmste internationale Kundschaft sich in ihren spartanisch eingerichteten Räumen im Haus 93 in der rue du Faubourg Saint-Honoré wieder auf eine Tasse Tee oder ein Glas Champagner traf. Vielleicht hätte sie doch lieber nach Paris zurückkehren sollen. Dort war das Leben am schönsten gewesen. Am Anfang zumindest. Mit Gurs waren alle ihre Träume zerbrochen. Vorbei mit den hochfliegenden Plänen. Vorbei das Studium an der Sorbonne, die Theaterbesuche, der Valse Musette, vorbei die Zeit mit Hannes. Das Schöne und das Schreckliche lebten bei ihr in enger Nachbarschaft.

Als sie am Tor stand, wurde sie unruhig. Vom Eingang aus war das Haus gar nicht zu sehen. Es musste weiter hinten auf dem parkartigen Grundstück stehen. Die meisten Villen in dieser Gegend lagen versteckt. Ob sie Angst vor Überfällen hatten? Die Familie suchte eine Erzieherin für den Nachwuchs. Das war besser als eine Stellung als Zugehfrau. Viel besser. Auch wenn Sala nicht recht wusste, was diese Leute von ihr erwarteten. Cesja hatte ihr geraten, alles möglichst offen auf sich zukommen zu lassen. Vor allem aber solle sie ja nicht zu bescheiden auftreten.

»Zeig ihnen, dass du aus gutem Hause kommst und dass du gebildet bist.« Tu dies, tu das und tu jenes nicht. Ihre Tante behandelte sie, wie ein dummes kleines Kind.

Ein livrierter Bediensteter kam ihr den langen Weg entgegen.

Das Wohnzimmer erinnerte sie an die Hallen der Grand

Hotels in Paris. Alles wirkte ausgesucht europäisch. Große Ölgemälde, schwere rote Samtvorhänge, der Boden aus feinstem Marmor, darauf persische Teppiche, Möbel mit feinster Intarsienarbeit und skulpturalem Schwung. Alles atmete eine Opulenz, wie Sala sie in privaten Räumen noch nie gesehen hatte. Eine Tür öffnete sich. Die Dame des Hauses mochte in etwa in ihrem Alter sein. Sala stand auf.

»Nein, bitte nehmen Sie Platz. Möchten Sie eine Tasse Tee?«

»Nein, danke, Señora.«

Die Señora drehte sich zu einer Angestellten, die ihr in gebührendem Abstand lautlos und wie ein Schatten gefolgt war. Sala bemerkte sie erst jetzt.

»Bring uns bitte etwas Tee und Gebäck, Maria.«

»Sehr wohl, Señora.«

»Und hör auf mit diesem albernen ›sehr wohl‹. Du weißt, ich mag keine Unterwürfigkeit.«

»Ja, Señora.«

Sie lächelte, als das Mädchen verschwand.

»Maria ist erst seit wenigen Tagen bei uns. Sie muss sich noch daran gewöhnen, dass hier alles ein wenig anders ist. Wir brauchen gute Geister, aber keine Leibeigenen. Die Señora treib ich ihr auch noch aus.«

Sie lachte. Es war ein tiefes Lachen. Wie ihre raue Stimme kontrastierte es mit ihrer zarten, hochschießenden Erscheinung. Anders als die meisten Argentinierinnen war sie blond. Ihre Sonnenbrille trug sie wie ein Diadem. Eine Königin, das Gesicht voller Sommersprossen, auch auf den feinen, beringten Händen. Senffarbener Hosenanzug, grüne Lederpumps, keine Strümpfe. Eigenwillig, dachte Sala. Ein dezenter Moschusduft verwies auf ein Parfum aus dem Hause Guerlain. Wahrscheinlich Vol de Nuit. Lola trug es auch immer tagsüber.

»Ich heiße Mercedes.«

»Sala.«

»Wo kommen Sie her? Ihr Spanisch ist nahezu akzentfrei. Haben Sie in Madrid gelebt?«

»Meine Mutter wohnt dort, ich komme aus Berlin.«

»Berlin. Ich liebe diese Stadt. German auch. Mein Mann. Sein Name schreibt sich wie Deutsch auf Englisch.«

Sala verstand nicht gleich.

»German, aber gesprochen wird es Hermann. Ein schöner Name. Gab es nicht eine berühmte Schlacht, die nach ihm benannt wurde?«

»Ja, die Hermannsschlacht im Teutoburger Wald. Heinrich von Kleist hat ein Theaterstück darüber geschrieben.«

»Meine Kinder werden viel von Ihnen lernen. Wann können Sie die Stelle bei uns antreten?«

»Wann immer Sie es wünschen.«

»Sie können normal mit mir reden. Schließlich werden Sie meine Kinder erziehen. Wenn die merken, dass Sie vor mir kuschen, werden Sie sich schwerlich durchsetzen können.«

»Wie alt sind Ihre Kinder?«

»Fünf.«

Sala zuckte zusammen.

»Zwillinge. Ein Junge und ein Mädchen. Diego und Juanita. Damit habe ich alles erledigt, den Rest würde ich als Kür betrachten, wobei sich mein Ehrgeiz auf diesem Gebiet in Grenzen hält. Und der meines Mannes zum Glück auch. Mein Vater sieht das etwas anders. Sie werden die Familie noch früh genug kennenlernen. Haben Sie Kinder?«

Sala fühlte einen heftigen Stich.

»Ja, eine Tochter, sie heißt Ada.«

»Spricht sie auch Spanisch?«

»Sie spricht noch nicht.«

»Oh, ein Baby.«

»Nein. Sie ist drei. Ich glaube, die Nachkriegszeit und ...«

»Sie wird es von Diego und Juanita schnell lernen. Was macht Ihr Mann beruflich?«

»Mein Mann ist in russischer Kriegsgefangenschaft.«

»Und dann fahren Sie so weit weg?«

»Ich ... das ist alles etwas kompliziert ...«

»Sie müssen mir nichts erklären. Sind Sie verheiratet?«

Sala schluckte. Sie wusste, dass diese Frage unvermeidlich gewesen war. Sie sah Cesja vor sich in der Küche stehen, als sie ihr eindringlich zu verstehen gab, dass man als Frau mit einem unehelichen Kind in Argentinien keine Arbeit finden würde. Jedenfalls nicht in einer anständigen Familie. Sie fühlte, wie sich ihr Herz zusammenzog. Ihr wurde schwindelig. Dann hörte sie ihre Stimme. Sie klang ruhig und entschlossen.

»Nein, es war ...«

»Auch das müssen Sie nicht erklären. Sala, solange mit den Kindern alles läuft, müssen Sie gar nichts erklären. Haben Sie Erfahrung im Umgang mit Personal?«

»Wie meinen Sie das?«

»Sie kommen doch aus einem guten Haus, das habe ich gleich gesehen. Hatten Ihre Eltern Personal?«

Sala nahm ihren ganzen Mut zusammen.

»Meine Eltern sind Anarchisten, und sie leben seit Langem getrennt.«

Mercedes musterte sie interessiert.

»Dann werden Sie ja viel zu erzählen haben – an langen Winterabenden. Ich freue mich.« Sie stand auf. »Unser Peso verliert zwar täglich an Wert, aber Sie werden genug bekommen, um sich auch etwas leisten zu können. Das Finanzielle macht German. Er ist heute auf einer seiner Baustellen. Er ist, zum Leidwesen meines Vaters, Architekt.«

»Das ist doch ein wunderschöner Beruf, was hätte sich denn Ihr Vater gewünscht?«

Ein Sonnenstrahl blendete Mercedes. Sie schob ihre Sonnenbrille herunter.

»Sehen Sie, so mag ich das. Fragen Sie. Fragen Sie alles. Mein Vater ist Rinderzüchter, und ich bin seine ungezogene Tochter.« Sie lachte rau, dann streckte sie Sala die Hand entgegen. »Wir wollen Freundinnen sein.«

Sala nickte vorsichtig.

»Nicht so scheu.«

»Ich brauche am Anfang immer etwas länger.«

»Du gefällst mir.« Mercedes machte eine Pause. Dann sprach sie langsam und ruhig ihren Namen aus. »Sala.«

Sala lief der Sonne entgegen, geblendet von so viel Glück. Sie sah ihre Zukunft. Zum ersten Mal. Sie würde arbeiten, sie wusste zwar noch nicht wie, aber es würde ihr gelingen, zum ersten Mal in ihrem Leben niemanden mehr um Hilfe bitten zu müssen, niemandem mehr zur Last zu fallen, niemandem mehr dafür zu danken, dass sie hatte überleben dürfen, dass sie da sein durfte. Sie würde sich nicht mehr dafür entschuldigen müssen, dass sie etwas tat oder dass sie es nicht tat, sie würde ihre eigenen Gedanken denken. Alles war gekommen, wie ihr Vater es gesagt hatte: »Wo aber Gefahr ist, wächst das Rettende auch«. Der Satz flog durch die Luft. Sie war gerettet, tausendfach gerettet. Nie wieder, nie wieder würde sie einem Menschen diese Macht über sich einräumen. Ihre Mutter hatte sie in Madrid zum letzten Mal gedemütigt. Und die spitzen Bemerkungen von Cesja, damit war es nun auch vorbei. Mercedes hatte ihr die Freundschaft angeboten, ihr, einer unverheirateten, mittellosen Frau. Wie schön sie war. Vielleicht könnte sie ihr ihren Kummer anvertrauen. Sie hatte Zwillinge geboren. Sie würde sie verstehen.

42

German war ein Filou. Das wusste Sala vom ersten Moment an. Sie wusste, dass er hinter jedem Rock her war und dass Mercedes es auch wusste. Es war also nur eine Frage der Zeit, wann die ersten Probleme auftauchen würden. Bis dahin galt es, auf der Hut zu sein.

Warum waren alle Ehen so schwierig? Die einzige gute, an die sie sich erinnern konnte, war die von Lola und Robert – und das wohl auch nur, weil beide etwas eigen waren. War das das Geheimnis? Sala dachte oft, sie würden einander nicht brauchen. Lola widersprach ihr in diesem Punkt, auch Cesja hatte nur gelacht, als sie darüber tratschten.

»Lola ist ein kleines Biest, sie war immer die schlimmste von uns dreien«, sagte sie bei einem dieser Gespräche.

»Lola?«, fragte Sala überrascht.

Sie war ihr ganz anders erschienen. Aber als sie darüber nachdachte, kam ihr die Erinnerung an diese eigenartig unkomplizierte Dreiecksbeziehung in den Sinn. Das war doch nicht normal. Andererseits schien es keinen der Beteiligten zu stören. Anfangs hatte sie großes Mitleid mit Robert. In keiner Sprache gab es so viele verschiedene Ausdrücke für den betrogenen Mann wie im Französischen. Couplets, Einakter, ganze Theaterstücke nahmen sich seiner an. Entweder handelte es sich dabei um ein recht alltägliches Problem, oder die Franzosen entwickelten eine perfide Freude daran, den Gehörnten singend und dichtend vor sich herzutreiben. Aber Robert schien darüber nicht unglücklich, wie sie bald festgestellt hatte. Vielleicht war er froh, die Last nicht allein schultern zu müssen, vielleicht war er am körperlichen Aspekt der Liebe weniger interessiert und teilte mit Lola andere Dinge, die nur ihm vorbehalten waren, vielleicht naschte er selber in fremden Gärten, die sehnsuchtsvollen Blicke seiner Studentinnen, ihr beredtes Schweigen, wenn er scheinbar zerstreut an ihnen vorbeihuschte – gewiss jede einzelne wahrnehmend, denn er nahm immer alles wahr –, ließen allerlei Möglichkeiten erahnen. Jedenfalls hatten sie ein Auskommen miteinander gefunden, nein, mehr als das, eine Komplizenschaft, ein spielerisches Beieinander, das ihnen selbst eine diebische Freude zu bereiten schien, von der jeder Außenstehende ausgeschlossen war. War es das? Etwas exklusiv miteinander zu teilen? Oder war es eine Art seltsamer Verbindung, die sich zwischen Robert und Lolas Liebhaber ergab, weil sie beide mit ihr geschlafen hatten? Könnte Robert daraus ein Gefühl der Überlegenheit beziehen? War es eine versteckte oder zumindest uneingestandene Rache? Lächelte er deswegen so frivol, wenn Lola den Namen ihres Liebhabers scheinbar absichtslos fallen ließ? Und wenn der Zufall oder das Schicksal es wollten, dass Otto und Hannes eines Tages einander begegneten? Sie spürte, wie sie bei dem Gedanken erschrak. Würde sich eine Nähe zwischen ihnen ergeben? War so etwas überhaupt vorstellbar?

Sala und Ada wurden durch Mercedes' Einfluss bei den Behörden nicht nur katholisch getauft, sie erhielten beide ohne Komplikationen die argentinische Staatsbürgerschaft. Zum ersten Mal seit ihrer Jugend fühlte Sala sich wieder als vollwertiger Mensch. Sie musste nicht mehr um Aufenthalt bitten, sie hatte das Recht, hier zu leben, bis zu ihrem Tod. Deutschland war weit weg. Niemand würde sie mehr vertreiben können. Die Vergangenheit war nur noch ein ferner Schatten, der sie immer seltener in der Einsamkeit der Nacht heimsuchte, wenn sie mit offenen Augen neben ihrer Tochter im Bett lag und betete, dass sie eines Tages sprechen würde. Zwar hatte Mercedes ihr angeboten, einen befreundeten Therapeuten nach einem geeigneten Kinderpsychologen zu fragen, aber Sala lehnte den Gedanken, ihr Kind könnte krank sein, kategorisch ab. Heimlich machte sie sich aber Vorwürfe, zermarterte sich das Gehirn, woran es liegen mochte, dass ausgerechnet ihre Tochter nicht sprechen konnte. Eine Entwicklungsstörung? Nein, nein, das durfte nicht sein, das konnte nicht sein. Sie streichelte vorsichtig Adas kleinen Kopf, schob ihre dunklen Locken zur Seite. Ihr Vater hatte es doch gesagt, Ada würde schon früh genug mit dem Sprechen beginnen und dann wahrscheinlich nie mehr damit aufhören können. Sala stellte sich vor, wie ihre Tochter sie mit einem nicht abreißenden Redefluss überschwemmte. Die Worte sprudelten aus ihr heraus, verwandelten sich in spitze Pfeile, die das hämisch grinsende Kind auf sie, die hilflose Mutter, abfeuerte. Sie fühlte, wie die Wut in ihr emporkroch. Sie dachte an ihre Mutter, sah, wie Iza sie am Handgelenk packte, genau wie damals auf der Plaza de los Toros, der Stierkampfarena in Madrid. Was hatte sie zu ihr gesagt? Sie wusste es nicht mehr. Es war erniedrigend gewesen. Sie hatte sich nur darauf konzentriert, ihren Schmerz zu unterdrücken. Warum hatte sie damals nicht geschrien? Warum hatte sie sich nicht gewehrt, als das Blut aus ihrer Schnittwunde pulsierte? Am liebsten würde sie Ada jetzt packen, sie schütteln, sie ohrfeigen, bis sie endlich den Mund aufmachte, bis sie endlich etwas sagte, egal was. Von heftigen Magenkrämpfen geschüttelt, verließ sie fluchtartig das Zimmer. Sie war vielleicht eine schlechte Mutter, aber dieses Kind, was um alles in der Welt stimmte nicht mit diesem Kind? Und warum musste sie das alles alleine Schultern? Warum war Otto nicht da, um ihr zur Seite zu stehen? Tagein, tagaus musste sie sich um fremder Leute Kinder kümmern, während sie ihrer eigenen Tochter nicht helfen konnte. Sie war allein, sah und sprach niemanden, außer dem Personal, Dienstboten, sicher nett, aber ungebildet. Sie hatte keine Zeit zu lesen, etwas für sich zu tun, für ihre Entwicklung. Keine Zeit, Menschen zu finden, die ebenso fühlten und dachten wie sie. Es war beschämend, wie man als unverheiratete Frau dastand. Ehrlos, ohne jede Würde, ein Arbeitstier. Glich sie nicht einem Esel oder einem Maultier, das sich im Kreis um den Brunnen drehte, um für die Herrschaft das Wasser heraufzupumpen? Sie starrte Ada an. Warum hatte sie ihr zweites Kind nicht halten können?

Juanita und Diego spielten in ihrem Zimmer, als Ada schweigend hereinkam.

»Hau ab«, sagte Juanita, »wir wollen nicht mit dir spielen.«

Ada blieb neben der Tür stehen und sah sie finster an.

»Hast du nicht gehört, was meine Schwester gesagt hat? Verschwinde! Und hör auf zu starren, du Hexe!«

Juanita und Diego lachten.

»Hexe«, riefen sie fröhlich, »stinkende Hexe.«

Ada rührte sich nicht. Die Hände hinter dem Rücken verschränkt, lehnte sie an der Wand.

Diego sprang auf sie zu. Er zog sie an den Haaren. Ada sah ihn stumm an.

»Hallo, Hexe«, rief er laut, wie ein Kind, das sich im Dunkeln fürchtet. »Du bist unser Sklave, unser Esel, unser Stinktier, und du musst ab jetzt alles machen, was wir sagen, sonst sagen wir unsern Eltern, dass sie euch rausschmeißen sollen.«

»Ja, die sollen euch rausschmeißen, dich und deine blöde

Mutter, die uns immer mit ihren Geschichten langweilt«, fiel Juanita mit ein.

Diego ahmte Sala nach. »Naaaa, meine Süüüüßeen. Habt ihr auch schöööön zugehört? Wer kann mir das denn jetzt alles noch maaaal erzählennnnn?«

»Hör auf, so blöd zu starren, Hexe! Sprich, Hexe! Du kannst zaubern, aber nicht sprechen? Was bist du denn für eine Hexe? Wir sind stärker als du. Wir sind zu zweit. Du hast ja nicht mal einen Bruder oder eine Schwester.«

Sie lachten laut.

»Jedes Kind hat einen Bruder oder eine Schwester. Jeeee-des.«

Sie schrien vor Freude. »Jeeeedes, würde deine liebe Mamita sagen.«

Ada begann leise zu summen. Die beiden sahen sie erschrocken an.

»Lass das, Hexe, sonst verbrennen wir dich.«

Das Summen wurde lauter.

»Du sollst aufhören, habe ich gesagt, sonst holen wir unsern Vater, und der schlägt dich zu Brei, hast du verstanden?«.

Während Diego sprach, wurde Adas Summen immer lauter, wuchs an zu einem spitzen, ohrenbetäubenden Schrei, der den Zwillingen durch Mark und Bein fuhr. Die Gesichter angstverzerrt, versuchten sie an der nun schrill singenden Ada vorbei aus dem Zimmer zu fliehen. Aber Ada stand mächtig vor der Tür. Sie versperrte ihnen den Ausgang, bis beide laut weinend in die entlegenste Ecke des Zimmers krochen.

Als Sala die Tür öffnete, war es still. Die Kinder saßen zu dritt am Boden. Ada wandte ihrer Mutter den Rücken zu. Sie spielten einträchtig miteinander. Nur Juanita und Diego sahen schweigend Adas drohenden Blick.

Mercedes kam aus einer der größten Rinderzüchterfamilien Argentiniens. Ihr Land war so weit, dass man es in einer Woche nicht umfahren konnte. Der Reichtum der Familie war unermesslich. Trotzdem lag nichts Prahlerisches in ihrem Wesen. Der Vater war von ruppiger Herzlichkeit, die Mutter lebte zurückgezogen. Die ein oder andere Andeutung ließen Sala befürchten, sie habe sich schon vor längerer Zeit auf eine Reise in die Dunkelheit begeben, auf der sie niemand begleiten konnte.

Wenn man sie bei großen gesellschaftlichen Anlässen aus der Ferne sah, wirkte sie immer gepflegt, nickte freundlich, sprach aber kaum mehr als ein gehauchtes »Guten Abend« oder »Wie schön, Sie zu sehen«. In Wahrheit war sie vollkommen dement.

Am Morgen, als sie die Stadt verlassen wollten, um die ersten Ferienwochen auf der Finca von Mercedes' Eltern zu verbringen, traf Post von Otto ein. Sie war den ganzen Tag in Eile, alles musste schnell gehen. Während sie die Kinder versorgte, ließ sie Kleidung und Spielzeug in großen Reisekoffern von Louis Vuitton verschwinden und suchte unter den Kleidern, die ihr Mercedes zur Auswahl hatte bereitlegen lassen, aus, was sie für die abendlichen Anlässe auf der Finca brauchen würde. In dieser Aufregung war es Sala unmöglich erschienen, einen Augenblick der Ruhe zu finden, um Ottos Karte, die ihr von dem Hausdiener Augusto aus Diskretion in einem Umschlag überreicht worden war, zu lesen. Den ganzen Tag über trug sie den Brief unter ihrem Herzen. Jetzt endlich, als die Gäste zu den traurig lockenden Klängen der Tangogruppe zu tanzen begannen, zog sie sich in eine Ecke zurück.

Sie erbrach das Kuvert und ließ ihre Augen über die wenigen Zeilen fliegen. Alles in ihr versteifte sich. Sie spürte einen Stich in ihrem Kopf, als würde sie jemand am Nacken packen und schütteln. Sie versuchte, sich zu befreien, sich loszureißen. Das konnte nicht sein. Das war nicht Otto, der ihr schrieb. Nicht so. Was da stand, war unbarmherzig und kalt. Sie las die Worte wieder und wieder. Je öfter sie sie las, desto weniger verstand sie ihre Bedeutung, es war, als würden sie mit jedem Mal mehr zerfallen, als würden die Buchstaben ihren Platz wechseln, auf der Suche nach ihrer eigentlichen Bestimmung, denn das, was da stand, das konnten sie nicht sagen wollen. Diese Worte kamen nicht von dem, den sie über alles liebte. Diese Worte wollten sie belügen, ihr vormachen, dass Otto, der Mann, den sie heiraten, mit dem sie hier eine gemeinsame Existenz aufbauen wollte, nicht der Mann sei, für den sie ihn gehalten hatte. Sie wollten ihr sagen, schwarz auf weißem Grund, dass dieser Mann, dieser Otto, sich ein Leben mit ihr nicht mehr vorstellen könne, auch dann nicht, wenn er je wieder die Freiheit erlangen sollte, dass er kein Kind von ihr wolle, dass er ein anderer geworden sei.

Sie rannte zur Toilette, um sich das verheulte Gesicht zu waschen. Aus einem Gang sprang German sie an. Er lachte schallend, wie ein Junge, der beim Verstecksspielen gewonnen hat. Er war betrunken, was ihn noch verwegener als sonst auftreten ließ. Er war es offensichtlich nicht gewohnt, auf Widerstand zu stoßen. Er war in seinen Augen nicht nur reich, begabt und gut aussehend, er hielt sich für unwiderstehlich. Sein Temperament tänzelte zwischen jungenhafter Verspieltheit und viriler Unverschämtheit. Verlor er das Gleichgewicht auf diesem Seil, wurde er entweder kindisch oder brutal. Nur mit Mühe konnte Sala ihm entkommen. Empört stürzte sie die Treppe zum Park hinunter, stolperte über die Terrasse, verlor einen Absatz, zog beide Schuhe aus und rannte schluchzend hinaus in die von

Fackeln erleuchtete Nacht. Sie rannte und rannte, bis das riesige Anwesen in ihrem Rücken nur noch ein Lichtermeer war. Endlich sank sie erschöpft zu Boden.

Sie wusste nicht, wie lange sie schon dort lag, als sie plötzlich nackte Füße über das Gras huschen hörte. Das Rascheln eines Kleides ließ sie hochschrecken. Mercedes saß dicht bei ihr. Überrascht richtete sich Sala auf. Im Vollmond sah sie ihre Augen leuchten, ein scharfes, schnell um sich greifendes Feuer blitzte aus ihrem Gesicht. Sie hatte eine Flasche dabei. Mercedes fasste den Korken, drehte und zog ihn, ließ sanft die Luft entweichen. Champagner perlte in die Gläser. Schweigend reichte sie Sala ein Glas. Ein Klirren, dann stürzten sie den Inhalt hinunter.

Die Luft war noch warm. Der Boden weich und schon etwas feucht. Langsam begannen sie zu sprechen. Sie erzählten sich ihr Leben. Ihre Enttäuschungen nach immer neu gehegten Hoffnungen, sie lachten über das so leicht zu ergründende Wesen der Männer, stutzten, fluchten und weinten darüber, dass es ihnen trotzdem immer wieder gelang, sie zu verletzen.

Sie sprachen über ihre Mütter, über ihre Angst, ihnen im tiefsten Innern zu gleichen. Sie wunderten sich über die Ähnlichkeit ihrer Väter, die einzigen Männer, die anders als alle anderen waren. Sie fragten sich, warum ihre Mütter so falsch, so gedankenlos verletzend mit ihren Vätern umgegangen waren, warum sie sich von ihnen entfernt hatten, wie ihre Liebe wohl gewesen sein mochte, als sie jung waren, und ob es an ihnen, den Töchtern, gelegen haben könnte, dass die Liebe kühler Distanz gewichen war, um sich bald darauf davonzuschleichen. Hass, darin waren sie sich einig, hatten beide bei ihren Eltern nicht erlebt, wohl aber eine zunehmende Entfremdung, an der sie als Kinder zu ersticken geglaubt hatten. Sie sprachen über die Zwillinge, und Sala erzählte von Adas Geburt und von dem Verlust des zweiten Kindes.

Mercedes reichte ihr eine brennende Zigarette, die leere Flasche rollte den Hügel hinunter. Sala fühlte eine tiefe Traurigkeit, die sich langsam wie eine schwere Wolke über sie schob. Und während diese Wolke sie beide einhüllte, sich wie eine Glocke über sie stülpte, glitt Mercedes' Hand zu ihr, tastete nach ihrem Arm, fühlte ihre Finger. Ihre Köpfe stießen zusammen, Sala spürte etwas Warmes, Weiches, das feucht über ihre geschlossenen Augen, ihre Wangenknochen, ihre Lippen fuhr, sich in ihren Mund schob, ihre Zunge berührte, während eine Hand von den Knien aufwärtsglitt, bis Sala sich öffnete. Feiner Regen fiel auf ihr Gesicht. Ihr wurde schwarz vor Augen.

Als sie aufwachte, lag sie allein im Gras. Aus der Ferne tönte das Geschrei der Kiebitze. Pferde wieherten in die Morgenstille. Im Osten tauchte die aufsteigende Sonne die Wolken in leuchtendes Rot. Mit dem Wind kam das Quaken der Frösche.

43

»Wie hieß Großvaters zweite Frau mit Nachnamen? Nohl?«

»Nein, er hat sie ja erst kurz vor seinem Tod geheiratet, damit sie versorgt war. Sie hieß Wentscher, Dora Wentscher. Wann kommst du mal wieder vorbei? Du hast dich ja ewig nicht gemeldet.«

Ich murmelte eine kurze Entschuldigung, etwas von Arbeit und Familie, und beeilte mich, das Gespräch zu beenden. Ich wollte so schnell wie möglich Doras Namen in die Suchmaschine eingeben. Zu meiner Überraschung stieß ich dabei auf ein Buch über meinen Großvater und seinen Bruder Hermann Nohl. *Ein Leben im Schatten*. Gemeint war mein Großvater, der erst im hohen Alter, in der DDR, ein wenig aus dem Schatten seines Bruders, des Göttinger Pädagogik-Papstes, heraustreten konnte.

Ich notierte mir den Namen des Autors, Peter Dudek, ein Erziehungswissenschaftler, der zuletzt als außerordentlicher Professor an der Goethe-Universität in Frankfurt gelehrt hatte. Das Buch war gut recherchiert. Vieles deckte sich mit den Erzählungen meiner Mutter. Wie in der Wissenschaft üblich fand ich im Anhang sämtliche Quellenangaben, vor allem aber erfuhr ich, dass sich der gesamte Nachlass meines Großvaters in der Akademie der Künste in Berlin befand. In den folgenden drei Monaten verbrachte ich jede freie Minute im Lesesaal der Akademie in der Kochstraße. Ich stieß auf alte Texte meines Großvaters, die Psychoanalyse, seine sozialpädagogischen Reformansätze, die sein Bruder Hermann geschickt für seine eigenen Schriften genutzt hatte, ich entwickelte ein Bild der Ehe meiner Großeltern, die einander bis zu Jeans Tod regelmäßig an Weihnachten und zum Geburtstag schrieben, immer verbunden mit einem liebevollen Gruß an und von Tomás. Ich machte mir Notizen, ließ Kopien anfertigen, trug alles nach Hause, las alles wieder und wieder, bis diese Menschen zwischen den Zeilen Gestalt annahmen. Eines Tages stieß ich auf ein Konvolut von Briefen meiner Mutter aus Argentinien. Unruhig flogen meine Augen über die, wie mir schien, immer in Eile aufs Papier geworfenen Zeilen. Hier lag alles, wonach ich gesucht hatte. Mein Zweifel an der allzu widerstandslosen Geradlinigkeit der mütterlichen Erzählung wurde Buchstabe für Buchstabe bestätigt. Ich las das erschütternde Dokument einer jungen Frau, die, mehrfach verstoßen, in denkbar großer Ferne ihrer Heimat, Fuß zu fassen versuchte und dabei immer aufs Neue scheiterte. Voller Zweifel, voller Sehnsucht, voller Angst. Zu Cesja und Max fand sie keinen Zugang, fühlte sich und ihr Kind, zu Recht oder nicht, unerwünscht. Ein Gefühl, das in den folgenden Jahren ein ums andere Mal aufgefrischt oder verschärft wurde. Eine stetige Entwicklung, eine mit den Jahren und Ereignissen wachsende Entfremdung, das Abgleiten einer temperamentvollen Frau in einen dunkel gähnenden Abgrund, so wie viele Frauen ihrer Generation, die ein vergleichbares Schicksal teilten. Vor mir lag die Karriere einer Depression, vielleicht auch einer Verzweiflung, deren späte Stationen ich als Kind und Jugendlicher immer wieder erlebte, bis ich versuchte, es ihr gleichzutun, so wie alle Kinder in ähnlicher Lage versuchen, ihre schweigenden Mütter auf diesem Weg zu entdecken, bis sich das schwarze Ungeheuer auch auf ihrer Brust niederlässt, um ihnen den Atem auszupressen.

Rückblickend kann man vielleicht sagen, dass das Verbrechen meiner Mutter darin bestand, eine Jüdin und eine Frau zu sein. Und die Strafen, die die Gesellschaft dafür bereithielt, leben in ihren Kindern fort.

Dieses Land, von dem meine Mutter immer mit verklärtem Blick sprach, blieb mir fremd. Mehrfach blieb ich vor einem Reisebüro stehen, zögerte hineinzugehen und entschied mich dann doch, es nicht zu tun. Warum? Ich wusste es nicht. Argentinien blieb der unerforschte Kontinent, der die Familiengeschichte überschattete. Warum war meine Mutter dorthin geflohen? Ihre Briefe gaben darüber keine Auskunft. Sie selbst weigerte sich, darüber zu sprechen, solange ich denken kann. Der Alltag war schwer, sie bemühte sich, ihr Kind zu erziehen, während sie mit den Launen von Mercedes' Kindern kämpfte. Sie war jung, sie wollte sich eine Existenz aufbauen, aber sie muss gespürt haben, dass jeder Schritt, den sie unternahm, in eine Sackgasse führte. Immer wieder war in ihren Briefen die Rede von mangelnder Selbstbestimmtheit. Sie fühlte sich isoliert, aufs Neue stigmatisiert, fremd in ihrer Wahlheimat, die sie in derart überstrahlenden Farben schilderte, dass die Konturen auszubrennen drohten. Sie schrieb Briefe über Briefe, versuchte, das Unverständliche zu begreifen, aber je mehr sie schrieb, um die Hoffnung nicht zu verlieren, desto mehr begann sie sich einzugestehen, dass Otto sich zurückgezogen hatte. Immer wieder betonte sie, dass das Leben in Buenos Aires trotz aller Schwierigkeiten wohl leichter sei als in Deutschland. »Ada bekommt jeden Morgen ihr Butterbrot mit Honig und mittags wie abends ein ordentliches Essen. Sie ist gut gekleidet.« All das würde ihr in Deutschland sicher schwererfallen. »Vorderhand«, schrieb sie, »bin ich mit meinem Schicksal zufrieden, wenn es auch ungerecht ist, dass ich alles alleine schultern muss und sich daran wohl auch in Zukunft nichts ändern wird. Ottos Karte war eindeutig, er wird sich jedweder Verantwortung entziehen. Am schwersten trage ich daran, dass ich ihn in seinen eigenen Worten nicht wiedererkenne und mir immer wieder unter Tränen den Vorwurf mache, wie ein dummes Huhn auf ihn reingefallen zu sein.«

Was in den ersten Briefen nur zwischen den Zeilen zu lesen war, brach nun offen hervor. Die Beziehung zu Mercedes kühlte schnell ab. Aus Nähe wurde Eifersucht. German stellte Sala unverhohlen nach und scherte sich wenig um Gerüchte. Das Zusammenleben war vergiftet. Der Hass, in den sich Sala steigerte, half ihr, das täglich drohende Scheitern, ihr Elend, die Demütigung, wieder auf Almosen angewiesen zu sein, vor allem aber die steigenden Selbstzweifel, für ein paar Stunden in Schach zu halten. Aber es kam bald schlimmer. In einem verzweifelten Brief schilderte Sala, dass Mercedes von ihr verlangte, Ada in ein Internat zu schicken, sonst müssten sie beide gehen. Aus dem Mädchen würde sonst eine Versagerin oder eine Verbrecherin, das könne man an ihren Augen erkennen, sie habe dafür einen untrüglichen Blick, das untere Lid wirke verschlagen, das sei kein guter Umgang für ihre Kinder.

Sala fand eine kleine Klosterschule im Landesinneren. Die Nonnen waren freundlich zu Ada. Hier würde sie sich wohlfühlen und vielleicht auch zu sprechen lernen. Sala besuchte sie an jedem freien Wochenende. Ihrem Vater schrieb sie. »Mit den Menschen habe ich kein Glück. Allein das Lesen hilft. Wenn ich mich nur in ein Kleid aus Buchstaben hüllen könnte.«

44

Sie war um vier Uhr morgens aufgestanden, um mit dem Zug rechtzeitig nach La Falda zu fahren, hinein in das überwältigend tiefe Blau des Morgens.

Es war bereits neun Uhr, als sie das Kloster verließen. Die aufsteigende Sonne strahlte die Rückseite des Gebäudes an, die Vorderseite spendete noch kühlenden Schatten. Hand in Hand stolzierten sie den Weg hinunter. Ada trug ein blütenweißes Kleidchen, sie hatte es selbst gebügelt. Salas Kleid war mit bunten Blumen bestickt, ihre Haare dufteten nach Zedernholz, am linken Arm schwenkte sie einen Picknickkorb.

Sie fanden ein schattiges Plätzchen unter Bäumen und ließen sich lachend ins Gras fallen. Bald würde in der Ferne das Sonnenlicht über geschorene Felder flammen, ein goldener Teppich bis zum Horizont. Während Sala in freudiger Erwartung das karierte Tischtuch auf dem warmen Boden ausbreitete, verteilte Ada Teller und Besteck. Mit ihrer kleinen Hand klopfte Ada einen dritten Platz zwischen sich und ihrer Mutter ins Gras. Sala wandte sich ab. Sie konnte den Anblick nicht ertragen. Der Wind schlug sanft seine Wellen ins endlose Grün.

Am Nachmittag hüpften sie über die Wiesen. Hinter einem Weiher grasten friedlich die Ochsen, umflattert von kreischenden Kiebitzen. Bald streckte der Tag sein Haupt strahlend und heiß dem Untergang entgegen. Bevor er brach, sah Ada auf einem Bauernhof, wie sich der Weizen in den fauchenden Schwungrädern der Maschinen in goldenen Regen verwandelte. Sie fasste nach der Hand ihrer Mutter.

»Mama? Warum hat Papa uns nicht mehr lieb?«

Sala hob den Kopf. Was war das? Erschrocken und beglückt fuhr sie mit den Händen über Adas Gesicht. Ihre Tochter hatte zum ersten Mal gesprochen. Sie standen reglos voreinander. Warum konnte sie sie nicht voller Freude in ihre Arme schließen? Jetzt. Schnell. Bevor es zu spät war. Sie spürte Adas Blick, ein spitzer Sonnenstrahl, der sich in ihre Seele brannte. Sie hatte versagt. Sie hatte ihrer Tochter keinen Vater geben können, kein zu Hause, aus dem sie niemand vertreiben konnte, sie hatte weitergegeben, wovor sie geflohen war. Die Fremde hatte sie eingeholt, ihr eigener Schatten erhob sich jetzt gegen sie. Aus der Ferne trieb eine dunkel wachsende Wolke auf sie zu. Ein Unwetter, dachte sie und wunderte sich, dass kein Donnerrollen zu hören war. Der Wind schien den Atem anzuhalten. Dann flog ein spitzes Rauschen herbei, brach herein, stürzte auf sie nieder, entlaubte den Paradiesbaum, zerfraß die Beete, die Kräuter und Pflanzen, riss sie zurück ins Leben mit biblischer Wucht. Heuschrecken, dachte Sala, aber es waren keine da, nur die toten Leiber von Gurs, auf der Ladefläche eines Lastwagens. Sie wirbelte herum.

»Lauf, Ada!«, rief Sala ihrer Tochter zu. »Lauf!«

Ada sah ihre Mutter schweigend an. Ein Gewitter brach über sie herein. Schwarz lag der vom Regen aufgeweichte Boden vor ihnen. Auf dem Rückweg ins Kloster sprachen sie kein Wort.

Als sich Sala tief in der Nacht nach Hause schlich, hörte sie einen trockenen Knall. Ein Schmerz durchzuckte sie, wie ein elektrischer Schlag. Sie wich erschrocken zurück. Vor ihr stand German mit nacktem Oberkörper, in der linken Hand eine Bullenpeitsche. Draußen rauschte der Regen. Sala wusste nicht mehr, wie lange schon.

Als sie später aus dem Fenster sah, stand alles in nassem Grau. Vor ihr die Nacht. Sie musste sich arrangieren. Irgendwann würde in diese Dunkelheit ein neuer Tag leuchten. Irgendwann würde die Sonne reich in ihr Zimmer fließen. Irgendwann würde der Himmel wieder voller Zugvögel sein. Irgendwann.

Wenige Monate nach diesem Vorfall traf ein Brief von Otto ein. Er kam aus Berlin. Scharperstraße. Das war eine feine Gegend. Zitternd vor Glück öffnete Sala das Kuvert.

Sie begann zu lesen. Anfangs verstand sie nicht recht. Alles klang so verworren, so kompliziert und umständlich, wie sie es von Otto nicht gewöhnt war. Nie brauchte er viele Worte, aber sie war nun schon auf der zweiten Seite angelangt und begriff immer noch nicht, was er ihr eigentlich mitteilen wollte.

Ihr war, als würde sie auf eigenartig verschlungenen Pfaden an einen kleinen Flusslauf des Amazonas mitten im Urwald gelangen. Auf dem Wasser trieben – langsam und ruhig – vereinzelte, grobe Holzscheite. Sie wollte sich niederknien, um ihren Durst zu löschen. Da geschah es. Einer der Holzscheite verwandelte sich in einer blitzschnellen Drehung in ein reißendes Krokodil. Mit weit aufgerissenem Kiefer stürzte es auf sie zu.

Otto liebte sie nicht mehr. Eine andere Frau war in sein Leben getreten. Der Krieg habe ihn um seine besten Jahre betrogen, er könne sich keinen Aufschub mehr leisten. »Ich habe hier Dinge erlebt, die einen anderen Menschen aus mir gemacht haben«, las Sala zitternd, »wahrscheinlich würdest du mich gar nicht wiedererkennen und wärest am Ende froh, wieder frei und unabhängig zu sein. Ein Zustand, den du, nach allem, was du erlebt und durchlitten hast, sicherlich genauso schätzen wirst wie ich.« Dieser Satz bohrte sich wie ein rostiger Nagel in ihren Kopf. Plötzlich hörte sie sich lachen, ein schallendes, höhnisches Gelächter. Was wusste er von ihrem Leid? Was hatte er davon gesehen, was mitgetragen? Nichts. Rein gar nichts. Des Weiteren informierte Otto sie, er halte es für seine Pflicht, ganz offen mit ihr zu sein und nichts zu beschönigen, auch wenn er ihr gerne diese Enttäuschung ersparen würde, aber er habe eine Frau kennengelernt. Er bezweifle zwar, ob er zum Ehemann tauge, aber er habe beschlossen, es mit Waltraud zu versuchen.

Sala schrieb zwei Briefe, einen kurzen an Otto, einen langen an ihren Vater. Sie bestätigte Otto den Erhalt seines befremdlichen Schreibens. Dem sei von ihrer Seite nichts hinzuzufügen, außer dass seine Herzensbildung mit seiner geistigen Entwicklung offenbar nicht Schritt halten konnte, was bei seiner Herkunft und der wohl daraus resultierenden mangelhaften Erziehung nicht weiter verwunderlich sei. Sie selber könne das recht gut verkraften, leid täte es ihr lediglich um die gemeinsame Tochter, die sich bisher prächtig entwickelt habe. Auf der sachlichen Ebene müsse sie ihn an seine Verantwortung erinnern und würde hoffen, dass er seinen finanziellen Verpflichtungen ohne weitere Aufforderung nachkommen würde. Andernfalls würde sie nicht zögern, einen Anwalt einzuschalten.

In dem Brief an ihren Vater offenbarte sie ihre ganze Verzweiflung. Die Jahre des bedingungslosen Wartens, des Vertrauens. Wenn sie nicht Verantwortung für ein anderes Leben tragen würde, sie nähme sich auf der Stelle einen Strick.

Ottos Antwort war der nächste Schlag. Er zweifelte seine Vaterschaft an. Er wisse von Salas Verhältnis mit Hannes, sie selbst habe ihm in Leipzig davon erzählt. Wütend antwortete sie ihm, sie könne auf sein Geld verzichten. In Wahrheit brauchte sie jeden Céntimo.

Sie fuhr zu ihrer Tochter nach La Falda. Adas Reaktion auf die traurige Nachricht, dass ihr Vater nicht kommen würde, war für Sala noch schwerer zu ertragen als ihr eigener Schmerz.

»Und warum kommt Papa nicht?«, fragte sie.

»Weißt du, Erwachsene ändern manchmal ihre Meinung.«

Ada sah zu Boden.

»Aber er hat es doch versprochen.«

45

»Das Eck« war eine dunkle Kneipe. Im Hinterzimmer konnte man illegal Karten spielen. Ein paar Automaten hingen an den schweiß- und rauchverklebten Wänden. Hier kam Otto regelmäßig her, seit er aus der Gefangenschaft heimgekehrt war. Er hatte niemanden angerufen, war zu niemandem gegangen. Er hatte sich sofort bei der Charité beworben. Erst Assistenzarzt, dann, nach wenigen Monaten, Stationsarzt. Seine Geschicklichkeit prädestinierte ihn für kleine, schnelle Eingriffe. Er begann eine Fachausbildung zum Hals-Nasen-Ohren-Arzt. Warum, wusste er selbst nicht genau. Empfehlung vom Chefarzt. Außerdem brauchten sie HNO-Ärzte in der Charité. Es traf sich also gut. Berlin sah wieder besser aus. Die Menschen litten keinen Hunger mehr.

Waltraud wohnte in der russischen Zone. Sie suchte einen Mann, der sie da rausholte. Bei den Kommunisten gefiel es ihr nicht. Kommt Zeit, kommt Rat, dachte Otto und handelte. Orientierung? Struktur? Ablenkung? Wovon? Vom Krieg? Von der Gefangenschaft? Vom Tinnitus? Ja, vielleicht half ihm Waltrauds schrilles Organ, den Ton in seinem Ohr nicht mehr zu hören.

Immer wieder fragten ihn seine Patienten, was sie gegen diesen furchtbaren Ton in ihrem Ohr tun könnten. Er sei nicht wirklich in ihrem Ohr, versuchte er sie zu beruhigen, es sei in ihrem Kopf, er habe das auch.

»Das ist der Krieg, Herr Doktor«, sagte einer zu ihm.

Der Krieg, ja, sicher war es auch der Krieg. Alles, was sie jetzt erlebten, war der Krieg. Er war ihre Vergangenheit, ihre Gegenwart, ihre Zukunft. Sie waren der Krieg. Es lohnte nicht, darüber zu reden. Keiner wollte Fragen stellen, auf die es keine Antworten gab. Sie alle teilten ein und dasselbe Schicksal, und damit hatte keiner eines. Sie liefen jeden Tag in seine Sprechstunde, ein Heer von Selbstmitleidern. Sie wollten gesehen werden, ohne zu wissen, was sie zeigen sollten. Ihre Körper wurden krank. Ihre Seelen? Was sollte das sein? Sie kannten das Wort, aber der Sinn war irgendwo stecken geblieben. Im Morast, im Schützengraben, in den Lagern, in der Gefangenschaft, in den gefallenen Kameraden, in ihren vollgeschissenen Hosen, in den ratlosen Gesichtern ihrer Kinder, die sie nach ihrer Heimkehr zum ersten Mal sahen, in ihren Betten, in denen fremde Männer ihre Frauen beschlafen hatten, in ihren Träumen, die weggebombt waren, in ihren verlorenen Sehnsüchten, ihren verratenen Idealen, ihren vereisten Herzen. Sie hatten keine Gefühle zu verschenken und konnten keine empfangen. Sie waren tot. Gestorben, wie ihre Väter im Ersten Weltkrieg, zum Tode verurteilt, wie ihre Kinder. Stinkende Kadaver, aber das konnten sie nicht sagen, das durften sie nicht denken, sonst würden sie alle aus den Fenstern ihrer wiederaufgebauten Häuser springen. Denn nicht die Alliierten waren es, die dieses Land zerbombt haben, dachte Otto, wir waren es, wir haben unsere Ärsche in den Wind gehalten, weil wir nie dachten, dass der Wind auch drehen könnte und einem dann die eigene Scheiße ins Gesicht klatscht.

Nein, man saß lieber auf den neuen Sofas neben den Waltrauds und Irmgards, den Gerdas und Juttas, voller Hoffnung auf überquellende Tische. Viereinhalb Jahre Gefangenschaft. Die saßen tief. Er arbeitete. Er spielte. Er fickte. Er aß und trank und schlief. Und wenn er mit allem fertig war, fing er wieder von vorne an oder von hinten, das war ihm einerlei. Deswegen hatte er wohl geheiratet. Und ja, sein Verdacht wurde bestätigt, er taugte nicht zum Ehemann. Egal. Nur kein Stillstand. War Geld da, rannte er in die Kneipe, vertrank und verspielte es, war mehr Geld da, kaufte er Waltraud ein Geschmeide und verspielte den Rest etwas vornehmer im Casino. Er war wieder da, wo er angefangen hatte. Es war zum Totlachen. Aber er war Arzt. Und er hatte ein Auto.

In der Charité beendete er seine Facharztausbildung. Es wollte ihm nicht gelingen, sich unterzuordnen. Überall noch der gleiche Korpsgeist, die gleichen Sprüche und Allüren, die gleichen Fratzen, die gleichen Heinis wie vor dem Krieg. Er wollte weg. Er wollte sein eigener Herr sein. Niemand sollte ihm mehr Befehle erteilen. Niemand. Mag sein, dass er starrköpfig war, wie sein Chef behauptete. Aber nachdem er gesehen hatte, wie sich im Lager aus dem gleichen Misthaufen wieder die gleichen stinkenden Seilschaften bildeten, hatte er ein für alle Mal beschlossen, auf fremden Rat zu verzichten.

In der letzten Nacht, bevor sie aus der Gefangenschaft entlassen wurden, trank er mit dem Lagerkommandanten, sie sangen russische Lieder und lasen Puschkin. Mascha hatte das Lager schon vor Monaten verlassen. Sie arbeitete wohl als Schwester in Rostow. Manchmal dachte er an sie. Mascha lebte. Mascha lachte. Mascha liebte. Mascha war so unvernünftig. Mascha fragte nicht nach seiner Vergangenheit. Mascha war nicht wirklich. Mascha war der Krieg. Mascha, das war er. Sie war, was er in Deutschland nie gehabt oder verloren und in Russland wiedergefunden hatte. Sie war sein gefallener Vater, sie war seine verfluchte Mutter, sie war die Birkenlandschaft bei Berlin, die Birkenlandschaft aus Russland. Sie war Oberschlesien und Pommernland. Sie roch nach Borschtsch und Kiefern. Ihre Hände waren schlank, das Gesicht weiß, die Haut braun und herrlich. Ihr dunkles Haar. Die Lippen. Die Brustspitzen. Der Rücken. Ihr Lächeln. Stets sah sie ihn an. Er wusch sich in ihren Tränen. Mascha war der Traum, aus dem er nie erwachen wollte, der Schmerz, der seine Sehnsucht stillte. Sie war die Freiheit, die es nicht gab, die Wahrheit, die er gesucht, der Kampf, den er verloren hatte. Mascha gab es nicht. Viereinhalb Jahre gefangen. Wem sollte er erklären, dass er dieses Land liebte, diese Menschen? Sie teilten ihr letztes Stück Brot mit ihm, sie verrieten ihn nie, sie waren gut zu ihm. Warum sollte ihn jemand verstehen? Es gab nichts zu verstehen.

In den letzten Monaten arbeitete er neben der Klinik in einer Praxis in Tegel. Er übernahm die Vertretung eines betagten HNO-Arztes. Er verdiente gut. Besser als in der Klinik. Dann eben keine wissenschaftliche Karriere. Davon hatte er im Lager immer geträumt. Aber dafür wieder die Hacken zusammenschlagen? Nein. Dr. Lechlein wollte bald aufhören. Otto gefiel ihm. Seine Patienten mochten den schweigsamen jungen Arzt. Er war ein Arbeiter. Wie sie. Dr. Lechlein versprach, Otto die Praxis zu einem bezahlbaren Preis zu überlassen. Kredite waren leicht zu bekommen. Seinem Cousin hatte die Bank mit einem Eigenkapital von einer D-Mark einen Kredit für 150 Sozialwohnungen gewährt. Was war da schon das Geld für eine Praxis?

In seinen Mittagspausen saß er am Fenster des immer gleichen Cafés, starrte jahrein, jahraus in die Sonne, in den Regen, in den ersten Schnee. Die Menschen hasteten an ihm vorbei, von Geschäft zu Geschäft. Ihre Arme wurden länger und länger, die wachsenden Wirtschaftswundertüten schlugen beim Gehen fröhlich gegen ihre Knie. Kaufen, verbrauchen, wegwerfen, wieder kaufen. Tagein, tagaus liefen sie am Fenster vorbei. Ihre Bäuche wurden dicker, die eilig hin und her fliegenden Augen schrumpften in den anschwellenden Gesichtern zu Stecknadelköpfen, die kein Schnäppchen verpassten. Tiefe Sehnsucht, kurzer Atem. Aus dem zerbombten Boden waren die Läden gepilzt, Bekleidungsläden, Küchenläden, Elektroläden, Feinkostläden, Tante-Emma-Läden, Cafés, Konditoreien, Wäschereien, Schustereien. Mit allem konnte man Geld verdienen. Mit dem Geld konnte man essen, trinken, rauchen, Häuser bauen, bewohnen und verkaufen und wieder neue Häuser bauen.

»Ooooooottoooo!«

Waltrauds Stimme schallte durch die kleine Wohnung in der Scharperstraße. Otto fragte sich, warum zum Teufel ihm seine Eltern diesen Namen gegeben hatten. Hätte er Waltraud nicht geheiratet, würde sie auch nicht so nach ihm schreien.

»Wie heißt du? Otto? Wie süß! Otto?«

Im Standesamt hätte er aufstehen müssen und gehen. Aber er war zu feige gewesen, zu ausgehungert. Er wusste nicht, wie er allein in dieses Leben nach der Gefangenschaft zurückfinden sollte. Waltraud war genauso bestimmend wie seine Mutter. Am Anfang hatte ihm das gefallen. Jetzt schämte er sich bei dem Gedanken.

»Eeeeeesseeeennn.«

Der Tisch war gedeckt. Eine schlampige Ordnung, wie überall in der Wohnung. Als Otto sich setzte, dachte er, dass Waltraud zu den Menschen gehörte, für die es keinen Unterschied zwischen innen und außen gab. Sie bestand aus Einbahnstraßen und Sackgassen. Darin konnte es äußerst unterschiedlich zugehen, mal laut und bunt, mit Stühlen und Tischen vor der Tür, wie auf den Fotos südländischer Städte, mal finster und menschenleer, wie in einem von deutschen Soldaten verwüsteten russischen Dorf. Dann roch es in der Wohnung nach Tod.

»Na, Ottochen? Wie machste dich inne Klinik? Wirste bald avanciert?«

Ihre Versuche, sich gewählt auszudrücken, erinnerten ihn an seine Herkunft, an seinen Stiefvater und seine Schwestern. Immer wieder hatte Waltraud ihn gefragt, wann er denn Oberarzt oder Chefarzt würde, wann sie sich ein neues Auto, eine größere Wohnung oder ein Haus mit Garten, ach was, mit einem Park, leisten könnten.

»Otto, meen Süßer, die Hilde, die hat von ihrem Mann, dem Dieter, weißte, hat se einen echten Brilli jeschenkt bekommen. Da staunste, wa? Und er hat sich einen Opel Kapitän gekauft. Einfach so. Stell dir ma vor. Das nenne ich großzügig.«

»Bescheuert.«

»Was?«

»Großkotzig und bescheuert.«

»Das ist ma wieder typisch. Typisch ist det. Du bist ja bloß neidisch.«

Otto schwieg.

Waltraud baute sich vor ihm auf, die Hände in die Hüften gestemmt.

»Also weeste, du kannst manchmal ganz schön pampig sein, ein echter Piesepampel, mein kleiner Otto.«

Wie dumm war er gewesen. Unverzeihlich dumm. Für heute reichte es ihm. Er schob den Teller weg.

»Nanu, was is denn jetzt los?«

Otto stand auf. »Ich muss noch mal weg.«

»Ach ja? Wohin denn jetzt auf einmal?«

»In die Klinik.«

»In die Klinik?«

»Muss nach meinen Patienten schauen.«

»Patienten oder Patientinnen, Herr Doktor?«

Er warf die Tür hinter sich zu.

In seiner Position hätte er die Wahl gehabt. Warum ausgerechnet Waltraud? Warum dieser unverzeihliche Fehler? Er wusste es nicht. Eine Frau wie Sala gab es nicht. Daran war nichts zu ändern. Aber Argentinien? Nein. Ein Kind? Nein. Er wollte leben. Waltraud wusste, wie man mit Männern umging. Mit Männern, wie er einer war. Ausgehungert. Um seine Jugend betrogen. Zehn Jahre verloren in diesem Krieg, im Dienste eines Wahnsinnigen, umgeben von Kriechern, die jeden noch so absurden Befehl ausführten, Gefreite, die mühelos zwei, drei Stunden aus dem Fenster starren konnten, ohne zu denken. Jetzt musste er schnell ins Eck. Dort wartete das Glück. Dort waren alle gleich. Wie im Lager, wie in Russland. Und dann die Puppen tanzen lassen.

Wieder zurück im Heimathafen, würde er zur Besänftigung noch schnell über Waltraud rutschen müssen. Halb so schlimm. Am Ende machte es sogar Spaß.

Jean schrieb ihm manchmal. Meistens antwortete er viel zu spät oder gar nicht. Eine Umsiedlung nach Südamerika war für ihn völlig undenkbar. Er beherrschte die Sprache nicht, kannte weder das Land noch seine Gebräuche, außerdem würde man sein Staatsexamen in Argentinien nicht anerkennen. Er müsste also wieder von vorne anfangen. Selbst wenn man einen Teil seines Studiums anerkennen würde, was zweifelhaft wäre, würde er wieder Jahre seines Lebens verlieren. Sala würde ihn nicht wiedererkennen. Es war besser so. Und das Kind? War er wirklich der Vater?

Bei seiner Mutter fand er ein Foto von Sala. Es lag in einer Küchenschublade. Er nahm es heraus und musste heulen. Er stand in der Küche seiner Mutter, es war die alte Küche, noch immer dieselbe Wohnung, in der er groß geworden war. Dritter Hinterhof, links, Parterre. Er erinnerte sich, wie er nachts nach seinen Diebestouren nach Hause geschlichen war. Der Stiefvater lag besoffen auf dem Tisch. Die Mutter wischte um ihn herum – und er schämte sich. Er erinnerte sich, wie er frühmorgens raus auf den Hof war, vorbei an der Pritsche vom Vater, den die Mutter nachts mal wieder rausgeworfen hatte, weil er sie oder die Kinder verprügelt hatte, wie er auf dem Hof an der Teppichstange seine Klimmzüge machte, bis die Armbeugen brannten und dann noch mal zehn, bis er Krämpfe in den Händen bekam und abrutschte. Roland. Die Diebestouren. Und dann stand er bei ihr in der Wohnung. Auf der Leiter. An der Bücherwand. Und sie tauchte hinter ihm auf. Als er sich umdrehte, wäre er beinahe runtergesegelt. Sie war schlank, die helle Haut dünn wie Papier. Der wache Blick. So hatte ihn noch niemand angeschaut. Die dunklen Haare fielen traurig über die Schultern. Er heulte nie, verdammt noch mal. Das war sinnlos.

46

Salas neue Arbeitgeber waren extravagante junge Leute. Antonio war Staatsanwalt und seine Frau Isabella eine zur Hysterie neigende Malerin in der Schaffenskrise. Aber Sala konnte Ada wieder zu sich holen. Sie war jetzt ein hübsches Mädchen. Wenn sie in ihre dunklen Augen sah, empfand Sala Glück, schrieb sie Jean. Sie verschwieg ihrem Vater, wie oft sie an Otto dachte.

Beinahe acht Jahre lebten sie nun schon in Argentinien. Sie hatte Geld für ein Grundstück außerhalb von Buenos Aires gespart. Dort hatte sie sich mit Otto eine Existenz aufbauen wollen. Das war der Plan gewesen.

Wahrscheinlich hatte er recht: Sie waren zu verschieden. Oder war es der Krieg? Dass er sich in eine andere Frau verliebt hatte, könnte sie verzeihen, sie hatte Hannes gehabt, aber der Name klang furchtbar. Waltraud. Deutscher ging es wirklich nicht. Vor drei Tagen wollte der Besitzer des Grundstücks von ihr wissen, ob sie immer noch zum Kauf entschlossen sei. Was sollte sie ihm antworten? Ohne Otto ergab das alles keinen Sinn.

Wie wollten sie in Zukunft leben? Wovon? Ada würde nach dem Sommer wieder eine Schule in Buenos Aires besuchen. Im Kloster hatten sich ihre Leistungen verbessert. Trotzdem war sie wieder stiller geworden, wirkte auf seltsame Weise in sich gefangen. An manchen Tagen verließ sie das Zimmer nicht, saß dicht am Fenster, den Blick schweigend in die Ferne gerichtet. Gerade wenn Sala fürchtete, sie könnte das Sprechen wieder verlernen, drehte sie sich um und überraschte sie mit abenteuerlichen Geschichten, die sie von ihrem Platz beobachtet haben wollte. Ihre innere Welt war von allerlei Fabelwesen bevölkert, aber auch von stolzen, schweigsamen Gauchos, die sich in kühlen Nächten um ein Feuer versammelten, um mit rauer Stimme zur Gitarre ihre einsamen Lieder zu singen. Sie erinnerte sich an die weiten Wiesen in der Nähe des Klosters, an ihren blitzenden Glanz im weißen Licht des vollen Mondes, an den süßlichen Duft, den die Bäume verströmten. Einmal, als Sala neben ihr stand, griff Ada überraschend fest nach ihrer Hand.

»Mama? – Der Himmel ist still und gewaltig.«

In dieser Nacht träumte Sala von einem unheilkündenden Vogel. Mit starrem Blick thronte er auf ihrer blanken Brust. Sie lag zitternd neben einem gefrorenen Bach. Links und rechts von ihr schossen die Berge hoch, vor ihr lag das weitgeschwungene Tal. Trotz des Sommers war der Boden vereist und schneebedeckt. Ein herrenloser Schimmel preschte auf sie zu, stieg mit geblähten Nüstern schnaubend vor ihr in die Höhe, die Augen weit aufgerissen, bleckte das Tier die Zähne und stieß einen furchterregenden, menschlichen Schrei aus, der in kurzem, trockenem Todesrasseln erstarb. Die Vorderläufe des Hengstes knickten ein, sein gewaltiger Leib ging zu Boden. Aus den sterbenden Augen quoll tiefrot das Blut.

Die Hitze kroch schon in den frühen Morgenstunden die Häuserwände hinauf, stahl sich feucht und heiß ins Schlafzimmer. Sala stand auf, wusch ihren schweißnassen Körper mit kaltem Wasser, legte alles für die Schule bereit und verließ die Wohnung. Nachdem sie leise die Tür hinter sich geschlossen hatte, atmete sie auf. Wann war sie das letzte Mal alleine morgens durch die Stadt gelaufen? Ein Gefühl von Freiheit und Unbegrenztheit überfiel sie, als sie, die Schuhe noch in der Hand, mit nackten Füßen den Asphalt berührte. Der Boden war angenehm kühl von der Nacht. Ziellos lief sie der Sonne entgegen, wie sie es früher, als Kind, auf dem Monte Verità auf dem Weg zum Wasserfall getan hatte. Leise rauschend erwachte die Stadt. Zwei Ecken weiter öffnete Manolo seinen Zeitungsstand. Er winkte ihr fröhlich zu. Warum erschien ihr dieser Gruß wie ein Abschied? Vor ihr lag Buenos Aires. Die Stadt jubelte der Sonne entgegen. Zum ersten Mal konnte sie nicht in diesen Gesang mit einstimmen.

Als sie die Wohnung betrat, flog ein Schuh knapp an ihrem Kopf vorbei gegen die Wand.

»Du Vieh! Du saugst mich aus«, schrie Isabella. Sie rannte halb nackt, nur mit einem Büstenhalter bekleidet, durch die Wohnung. Ihr Haar hing in nassen Strähnen herunter. Sala sah, wie sie mit dem Kopf gegen die Wand schlug, um sich gleich darauf zu Boden gleiten zu lassen. Isabella verdrehte die Augen, als müsste sie jeden Moment das Bewusstsein verlieren.

»Er hat mich betrogen«, flüsterte sie in dramatischem Ton. Es klang beinahe, als würde sie ihren letzten Atemzug tun.

»Das ist nicht wahr, verdammte Hure, du versuchst ja nur von dir selbst abzulenken«, schrie Antonio aus dem Nebenzimmer. Der junge Staatsanwalt trat nun vollkommen nackt in den Flur, in der Hand ein großes Küchenmesser.

»Was tust du mir an, du verdammte Schlampe. Du ruinierst meinen Ruf, meine Karriere, alles.«

»Karriere? Was denn für eine Karriere, du Versager? Wir leben vom Geld meines Vaters, während du Kleinganoven hinterherjagst.«

»An Verbrecher wie deinen Vater kommt man gar nicht erst ran, weil sie das ganze Land in ihre Taschen stopfen.«

»Die haben wenigstens was in der Tasche, du Nichts, du!« Isabellas Stimme überschlug sich triumphierend. Die Tür zu Salas Zimmer stand offen. Ada stand da mit weit aufgerissenen Augen. Mit gesenktem Blick stürzte Sala an dem nackten Hausherren vorbei in ihr Zimmer und schloss sich ein. Ada sah sie verzweifelt an. Draußen holte Isabella tief Luft. Dabei röchelte sie so fürchterlich, dass Sala fürchtete, sie könnte sterben. Es folgte ein spitzer Schrei. Dann wurde es still. Kurz darauf hörten sie Schritte, raunende Stimmen, die Tür zum Schlafzimmer der Herrschaft wurde aufgestoßen und wieder zugeschlagen. Dem lauten Stöhnen nach zu urteilen, begann nun der Akt der Versöhnung.

»Mama, ich will hier weg«, sagte Ada.

47

Es war ein kühler, sonniger Märztag. Die Juan de Garay legte im Hamburger Hafen an. Vom Deck aus beobachtete Ada die Menschen am Quai. Als die Brücke heruntergelassen wurde, traten die Passagiere in freudiger Erschöpfung an die Reling. Aufgeregt rannte Ada los. Gierig, als Erste von Bord zu gehen, drängelte sie sich an den Erwachsenen vorbei, setzte zum Sprung an, und noch ehe die Brücke ganz heruntergelassen war, wurde Ada von einer fremden Hand gepackt und mitten im Sprung mit einem heftigen Ruck zu Boden gerissen. Eine trockene Ohrfeige, ein paar kratzige Laute, die sie nicht verstand, ließen sie zurückweichen. Graue, kleine Augen grinsten sie aus einem windschiefen norddeutschen Schädel an. Ihr erster Schritt auf deutschem Boden war ein Schritt auf Feindesland. Selbst die Sonne schien hier in freudloser Strenge. Sie wollte zurück auf das Schiff, zurück in ihre Heimat, zurück nach Buenos Aires. Nicht diese leeren Blicke, dieses Gegacker. Der Schreck war mit Tränen nicht zu bewältigen. Dies war das Land der Erwachsenen, und sie war gestrandet.

»Hier sind die Leute netter zu ihren Hunden als zu ihren Kindern«, sagte sie nach dem ersten gemeinsamen Spaziergang zu ihrer Mutter. Aus der Ferne taumelten Volkslieder besoffen an ihr Ohr. Die erste Nacht verbrachten beide ruhelos. Erst in den frühen Morgenstunden fanden sie in den Schlaf. Nach dem Frühstück ging es ihnen besser. Sie stiegen in den Zug nach Berlin. Während der Fahrt rührten sie sich kaum. Sala war froh zurückzukommen, und zugleich fürchtete sie sich vor ihrer Heimat. Der Zug ratterte über die Schienen. Gurs und die Bilder ihrer Kindertage stemmten sich gegen die vorbeifliegende Gegenwart. Vor ihr saß Ada. Es gab eine Zukunft.

Langsam stiegen sie die Treppe hinauf. Mopp Heinecke öffnete die Tür. Als sie sich in die Arme fielen, versuchte Sala, sich zu erinnern, was geschehen war, damals in Leipzig, was sie gefühlt, was sie gesehen hatte. Die Erinnerungen strömten an ihr vorbei, wie Menschen, denen sie begegnet oder ausgewichen war. Sie fragten einander allerlei Belangloses, erzählten, als dürften sie endlich wieder beim Friseur in alten Zeitschriften blättern. Manchmal hielten sie unvermittelt inne, als wollten sie eine Weile über das Gesagte nachdenken, um dann umso hastiger ihren Gedanken nachzulaufen, die Hand nach dem Griff eines anfahrenden Zuges streckend, um im letzten Moment aufzuspringen, sich forttragen zu lassen in die verlorene Zeit. Abends machten sie es sich auf Mopps kleinem Balkon gemütlich. Auf der Straße grölten Männerstimmen.

»Wir sind die Eingeborenen von Trizonesien,

Hei-di-tschimmela-tschimmela-tschimmela-tschimmela-bumm!

Wir haben Mägdelein mit feurig wildem Wesien,

Hei-di-tschimmela-tschimmela-tschimmela-tschimmela-bumm!

Wir sind zwar keine Menschenfresser, doch wir küssen umso besser.

Wir sind die Eingeborenen von Trizonesien,

Hei-di-tschimmela-tschimmela-tschimmela-tschimmela-bumm!«

»Wo liegt Trizonesien, Mama?«

Sala dachte kurz nach, dann prustete sie los.

»Das ist hier ... die meinen Berlin ... das ist ja zum Piii-iepen, ist das, Trizonesien!«

Sie schüttelte sich, die Tränen liefen über ihr Gesicht.

»Weinst du?«, fragte Ada und griff nach ihrer Hand.

»Nein, ich ... ich glaube, ich lache ...«

Beim Einschlafen überlegte Sala, ob Otto wohl noch in der Scharperstraße wohnte.

»Bist du seinetwegen zurückgekommen?«, fragte Mopp am nächsten Morgen. Sala erschrak. Ihre Freundin war immer noch so direkt wie früher. Ein paar Falten hatten sich in ihr Gesicht gegraben, die Perücke wirkte etwas vornehmer, aber die kleinen Augen sprühten immer noch vor überbordender Energie und Lebenslust, trotz allem, dachte Sala, trotz allem.

»Ich weiß nicht ... ehrlich gesagt, weiß ich gar nicht mehr, warum wir weggefahren sind. Damals nicht ... und jetzt auch nicht ...« Sie fuhr sich mit der Hand übers Gesicht, als könnte sie ihren Zweifel schnell wieder wegwischen. »Heute Nacht, weißt du, da habe ich kurz gedacht, dass ich vor sechzehn Jahren angefangen habe um mein Leben zu rennen ...« Sie zögerte.

»...Ich glaube, ich bin genug gerannt.«

Mopp legte beide Arme um sie.

»Habt ihr euch geschrieben?«

Sala nickte. Erstaunt stellte sie fest, wie leicht ihr dieses Nicken fiel. Ja, sie hatte geschrieben. Hunderte von Briefen, jeden Tag, jede Nacht, ob schlafend oder wachend, jetzt konnte sie es sich eingestehen, jetzt konnte sie es zum ersten Mal einem Menschen sagen, jemandem, der ihr vertraut war, der sie nicht verraten würde, wie Mercedes es getan hatte, jetzt konnte sie reden, aber alles, was sie zu sagen hatte, lag in einem stummen Nicken.

»Und nu?« Mopp ließ nicht locker.

Sala sah sie fragend an.

»Willste jetzt hier hocken, bis de festgewachsen bist?«

Mopp hüpfte zur Anrichte und schnappte sich das Telefonbuch. Wie leicht sie ihren rundlichen Körper zu bewegen wusste, dachte Sala, sie war bestimmt eine gute Tänzerin. Ob Otto immer noch so gerne tanzte? Keiner tanzte so wie er, nicht einmal Hannes, und der war wirklich ein guter Tänzer. Mopp warf das Telefonbuch auf den Küchentisch.

»Guck doch mal rein. Vielleicht steht er ja drin.«

Sie lief in den Flur zum Telefon und winkte mit dem Hörer.

»Komm«, lachte sie, »Widerstand ist zwecklos.«

Aufgeregt flogen Salas Hände über die Seiten. Namen, so viele Namen. Die hatten alle überlebt. Und hinter jedem dieser Namen, dachte Sala, verbarg sich eine Geschichte, eine schöne oder schreckliche, egal. Helden waren die meisten ja wohl nicht, aber war sie eine Heldin? Was war das überhaupt für ein grässliches Wort? Helden. Damit war es ein für alle Mal vorbei. Vaterland. Ehre. Anstand. Treue. Alles futsch. Sie lachte kurz auf. Da hieß doch tatsächlich einer Himmler. Den Namen gab es wirklich? Vielleicht auch noch ein Hitler? Sie suchte. Nein. Wieso war sie jetzt bei H gelandet? Sie blätterte zurück. Ihr Herz schlug schneller. Wie viel Schläge konnte ein Herz pro Minute verkraften? Wie viele pro Sekunde? Baermann, Balser, Berhenke … Da war er. Otto. Es war sein Name. Otto Berkel, Dr. med., Facharzt für Hals-Nasen-Ohren-Heilkunde. Er war umgezogen, wohnte jetzt in der Rankestraße 11. So einfach war das? Sie drehte die Wählscheibe über die Zahlen. 80 31 90. Es klingelte endlos. Sie sah zu Mopp und schüttelte den Kopf. Da knackte es in der Leitung.

»Ja?«

Die Stimme war fremd.

»Wer ist denn da?«

Das klang verärgert. Sala zitterte. Schnell auflegen? Mopp drohte mit dem Zeigefinger.

»Guten Abend, Herr Doktor, wie geht es Ihnen?«

Es wurde still. Sala hörte Schritte im Hintergrund. Ein Knacken in der Leitung.

»Mit wem spreche ich?«

»Dreimal dürfen Sie raten.«

Otto blieb stumm. Beinahe musste sie lachen.

»Hat es Ihnen die Sprache verschlagen?«

Was machte er? Saß er? Stand er? Schaute er zum Fenster hinaus? Warum schwieg er?

»Woher kennen wir uns?«

Es war ein Fehler gewesen anzurufen. Am besten legte sie jetzt einfach auf.

»Erkennen Sie denn meine Stimme nicht?«, fragte sie.

Ob sie seine Stimme erkannt hätte? Unter Tausenden. Das konnte doch nicht sein. Er musste wissen, dass sie es war.

»Wer sind Sie?«

Sala schwieg. Wer war sie? Wer war denn er? Warum war sie überhaupt zurückgekommen?

»Woher kennen wir uns?«

Nein, so hatte sie sich dieses Gespräch nicht vorgestellt. Was für eine Dummheit!

»Aus Berlin. Ist schon etwas länger her.«

Ihre Stimme klang matt. Sie stützte sich auf die Anrichte, auf der das Telefon stand. Ihre Augen suchten nach einem Stuhl. Etwas weiter hinten stand einer. Die Schnur würde bis dahin nicht reichen.

»Haben wir etwas gemeinsam?«

Was lag da in seiner Stimme? Wärme? Oder nur ihre Sehnsucht danach? Sala starrte gegen die Wand. Hatten sie etwas gemeinsam? So direkt hatte sie sich diese Frage noch nie gestellt. Ihr war immer nur das Trennende aufgefallen.

»Ich glaube, ja.«

Zum ersten Mal kamen ihr Zweifel. Hätte sie lieber Hannes anrufen sollen?

»Was?«

»Was?«

»Ich meine, was haben wir gemeinsam?«

Die Frage war berechtigt. War die Verbindung aus Samen und Eizelle eine Gemeinsamkeit?

»Eine Tochter.«

»Wo bist du?«

Sie merkte, wie ihre Knie zu zittern begannen.

»Bei Mopp.«

»Ist das Kind auch da?«

Sala antwortete nicht. Das Kind. Wo sollte das Kind wohl sein? Diese Frage beschrieb recht treffend den Unterschied zwischen ihnen. Sie hätte sich ihr nie gestellt.

»Können wir uns sehen?«

Konnten sie das? Sollten sie es? Wenn eine Frau »Nein« sagt, meint sie »Vielleicht«, sagt sie »Vielleicht«, meint sie »Ja« und sagt sie »Ja«, dann ist sie eine Schlampe. Warum musste ihr ausgerechnet jetzt Hannes durch den Kopf gehen?

»Vielleicht.«

»Bei Kranzler?«

Sie nickte still.

»Ich bin in zehn Minuten da«, sagte Otto.

Zehn Minuten. Sala legte zitternd auf. Was würde sie antworten, wenn man sie aufforderte, ihr Leben in zehn Minuten zu beschreiben? Was würde sie tun, wenn man ihr sagte, ihr Leben würde in zehn Minuten ein anderes sein? Ihr Körper straffte sich, als müsste sie sich jetzt sofort um alles kümmern, was liegen geblieben war, ein Gesicht mit guter Laune aufsetzen, um nicht die Leere zu fühlen, die sich dahinter verbarg.

Mopp sah die Freundin schweigend an.

»Was machst du?«

»Gerade wusste ich es noch.«

»Und jetzt?«

»Ich gehe hin.«

Lachend drehte sie sich durch das Zimmer.

»Hast du ein schönes Kleid? Ich glaube, meine argentinischen Sachen passen nicht hierher. Ihr kleidet euch alle nüchterner.«

»Ich hab zwar abgenommen, aber …«

»Macht nichts, dann gehe ich eben so, wie ich bin.« Sie sah Mopp verloren an. »Wie lange brauche ich von hier zu Kranzler?«

»Das geht ruckzuck, die Straßen sind leer.«

»Wieso?«

»Na, wir sind doch im Endspiel, Kindchen.«

Was für ein Endspiel, dachte Sala, war aber zu aufgeregt, um zu fragen. Sie gab Ada einen flüchtigen Kuss. Sie wollte ihr nicht erzählen, mit wem sie sich gleich treffen würde. Diesmal würde sie vorsichtig sein. Ada sah sie traurig an. In ihrem Zimmer warf Sala mit jedem Kleidungsstück, ein Stück Vergangenheit ab oder legte es sorgsam zusammengefaltet in den Schrank. Sie fand einen einfachen schwarzen Rock, dazu eine weiße Bluse. Fast wie damals, dachte sie, bei ihrer ersten Begegnung.

Er würde sich demnächst einen Fernseher leisten, dachte Otto, jetzt, da seine Familie zurückgekehrt war. Aus dem Radiolautsprecher über ihm schepperte die aufgeregte Stimme des Sportreporters Zimmermann.

»Griffiths, der Linienrichter aus Wales, auf unserer Seite, hatte die Fahne hoch, und Ling hat prompt reagiert, drei zu zwei, aber das hätte natürlich ins Auge gehen können, zu spielen noch vier Minuten im Wankdorf-Stadion in Bern im Endspiel der Fußballweltmeisterschaft, und die deutsche Mannschaft hat etwas nervös, verständlich natürlich in diesem Augenblick, äh … eine Situation vergeben, und dadurch rutscht der Ball ins Aus …«

Otto saß im ersten Stock an einem Zweiertisch mit Fensterblick. Er zupfte nervös seine Manschetten hervor. Unter ihm still und leer der Kurfürstendamm, rechts von ihm, in der Mitte des Raumes, der Treppenaufgang. In seinem dunkelblauen Zweireiher mit Nadelstreifen wirkte er verkleidet. Ein etwas verrutschter James Cagney, bevor er von Kugeln durchlöchert in die Gosse kippt. Er trug eine rote Krawatte, ein weißes Einstecktuch, die schwarzen Schuhe waren nicht geputzt. Waltrauds schrille Stimme, ihre lauten Fragen, hatte er ignoriert. Innerhalb von fünf Minuten war er gestiefelt und gespornt gewesen. Im Spiegel war sein Blick zum ersten Mal an seinen Narben hängen geblieben. Sicher hatte er sie schon früher entdeckt, damals, als sie noch blutrot leuchteten. Inzwischen hatten sie sich eingegraben, sie gehörten zu ihm wie die unbeantworteten Fragen hinter seiner Stirn. Damals war es ohne Belang gewesen. Jetzt war es ihm unangenehm. Seinen Hut hatte er an der Garderobe abgegeben.

»Wenn eine elegante junge Dame nach mir fragt, ich sitze oben.«

Die Garderobiere hatte erfahren genickt. Er wusste gar

nicht, warum er das gesagt hatte. Am liebsten wollte er es in die Welt hinausschreien. Bald waren die ersten Zweifel gekommen. Es gab hinreichend Gründe, warum Sala es sich hätte anders überlegen können.

Er versuchte, sich zu erinnern, was hatte er Sala aus der Gefangenschaft geschrieben? Wenig Gutes. Eigentlich nur Kränkendes. Die erste Begegnung mit Jean im Tiergarten tauchte vor ihm auf. Er versuchte, sich an seine Kleidung zu erinnern. Ein rotes Unterhemd. Aber sonst? Seine Lippen stammelten halblaut die ersten Zeilen eines Puschkin-Gedichts. Er sah den Überfall in gedehnter Zeit, fühlte Mommsens *Römische Geschichte* im exquisiten Lederband der Sonderausgabe, das einzige Diebesgut, das er je behalten hatte. Erna, seine ältere Schwester, die sich nachts in dem kleinen Zimmer an ihn schmiegte. Ihre heisere Stimme: »Komm, fick mich.« Die Beerdigung seines Vaters. Kriegsfetzen. Paris. Boulangerie. Blutende Säuglinge. Roland, der im Hauseingang von Kugeln getroffen zusammensackte. Schläge. Sein Leben bei den Pflegeeltern. Der Hunger. Der eigene Kot, an dem er fast erstickte. Luftschutzkeller. Fliegerangriff. Das zersplitternde Glas, das ihm das Gesicht zerschnitt. Maschas Wangenknochen. Ihr Lächeln. Waltraud. Wieder Puschkin. Der grüne Filz vom Spieltisch, die rasende Roulettekugel, die sich drehenden Zahlen. Das Niederkrachen der Bäume im russischen Schnee. Er versuchte, sich Sala vorzustellen, ihr Gesicht, ihre Hände, ihre Schultern, das Haar, ihre Stille, ihren Körper, ihr Lachen. Er versuchte, sich das Kind vorzustellen. Ein Mädchen? Er war jetzt Vater. Ihm wurde übel. Kalter Schweiß trat auf seine Stirn. Am Kohleofen starb sein Stiefvater. Die grölende Familie. Das Gesicht seiner Mutter. Tapfer und fest. Jean. Leere Landschaften. Tote Birken. Ein Foto seines leiblichen Vaters, Otto, mit leicht geschwungenem Schnurrbart. Die

Schreie eines Säuglings, Wimmern, das sich zu einem Klagelaut dehnte. Ein Karussell. Spieluhrmusik. Eine Hand legte sich auf seinen Arm. Sala saß vor ihm und schaute ihn still an. Er hatte sie nicht kommen sehen. Ihre Schönheit ließ ihn erzittern. Er suchte schweigend Halt an der Tischkante. Keine Gedanken. Er fühlte sich leicht. Dann kam der Schmerz. Die Schwäche. Die Scham. Er berührte ihre Hand.

»Aus, aus, aus, auuuuus! Das Spiel ist auuus. Deutschland ist Weltmeister!«, dröhnte Zimmermanns Stimme aus dem Radiolautsprecher.

Die Menschen stürmten aus den Seitenstraßen auf den Kurfürstendamm. Otto führte Sala die Treppe hinunter. Er würde sich scheiden lassen, dachte er. Als sie heraustraten, bot er ihr vorsichtig seinen Arm.

48

»Monsieur Berkel?«

Ich war fünfzehn Jahre alt. Hinter mir stand Monsieur Weinberg, mein Französischlehrer. Er kam aus dem Elsass, sein Name wurde Vimbert gesprochen, die mögliche jüdische Abstammung war nur auf dem Papier zu erkennen. In Frankreich verschleierte die Aussprache immer schon die Herkunft.

»Warten Sie.«

Ich hatte in der letzten Woche seine Stunde geschwänzt, obwohl sein Literaturunterricht das Einzige war, was mich interessierte. Aber ich wollte zu meinem Schauspielunterricht, wie jeden Freitag, nur diesmal war die Stunde vorverlegt worden. Ich hatte gefragt. Ich hatte auf sein Einverständnis gehofft, nein, ich war davon ausgegangen, weil er mich mochte. Ich müsse mich entscheiden, hatte er mir knapp gesagt, dann war er verschwunden, ohne ein weiteres Wort. Die Entscheidung war mir nicht leichtgefallen.

»Berkel.« Er trat dicht an mich heran.

In Deutschland interessierten sich die Lehrer nicht für ihre Schüler. Nicht zu meiner Zeit. Sie waren Beamte. Mäßig interessiert, mäßig gebildet, mäßig überzeugend. Man konnte sie duzen. Das lag mir nicht. Warum sollte ich jemanden duzen, der mir nie ein Freund werden würde, der es nicht sein konnte, der mich nicht interessierte, den ich nicht interessierte, der die Welt fortwährend mit seiner Langeweile bestrafte und quälte und mich dann auch noch bei meinem Vornamen rief, als würden wir uns kennen, als hätten wir etwas gemeinsam. Zwischen uns lagen Welten, die ich nicht betreten wollte. Das war in Frankreich anders. Hier duzte man niemanden. Jedenfalls nicht von vorneherein und erst recht nicht ungebeten. Die Lehrer waren streng. Sie interessierten sich für ihre Schüler, sie liebten ihren Stoff.

Monsieur Weinberg sah mich prüfend an. Seine Lippen waren halb geöffnet. Nachdenklich sog er die Luft zwischen seinen Zähnen ein, presste die Lippen aufeinander und stieß den Atem durch die Nase wieder aus. Der Gedanke in seinem Kopf war fertig formuliert.

»Sie kommen aus einem geteilten Land.« Seine Stimme blieb in der Schwebe. »Aus einer geteilten Stadt.« Wieder hielt er kurz inne. »Aufgewachsen mit zwei Sprachen, zwischen zwei verschiedenen Kulturen.« Jetzt kam der Doppelpunkt, die Conclusio, ich konnte es kaum erwarten, vielleicht hielt er die Antwort auf meine Fragen bereit. »In Ihnen ist viel Teilung. Geben Sie acht. Irgendwann werden Sie sich entscheiden müssen.«

Damit ließ er mich stehen. Meine Augen folgten ihm bis ans Ende des Ganges des dunklen Gebäudes in der rue Raynouard 72. Seine Schritte hallten jahrelang in mir nach. Was hätte er wohl gesagt, wenn er auch noch von meinen jüdischen Wurzeln gewusst hätte?

Monsieur Weinberg.

Musste ich mich entscheiden? Und wenn ja, wofür, was auch immer bedeutet, wogegen? Ich sollte mich also entscheiden, ein Deutscher zu sein oder ein Franzose zu werden, ein Mann und keine Frau, wie Lacan es sagt, ein Schauspieler und kein Regisseur oder Schriftsteller, ein Vater und keine Mutter, ein Ehemann und kein Liebhaber. Ein Jude oder ein Christ?

»Monsieur Weinberg?«

Ich stelle mir manchmal vor, ich würde ihn anrufen. Wahrscheinlich lebt er nicht mehr. Seine Nummer habe ich nie besessen. Ich würde ihm gerne sagen, dass ich nach langer Zeit begonnen habe, ihm dankbar zu widersprechen. Ich habe mich nicht entschieden, nicht zwischen zwei Möglichkeiten, wie er mir nahelegte. Wenn der Zuschauerraum voll ist, jeder Platz besetzt, kann man sich dazwischenzwängen, ja, oder man kann sich an den Rand setzen oder auf die Stufen oder auf den Boden vor dem Proszenium oder hinter der letzten Reihe das Spektakel im Stehen verfolgen oder ein Teil davon werden. Es gibt nicht nur zwei Möglichkeiten. Es gibt mehr. Viel mehr.

Drei Wochen vor seinem Tod rief mein Vater mich aus Spanien von seinem Krankenbett aus an. Die Stimme war so schwach, wie sie einst stark gewesen war. Ich konnte Berlin nicht sofort verlassen, ich bat ihn zu warten. Er wartete. Drei Wochen lang. Als ich die Tür zu seinem Krankenzimmer öffnete, wussten wir beide, dass uns nicht viel Zeit blieb. Ich hatte zwei Bücher mitgenommen. Eines, aus dem ich ihm vorlas, im anderen las ich, während er schlief. Marcel Prousts *Auf der Suche nach der verlorenen Zeit*, Michel Houellebecqs *Elementarteilchen*. Eine Woche lang besuchte ich ihn jeden Morgen und blieb bis zum Abend. Wie oft hatten wir früher über den Tod gesprochen? Er war Atheist. Nach dem Tod kam für ihn nichts. Angst? Wovor? Vorbei ist vorbei. Ich glaubte ihm nicht. Kein einziges Wort. Jeder fürchtet sich vor dem Tod, weil wir fürchten müssen, was wir nicht begreifen können. Das war meine feste Überzeugung. An seinem vorletzten Tag schwieg er. Sammelte er sich, oder dachte er nach? Ich meinte zu sehen, wie er seine Chancen abwägte. Was könnte im besten Fall bei all der Anstrengung herauskommen? Ein paar Wochen? Ein paar Monate? Ein Jahr? Und wie würde das aussehen? Er bekam kaum noch Luft. Also Sauerstoffgerät und Rollstuhl. In Spanien könnten sie nicht bleiben. Das Haus war nicht behindertengerecht ausgestattet, die Anstrengung für meine Mutter nicht zumutbar. Zurück nach Deutschland, wo sie nicht gerne lebte? Nein. Es war genug. Und es war nicht schlecht gewesen. Manches sogar sehr gut. Sein Haus war bestellt.

Jeden Tag begleitete ich meine Mutter ins Krankenhaus und schaute meinen Eltern beim Abschied zu, der keiner war. Sie lebten wie zuvor, lachend, streitend, uneins. Als eine Krankenschwester fragte, ob sie den Tropf wechseln solle oder ob meine Mutter das übernehmen wolle, bat er mit einem entschuldigenden Lächeln darum, dass sie, die Schwester, es tun möge, das sei besser so. Er sah in ihr Gesicht. Sie war hübsch. Er lächelte. Meine Mutter glühte vor Wut. Kaum war die Krankenschwester gegangen, verließ sie ohne ein weiteres Wort erhobenen Hauptes den Raum. Er machte keinerlei Anstalten, sie zurückzuhalten. Er war immer gegangen, wann es ihm passte, er gestand es auch jedem anderen zu. Ein Schulterzucken, dann lächelte er mich an, als wollte er sagen, so ist sie nun mal. Ich lief ihr nach. Vor dem Fahrstuhl hielt ich sie an. Vielleicht fasste ich zu fest nach ihrem Arm. Sie riss sich los.

»Du kannst jetzt nicht gehen«, sagte ich.

Ich versuchte so ruhig wie möglich zu sprechen, obwohl ich sie am liebsten packen und schütteln wollte.

»Er stirbt. Du weißt nicht, ob du ihn wiedersehen wirst.«

»Das werden wir schon sehen. Und wenn nicht, dann eben nicht. Was bildet er sich eigentlich ein, mich vor einer Krankenschwester so abzukanzeln? Ich habe seine Arzt-helferinnen ausgesucht und ausgebildet, eine nach der anderen. Ich habe auch noch die unbegabtesten durch die Berufsschule gepeitscht, bis sie es begriffen hatten, egal wie störrisch sie waren, ich war immer der Besen, zu ihm haben sie ehrfürchtig aufgeschaut, so viel zur weiblichen Solidarität. Was taten sie nicht alles für ein bisschen Anerkennung vom Chef! Ich habe ihm seine Buchhaltung gemacht, sonst wären wir nämlich pleitegegangen, ich habe seine Launen, sein Schweigen, seine Eigensinnigkeit ertragen, ohne meinen Vater wäre er mit Pauken und Trompeten durchs Abitur gerasselt.« Sie hatte die Sätze in einem Atemzug gesprochen, jetzt holte sie tief Luft: »Und er kommt und lächelt die Schwester an?« Sie schüttelte wütend den Kopf. »Er sagt, machen Sie das bitte? Meine Frau ist zu blöd, zu ungeschickt, zu, ich weiß nicht was, dafür? So eine Unverschämtheit lasse ich mir nicht bieten.«

»Er meint es nicht so.«

»Er meint es genau so.«

Ihre Stimme wurde ruhiger. Vorsichtig versuchte ich es noch einmal. Diesmal ließ sie sich führen. Wir gingen zurück in sein Zimmer. Von der Tür aus sah ich, wie sie an sein Bett trat. Als sie sich über ihn beugte, um seine Stirn zu küssen, nahm er ihre Hand.

Auf der Rückfahrt sprachen wir kein Wort. Zu Hause ging sie ins Bett. In dieser Nacht starb er. Allein. Mir fehlten noch zwanzig Seiten bis zum Ende der *Elementarteilchen*. Ich habe sie nie gelesen. Er ging ohne Angst. Das war, zum Abschied, sein Geschenk.

Als meine Mutter sich anschickte zu sterben, stand meine Hochzeit bevor. Ich versuchte ihr klarzumachen, dass der Zeitpunkt schlecht gewählt sei. Zweimal schon hatte ich danebengelegen, und jetzt, jetzt hatte ich endlich die Richtige gefunden, da konnte sie nicht einfach gehen, das musste sie doch einsehen. Etwas mürrisch stieß sie den oberen Teil ihrer Bettdecke von sich, um sich Luft zu verschaffen.

»So Gott will«, sagte sie, ohne durchblicken zu lassen, inwieweit sie überhaupt danach gelüstete, ihn darum zu bitten. Ich stand an ihrem Bett. Nach einem längeren Schweigen sagte ich, wie sehr mich die Bewegungen ihres Lebens beeindruckten. Sie schlug die Decke wieder hoch.

»Ein bisschen weniger Bewegung wäre auch ganz gut gewesen.«

Am Tag vor ihrem Tod rief sie mich an, es war ein Sonnabend. Ihre Stimme klang aufgeregt.

»Sag mal, Knabe, du gehst doch immer in dieses Restaurant, wo die Filmleute und die Politiker hingehen, wie heißt das noch mal?«

»Meinst du das Borchardt?«

»Borchardt, richtig, wie spaaaßig, das gab's ja schon in meiner Kindheit.«

Machte sie eine Pause, oder wusste sie nicht weiter?

»Ja?«, sagte ich.

»Was?«

»Du sprachst vom Borchardt.«

»Das Borchardt. Ja. Wo ist das?«

»Warum fragst du?«

»Na, ich bin da verabredet, weißt du?«

»Ach, das ist ja schön. Mit wem denn?«, fragte ich, immer noch auf der Hut. Wenn sie mich mit »Knabe« ansprach, bedeutete das selten etwas Gutes.

Es wurde still.

»General Putin.«

»Wer?« Ich musste mich verhört haben.

»General Putin und seine Leute erwarten mich dort.«

»Bist du sicher?«

»Was ist denn das für eine alberne Frage? Natürlich bin ich sicher. Also?«

»Also was?«

»Die Adresse«, sagte sie.

»Wieso bist du denn mit General Putin verabredet? Ist der überhaupt General?«

»Natürlich ist er das. Er ist der oberste General, ja? Der General überhaupt. Und wir sind verlobt. So, jetzt weißt du es.«

»Die Adresse, ja … warte mal …«

Ich dachte nach. Was sollte ich jetzt tun? Sie würde nicht nachgeben. Ich überlegte, sie in ein Gespräch zu verwickeln, in der Hoffnung, dass sie den Grund ihres Anrufs schnell vergessen würde. Aber mir fiel nichts Passendes ein.

»Das Borchardt.« Sie wurde ungeduldig.

»Ja, natürlich, das Borchardt, entschuldige, warte mal, das Borchardt, das ist in der Französischen Straße, weißt du, in Mitte, da beim Gendarmenmarkt, wo das Konzerthaus ist, das alte Schauspielhaus, von Max Reinhardt, weißt du?«

»Natürlich weiß ich das, was denkst du, wie oft ich da gewesen bin, mit meinem Vater, das wäre ja noch schöner … ich bin doch nicht von gestern.«

»Nein.«

»Die Nummer.«

»Die Nummer … warte mal, das ist die … du, ich muss mal nachschauen, ich rufe dich gleich noch mal an, ja?«

»Nein, ich warte.«

»Gut, dann … ich gehe mal in meinem Adressbuch gucken.«

»Hast du das nicht in deinem komischen Handy?«

An manchen Tagen war sie einfach nicht zu schlagen. Eigentlich vergaß sie mittlerweile alles, aber dann auch wieder nicht. Es gab keine Regel, auch nicht in der über sie hereinbrechenden Nacht.

»Bin gleich wieder bei dir.«

Ich legte den Hörer beiseite und lief im Zimmer auf und ab. Dann griff ich nach dem Telefon.

»Ich habe nur die Telefonnummer, nicht die Hausnummer, ich ruf da mal kurz an, ja? Bis gleich.« Ich wollte auflegen.

»Mach das mit deinem Handy. Ich warte so lange.«

»O.k.«

Jeder, der mich hätte sehen können, hätte wohl die Hände über dem Kopf zusammengeschlagen. Mitten in meinem Wohnzimmer zückte ich mein Mobiltelefon und tat so, als würde ich eine Nummer eingeben. Ich wartete.

»Ja, hallo, ist da das Restaurant Borchardt? Ja, bitte verzeihen Sie die Störung, meine Mutter ist mit General Putin verabredet und verspätet sich etwas, würden Sie so freundlich sein … Bitte? – Ah ja … Ach so … und was soll ich meiner Mutter ausrichten? – Ja … ja … natürlich. Und er meldet sich dann wieder? – Gut. Ganz herzlichen Dank für Ihre Mühe. Auf Wiederhören.«

Ich tat, als würde ich auflegen. Dann nahm ich das Gespräch mit ihr wieder auf.

»Also pass auf, General Putin lässt sich sehr entschuldigen, es tut ihm furchtbar leid, aber er musste mit seinen Leuten zum Flugplatz. Dringende Geschäfte, die unaufschiebbar waren. Du kennst ihn. Es tut ihm sehr leid, aber er wird sich in Kürze bei dir melden.«

»Tegel oder Tempelhof?«

»Tegel, Tempelhof ist ja jetzt geschlossen.«

»Ja, aber nicht für General Putin. Er fliegt also von Tegel, ja?«

»Ja.«

»Und ich muss jetzt nicht ins Borchardt?«

»Nein.«

»Ach. Also weißt du, da bin ich jetzt aber wirklich erleichtert. Da bin ich regelrecht froh, muss ich dir sagen.«

»Ja?«

»Ja, weißt du, ich schätze das gar nicht, wenn wir da mit seiner Entourage rumhocken müssen. Man ist dann nicht wirklich frei im Umgang, wenn du verstehst, was ich meine …«

»Vollkommen.«

»Er ist dann oft so förmlich, weißt du, weil, du weißt, er ist ja um einiges jünger als ich. Und darüber wird hinter seinem Rücken gerne geredet.«

»Du meinst, wie bei deiner Mutter und Tomás?«

»Das war doch etwas vollkommen anderes. Vollkommen. Jedenfalls bin ich froh, dass ich da nicht hinmuss. Den ganzen Vormittag habe ich überlegt, welches Kleid ich nun anziehen soll. Und damit ist jetzt Schluss. Mach es gut, mein Junge, gehab dich wohl.«

Am nächsten Tag war sie tot. Es war ein Sonntag.

An Sonntagen blieb in meiner Kindheit die Zeit stehen. Die Eltern allein bestimmten ihren Lauf. Eine Reise nach Jerusalem, zwischen Anfang und Ende. Die Musik spielte, alle Stühle waren besetzt, nur ich rannte und rannte und rannte im Kreis um sie herum. Die Musik brach ab. Umgeben von Jean, Iza, Tomás, Lola, Robert, Hannes, Mimi, Mopp, Cesja, Max, Erich, Kläre, Walter und Ada, ragten meine Eltern hinein in die Stille. Kein Stuhl war mehr frei. Ich sprang dazwischen. Und von dort hinauf. Hinauf auf den Apfelbaum.

Danksagung

Jeder, dem wir begegnen, beschenkt uns auf seine Weise, aber von den folgenden Menschen habe ich bekommen, was diesen Roman erst möglich gemacht hat:

Von meinem Großvater die Freiheit
Von meiner Mutter die Sprache
Von meinem Vater das Denken
Von meiner Frau das Gefühl
Von meinen Söhnen das Spiel

Von meinem Verleger Gunnar Cynybulk den Glauben
Von meiner Lektorin Maria Barankow die Inspiration
Von Ernst Lürßen das geistige Band

Françoise Sagan

Bonjour tristesse

Roman.
Aus dem Französischen von
Rainer Moritz.
Taschenbuch.
Auch als E-Book erhältlich.
www.ullstein-buchverlage.de

**Das Kultbuch der Sagan in einer Neuübersetzung
von Rainer Moritz und mit einem Vorwort von
Sibylle Berg**

Cécile ist ein launischer Teenager, scharfsinnig, egois-
tisch, manipulativ – und dazu verdammt, den Sommer
mit ihrem Vater und seiner jungen Geliebten Elsa zu
verbringen. Zunächst gelingt es Cécile, die Erwachsenen gegeneinander auszuspielen und den Aufenthalt an
der Côte d'Azur nach ihrem Geschmack zu gestalten: in
herrlicher Leichtigkeit und Freizügigkeit. Bis plötzlich
die kluge Anne auftaucht, eine Freundin ihrer verstor-
benen Mutter, und die sommerliche Idylle mit erzieheri-
scher Strenge zu zerstören droht. Als der Vater Elsa ver-
lässt und Anne heiraten will, schmiedet Cécile einen
Plan mit tragischen Konsequenzen.

»Ihr Debüt wurde zum Lebensstil – ein Wunderwerk.«
Die Zeit

ullstein